€ 4,–

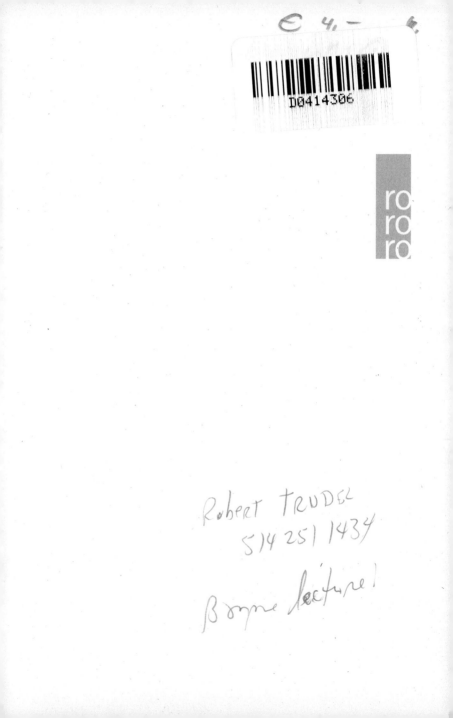

D0414306

ro
ro
ro

Robert TRUDEL
514 251 1434

Bonne lecture!

Graham Norton ist Großbritanniens bekanntester Talkmaster, mit zahlreichen Preisen und einer internationalen Fangemeinde, die seinen bissigen Humor liebt. Geboren ist er in Dublin, aufgewachsen in West Cork. Heute lebt Norton in London. «Ein irischer Dorfpolizist» war ein großer Kritikererfolg, schoss sofort in die britischen Top Ten und wurde mit dem Irish Book Award for Popular Fiction 2016 ausgezeichnet. Eine Fernsehserie ist in Vorbereitung.

«Ein großartiger Roman mit schön konstruierter Geschichte und der tröstlichen Botschaft, dass man Liebe finden kann, selbst wenn alle Umstände dagegensprechen.» *Evening Standard*

«Eine Spitzengeschichte für Sofa- und Regentage – und PJ, der dicke Polizist, ist für uns immer unglaublich sympathisch.» *RadioBerlin 88,8*

«‹Ein irischer Dorfpolizist› versprüht so nebenbei auch ganz viel Glücksgefühl in die Herzen seiner Leser.» *WDR*

«Wunderschön und wahnsinnig traurig.»
Daily Express

«Eines der authentischsten Debüts, das ich in Jahren gelesen habe ... hervorragend.» *John Boyne*

GRAHAM NORTON

Ein irischer Dorfpolizist

Roman • Aus dem Englischen von Karolina Fell

Rowohlt Taschenbuch Verlag

Robert + Rosemary Ross → Tochter Abigail (~40), Florence, Evelyn → Schicht Teacher NP S.25 7

Mrs O'Driscoll + Tochter – Maeve + (Hilfe) Petra

Die Originalausgabe erschien 2016
unter dem Titel «Holding» bei Hodder & Stoughton,
a Hachette UK Company, London.

3 Tommy Burke's Body? = NO S 155

*Mrs Meany : Housekeeper to P.I. Collins
S 179 → S 224 : Amies = Fiona + Angela
250 NP*

4. Auflage Mai 2019
Veröffentlicht im Rowohlt Taschenbuch Verlag,
Reinbek bei Hamburg, Dezember 2018
Copyright © 2017 by Rowohlt Verlag GmbH, Reinbek bei Hamburg
«Holding» Copyright © 2016 by Graham Norton
Umschlaggestaltung any.way, Barbara Hanke / Cordula Schmidt
Umschlagillustration Peter Bartels
Satz aus der Mercury bei Pinkuin Satz und Datentechnik, Berlin
Druck und Bindung CPI books GmbH, Leck, Germany
ISBN 978 3 499 29148 7

*Detective Superintendent = Total Idiot!
S 80.   Linus Dunne*

→ S. 47 = Ref zu Abigail Tommy Burke

57 Die Brüder Flynn (Martin + John)
58 * + Fergus Connolly → p 94 seul descendant.
(donc, le terrain est à lui. Il bâtit ses trucs –

Für Rhoda – endlich eins, das du lesen kannst!

61 Susan Hickey f p. 134 → Schwester: Vera (205

65 Brid Riordan, Eheman Anthony
+ Kinder (Carmel & Cathal)
Tommy 2

*154 Cormac Byrne

p208 Norma Casey: Kriminaltechnik
49 J. Alt

NB → 215 Fran Patricia → His Father
Tommy Burke's dead Baby
Father
i.e. Tommy's Brother

TEIL EINS

1

Es war in der Einwohnerschaft von Duneen weitgehend akzeptiert, dass, sollte ein Verbrechen geschehen und es Sergeant Collins gelingen, den Täter festzunehmen, dieser Verhaftung wohl kaum eine Verfolgung zu Fuß vorausginge. Die Leute mochten ihn durchaus, und es gab im Grunde keine Beschwerden, aber es sorgte dennoch für einige Beunruhigung, dass die Sicherheit im Dorf von einem Mann abhing, dem schon beim Gang zur Kommunion der Schweiß ausbrach.

An diesem speziellen Morgen jedoch wirkte niemand übermäßig besorgt. In der Main Street war, da sie die einzige Straße war, am meisten los. Das Dorf hatte den Wintereinbruch noch vor sich, und doch sah Susan Hickey aus, als wollte sie zu einer Expedition in die Arktis aufbrechen. Sie kauerte unbeholfen mit einer Drahtbürste an ihrem Gartentor und versuchte, ein paar Rostflecken zu entfernen. Gleichzeitig zählte sie mit, wie viele Weinflaschen Brid Riordan behutsam in die Recyclingtonne legte. Sechzehn! Schämte sich diese Frau denn überhaupt nicht? Auf der anderen Straßenseite, vor dem Pub, hustete Cormac Byrne einen sehr befriedigenden Schleimklumpen heraus und spuckte ihn in hohem Bogen in den

Rinnstein. Drüben bei der Telefonzelle sah der schmuddelige schwarz-weiße Collie auf, der den Lyons von der Autowerkstatt gehörte, überzeugte sich davon, dass alles genauso uninteressant war wie vermutet, und legte seinen Kopf zurück zwischen die Pfoten.

Vor O'Driscolls Laden, Poststation und Café in einem, hing das Polizeiauto tief über den Reifen und erweckte den Eindruck, schon länger nicht mehr vom Fleck bewegt worden zu sein. Auf dem Fahrersitz, den Bauch hinter das Steuerrad gezwängt, saß Sergeant Patrick James Collins. Die Namen hatte er bekommen, weil der Vater seiner Mutter, Patrick, genau sechs Wochen vor der Geburt ihres Sohnes gestorben und weil seine Mutter ein Riesenfan von James Garner war, dem Schauspieler, der die Hauptrolle in den Detektiv-Rockford-Filmen spielte. Sein Vater hatte den Familiennamen beigesteuert. Rückblickend war die sorgfältige Auswahl seiner Taufnamen vergebliche Mühe gewesen, denn jeder kannte ihn einfach nur als PJ.

PJ Collins war nicht schon immer dick. Er hatte an langen Sommerabenden in der Gasse hinter dem Laden seiner Eltern in Limerick zusammen mit den anderen Kindern herumgetobt. Sie hatten mit Blechdosen gekickt, Verstecken und Blindekuh gespielt. Das schrille Gelächter, Bezichtigungen wegen Schummelns und gelegentliches Heulen hatten die ruhige Abenddämmerung erfüllt, bis das Klappern eines Kochsiebs oder das Zischen bratender Zwiebeln sie zum Abendessen nach Hause gerufen hatte. Er vermisste dieses Gefühl, einfach dazuzugehören. Er konnte sich kaum noch daran erinnern, wie es war, nicht aufzufallen oder beurteilt zu werden. Die Pubertät hatte für ihn eine Kombination aus Hunger und Trägheit mit sich gebracht, die zu einer fetten Schwarte und zum Ende seines Daseins als Mitglied der Clique geführt hatte. Er hatte das Genörgel seiner Mutter nicht gebraucht, um mitzubekommen, was geschah, aber irgendwie und trotz andauernder heimlicher Schwüre, sein Gewicht unter Kontrolle zu bekommen, wurde er einfach nur immer dicker und dicker, bis er beim Schulabschluss schließlich das Gefühl hatte, abzuspecken läge jenseits seiner Möglichkeiten.

Im Rückblick erkannte er, dass er sich hinter seinem Umfang versteckt hatte, um sich nicht all den Bewährungsproben der Pubertät aussetzen zu müssen. Er musste den Mut, ein Mädchen nach einer Verabredung zu fragen, gar nicht erst zusammenkratzen, denn welche von den Margarets oder Fionas mit ihren langen weißen Hälsen und dem schimmernden Haar würde sich auf der Tanzfläche von seinen warmen, klammen Händen festhalten lassen wollen? Die anderen Jungs versuchten, sich gegenseitig mit schicken Ledersohlen-Schuhen oder schrillen Aufklebern auf ihren Fahrrädern zu übertrumpfen, doch PJ wusste, dass er, ganz gleich, was er tat, niemals eine coole Erscheinung wäre. Übergewichtig zu sein, hatte ihn nicht unbedingt glücklich gemacht, aber es hatte ihm eine Menge Herzschmerz erspart. Es hatte ihn ungeschoren davonkommen lassen.

Das Leben als Polizist behagte PJ. Er fühlte sich durch die Uniform und das Auto kein bisschen fremdartiger als ohnehin schon immer, und die strikte professionelle Distanz, die er zwischen sich und den Nachbarn aufrechtzuerhalten hatte, stellte für ihn keine große Herausforderung dar. Er starrte aus dem Fenster auf den langen, niedrigen Hügel, über den die Touristen zu der Küste und der Schönheit weiterfuhren, die ihnen dort versprochen worden war. In Duneen hielten die Leute nicht an. Zur Verteidigung der Durchreisenden sei gesagt, dass dazu auch kaum ein Grund bestand. Nichts hob das Dorf von irgendeinem anderen ab. Eingezwängt in ein sanftes grünes Tal, war die Straße von unregelmäßigen Reihen zwei- und dreistöckiger Häuser gesäumt, die vor langer Zeit in den Pastelltönen gestrichen worden waren, bei denen man gewöhnlich an Babykleidung denkt. Am Ende der Main Street führte eine alte Brücke über den Fluss Torne. Jenseits davon wachte eine gedrungene graue Kirche über einen niedrigen Hügel. Keine lebende Seele konnte sich an Zeiten erinnern, in denen es auch nur ein winziges bisschen anders ausgesehen hätte. Die Zeit verging nicht in Duneen; sie versickerte.

PJ tupfte mit dem befeuchteten Zeigefinger die Toastkrümel von seinem Oberschenkel auf, hob den Finger zum Mund und seufzte. Gerade elf Uhr vorbei. Noch gute anderthalb Stunden bis zum Mittagessen. Welcher Tag war noch mal? Mittwoch. Schweinekoteletts. Er ging davon aus, dass es auch den Rest Crumble vom Abend davor geben würde, doch dann fiel ihm wieder ein, dass er ihn vorm Schlafengehen noch schnell im Stehen vor dem hohen Kühlschrank aufgegessen hatte. Bei dem Gedanken daran, wie seine Haushälterin Mrs. Meany die leere Kuchenform in der Spüle finden würde, errötete er leicht. Sie würde vor sich hin schimpfen, während sie die Form unter heißem Wasser spülte, und gleichzeitig schon planen, welches Zuckerzeug sie als Nächstes aus dem Hut zaubern würde, um ihn in Versuchung zu führen. Ohne sie wäre er garantiert nur halb so dick. Ganz bestimmt würde ihm ein Sandwich zum Mittag genügen. Er brauchte keine zwei Hauptmahlzeiten und schon gar keine zwei Nachtische. Das warme Frühstück jeden Morgen aß er nur, weil sie es ihm vor die Nase stellte, bevor er protestieren konnte. Sein Arm zuckte, als er sich vorstellte, wie er die Kühlschranktür gegen ihre schmale Gestalt knallen ließ, sodass sie auf den Boden fiele, fortan nicht mehr imstande, ungläubig die Augen aufzureißen, wenn sie seinen Teller abräumte. «Tja, da muss man nicht fragen, ob Ihnen das geschmeckt hat, Sergeant!»

Ein Klopfen an der Seitenscheibe unterbrach seine rabiate Träumerei. Es war Mrs. O'Driscoll selbst, die aus dem Laden gekommen war. Normalerweise war es ihre Tochter, Maeve, oder das magere polnische Mädchen, dessen Namen er vergessen hatte, nach dem erneut zu fragen ihm jedoch zu peinlich war. Er drehte den Zündschlüssel, drückte auf die Taste, um das Fenster herunterzulassen, und räusperte sich. Er hatte seit seinem Abschied von Mrs. Meany um Viertel vor neun mit niemandem gesprochen.

«Das Wetter ist wieder recht schön geworden.»

«Ja, Gott sei Dank. Ich habe Ihnen eine Tasse Tee gebracht, um Ihnen das Aussteigen zu ersparen.»

Mrs. O'Driscoll entblößte ihre kleinen, gepflegten Zähne und lachte. Sie war einfach nur freundlich, und doch klang sie für PJ wie eine Frau, die einen fetten, in den Fahrersitz gequetschten Mann wie ihn auslachte, während sie sich in ihrer eigenen schlanken Figur aalte. Sie streckte ihm eine dampfende Tasse samt Untertasse entgegen. Dann schoss ihr anderer Arm vor und hielt ihm einen Teller mit einem marmeladebestrichenen Scone vors Gesicht.

«Sie sind frisch aus dem Ofen, und die Marmelade ist von der Pfarrersfrau.»

«Sie sind zu freundlich», sagte er mit einem gezwungenen Lächeln. Wusste irgendjemand, dass ein simpler Scone eine derartige Gefühlsverwirrung hervorrufen konnte? Er fühlte sich gleichzeitig bevormundet, wütend, gierig, hungrig und unterlegen.

«Lassen Sie es sich schmecken, und keine Sorge, ich schicke Petra in einer Minute, um den Teller abzuholen. Sie machen ja bestimmt kurzen Prozess damit!» Noch ein Lachen, dann eilte sie über den Gehweg zurück in den Laden.

PJ stellte die Teetasse auf den Beifahrersitz und nahm den Scone in die Hand. Er zwang sich, ihn mit zwei Bissen aufzuessen statt mit einem, und leckte sich die Marmelade aus den Mundwinkeln. Teller abgestellt, Untertasse hochgenommen, schlürfte er einen Schluck Tee. Im Radio stellte der Moderator Quizfragen zu Kinofilmen. Nennen Sie die originalen *Ghostbusters*. Tja, das ist nicht schwer. Bill Murray, Dan Aykroyd und … wie hieß noch mal der andere? Er schloss die Augen, um sich den Schauspieler vorzustellen, doch stattdessen beschwor er das grinsende Gesicht Emma Fitzmaurice' herauf. Sie hatten sich damals zu *Ghostbusters* verabredet. Er spürte die Verlegenheit durch seinen Körper wallen, als hätte das alles erst am Abend zuvor stattgefunden. Seine unbeholfenen Bemühungen, sich schräg auf den schmalen Kinosessel zu setzen, damit er versuchen konnte, ihr den Arm um die Schultern zu legen. Und wie sie ihn dann angesehen und gelacht hatte. Ohne sich wenigstens ein bisschen Mühe zu geben, seine Gefühle nicht zu verletzen, es war einfach nur blanker Spott. Warum hatte sie seine Einladung überhaupt angenommen? Ganz gleich, wie peinlich oder demütigend ein Nein hätte sein können, es wäre immer noch besser gewesen, als geradeaus auf die Leinwand zu starren und dabei die Tränen zu unterdrücken, während neben ihm ihre Schultern zuckten. Diesen Fehler hatte er niemals wieder begangen.

Erneut wurde an die Seitenscheibe geklopft. Er drehte sich um und erwartete ... wie zum Teufel hieß sie gleich noch? ... doch stattdessen hatte er ein Gesicht vor sich, das er nicht kannte. Einen großen Mann Ende vierzig mit wettergegerbter Haut und einem rasierten Schädel, der die Kahlheit verbergen sollte, die viel zu früh eingesetzt hatte. Er trug eine hellgelbe Warnweste, und unter den Arm hatte er einen Schutzhelm geklemmt. PJ vermutete, dass er auf der Baustelle oben hinter der Grundschule arbeitete, wo eine neue Wohnsiedlung errichtet wurde. Die Scheibe glitt herunter.

«Sergeant. Der Vorarbeiter hat mich runtergeschickt. Wir haben da oben was gefunden.» Der Bauarbeiter hob die Hand in die ungefähre Richtung der Schule.

Das war ein gutes Gefühl. Er wurde gebraucht. Nach einem Schluck Tee in aller Ruhe sah PJ auf und fragte: «Und was genau?»

Die Ermittlung hatte begonnen.

«Vielleicht ist es auch gar nichts. Einer von den Jungs hat gesagt, einfach weitermachen, aber ich und der Vorarbeiter dachten, da sollte besser mal jemand einen Blick drauf werfen.»

«Richtig so, ich fahre rauf. Wollen Sie mitfahren?»

«Oh danke. Das mach ich.»

PJ fiel ein, dass er die Tasse und die Untertasse in der Hand hielt, und natürlich war da auch noch der Teller. Das war unangenehm. Das war nicht der gewandte moderne Polizeibeamte, der er sein wollte. Er zögerte einen Moment, dann rief er sich ins Gedächtnis, dass er ein Sergeant war und dieser Mann ein einfacher Arbeiter. Er streckte ihm das Geschirr entgegen.

«Würden Sie das hier mal schnell für mich in den Laden zurückbringen, guter Mann?»

Der Bauarbeiter rührte sich nicht. Würde er nein sagen? War er beschränkt? Doch dann nahm er wortlos die Sachen, brachte sie in den Laden, kehrte zurück und stieg auf der Beifahrerseite ein. Als er im Auto saß, schien er viel breiter zu sein, als er auf der Straße gewirkt hatte. Ihre Schultern berührten sich. Als Sergeant Collins den Motor anließ und zurückstieß, legte er die Hand hinter den Beifahrersitz, damit er besser durch die Heckscheibe sehen konnte. Das umständliche Manöver, die Nähe eines anderen warmen Körpers – mit einem Schlag fühlte er sich zurückversetzt in die Dunkelheit des Kinos, neben Emma. Aber dieses Mal, dachte PJ, lacht keiner.

Das Auto rollte mit sattem Reifenknirschen auf dem Kies rückwärts und fuhr nach einem glatten Gangwechsel schnell die Straße entlang, den Hügel hinauf zum östlichen Teil des Dorfes, vorbei an der Schule und weiter bis zu dem Gelände, das einmal der Bauernhof der Burkes gewesen war. Susan Hickey und der Collie sahen auf, als der Polizeiwagen verschwand und nur die Wolke aus uraltem Staub zurückließ, die er aufgewirbelt hatte.

Sergeant Collins entschlüpfte ein Grunzen. Aus irgendeinem Grund fühlte er sich gut. Er fühlte sich wie ein
Gewinner.

2

Noch bevor das Motorengeräusch des Polizeiautos verhallt war, wurde die Tür des O'Driscoll-Ladens geöffnet, und Evelyn Ross trat auf die Straße. Mit ihrem hellroten Wollmantel, dem Weidenkorb und der dunkelblauen Baskenmütze wirkte sie auf der Hauptstraße von Duneen völlig fehl am Platze. Groß, mit kastanienbraunem Haar und diesen feinen Gesichtszügen, die es sehr schwer machten, ihr Alter zu schätzen – um die vierzig? –, war dies der Typ Frau, der Tennispartys in den Hamptons organisierte oder die Reiter vor einer Jagd mit Glühwein von einem Tablett versorgte, und nicht der Typ Frau, der an der Telefonzelle und der Tankstelle vorbeitrottete, ohne etwas anderes in seinem Korb zu haben als eine kleine Tüte Haferflocken und den wöchentlichen *Southern Star*. Sie ging mit sorgsamen Schritten über das kurze Stück mit unebener Pflasterung und knöpfte ihren Mantel auf. Es war unglaublich mild für Ende November. Der Collie folgte ihr ein paar Meter, doch dann schwenkte er Richtung Heimat auf den Vorplatz der Tankstelle ab. Susan Hickey sah nicht einmal auf.

Im Dorf und in den Ortschaften in der Nähe war Evelyn, was man «allseits bekannt» nennen könnte. Ohne dass sie prominent gewesen wäre, wusste doch jeder, wer sie war, und wenn nicht, bekam er es bald erzählt. Sie war eins der Ross-Mädchen von Ard Carraig. Es waren drei. Abigail, Florence und die Jüngste, Evelyn. Alle unverheiratet, lebten sie in dem großen Haus mit der Natursteinfassade etwa eine Meile außerhalb des Dorfes.

Ihre Eltern waren mit ihrem florierenden Bauernhof und anscheinend irgendwelchen Geldanlagen die wohlhabendsten Leute in der Region gewesen. Robert Ross hatte das Land eingebracht und seine Braut Rosemary, die einzige Tochter eines Bankmanagers in Cork, die Aktien. Alle hatten sich gefragt, wie die zarte junge Frau aus der großen Stadt auf dem Bauernhof zurechtkommen würde, aber sie war tatsächlich aufgeblüht. Bald gab es kaum noch ein Komitee oder einen Vorstand, die sich nicht rühmen konnten, Rosemary Ross als Mitglied zu haben.

Das junge Paar war überglücklich gewesen, als seine erste Tochter Abigail auf die Welt gekommen war, doch auch wenn sie es niemals aussprachen, hatte sich diese Freude in spürbare Enttäuschung verwandelt, als es auch beim dritten Mal ein Mädchen wurde. Das war doch ungerecht. Wo blieb ihr Sohn? Nach Evelyn folgten zwei Fehlgeburten und dann nichts mehr. In Robert machte sich das Gefühl breit, seine Frau litte unter seinem Verlangen nach ihr und einem Sohn. Die innigen feuchten Küsse wurden keusch, kaum dass sich ihre Lippen berührten, wenn er das Licht ausgeschaltet hatte. Zwei Menschen voller Liebe lagen in der Dunkelheit, doch beide glaubten, den anderen enttäuscht zu haben. Manche Ehen sind ein Lodern der Leidenschaft, andere sterben, und ein paar ziehen sich einfach zurück wie ein verwundetes, bezwungenes Tier.

Seltsamerweise war es der Krebs, der ihre Ehe wieder zum Leben erweckte. Während Rosemarys letzter Monate entdeckten sie und Robert, dass es ihre Liebe noch immer gab; dass sie nur unter Schichten von Missverständnissen und verpassten Gelegenheiten begraben war und darauf wartete, zutage gefördert zu werden wie diese perfekt erhaltenen Moorleichen. Natürlich blieben ihre Gefühle unausgesprochen, doch jede unaufgefordert gebrachte Tasse Tee mit zu viel Milch, jede tropfende Untertasse, die von abgearbeiteten, schmutzigen Fingern auf ihren Nachttisch neben ihren Rosenkranz gestellt wurde, sagten ihr, dass er sie noch immer liebte. Und in jenen dunklen, endlosen Stunden vor der Morgendämmerung erlaubte sie ihm, ihren mageren Körper zu halten, wenn sie schluchzte, und er begriff, dass auch sie ihn noch immer liebte.

Evelyns erster Schultag nach der Beerdigung ihrer Mutter war schwierig. Die meisten Mädchen gingen ihr aus dem Weg, unsicher, was sie sagen oder wie sie sich verhalten sollten, und dann waren da noch die paar, die unter anderem hatten wissen wollen, ob sie die Leiche gesehen hatte. Es war eine Erleichterung, wieder beim Tor von Ard Carraig anzukommen, und als sie die baumgesäumte Zufahrt zum Haus entlangtrottete und ihr der Ranzen schwer auf dem Rücken hing, erlaubte sie es sich zu weinen. Sie hatte den ganzen Tag keine einzige Träne vergossen und wusste, dass ihre Mutter stolz auf sie gewesen wäre, aber jetzt, als sie die dunklen Fenster vor sich sah, war alles zu viel. Alles schien grau und trostlos und würde es für immer bleiben, weil ihre Mammy gestorben war.

Während sie um das Haus herum in den Hof ging, spürte sie, wie der frostige Wind ihre feuchten Wangen trocknete. Ihre Schritte verlangsamten sich, als sie versuchte, den Moment hinauszuzögern, in dem sie die kalte, düstere Küche betreten musste. In der kein Radio lief und kein auf dem Kuchendraht auskühlendes Gebäck seinen Duft verbreitete. Als sie an der Hintertür war, bemerkte sie einen Lichtschein in der Werkstatt hinten am Hof. Über die Jahre sollte sie noch häufig diesen kurzen Weg nachvollziehen und jede Einzelheit durchdenken. Das Dutzend Schritte über die glatten Pflastersteine, ihre kleine Hand, mit der sie die schwere Holztür aufschob, von der die Farbe abblätterte, der Schatten auf dem Boden, der sich langsam von einer Seite zur anderen bewegte, die Arbeitsstiefel mit dem schmutzigen Sohlenprofil und einem offenen Schnürsenkel, die Hände, die noch am Morgen ihren Kopf gestreichelt hatten und nun schlaff herabhingen. Das Knarren des Stricks. Damit endeten ihre Erinnerungen. Sein Gesicht konnte sie nie sehen. Das Gesicht ihres Vaters, der einer Welt nicht ins Gesicht sehen konnte, in der es seine Rosemary nicht mehr gab.

Anfangs wusste niemand so genau, was aus den drei Ross-Töchtern werden würde. Frauen aus dem Dorf waren zu ihnen ins Haus gekommen, um für sie zu kochen, und mehrere Männer hatten sie bei der Planung der Beerdigung unterstützt, doch bald wurde den Leuten klar, dass ihre Anwesenheit weder gebraucht wurde noch erwünscht war. Die älteste Tochter, Abigail, übernahm die Verantwortung auf eine Art, die einen beinahe zu dem Gedanken verleiten konnte, sie hätte auf genau diese Situation gewartet. Sie kümmerte sich um die Verpachtung des Landes an einen Bauern aus der Umgebung, und mit diesem Geld konnte Florence auswärts eine Ausbildung zur Lehrerin machen. Evelyn führte den Haushalt, obwohl sie die Jüngste war, und übernahm den größten Teil des Putzens und Kochens. Sie hatte gedacht, dieses Arrangement würde irgendwann wieder enden, doch irgendwie fand sie nie den richtigen Zeitpunkt, um Abigail allein zu lassen; und dann, als Florence nach Duneen zurückkehrte, um in der Dorfschule zu unterrichten, schien es, als wären sie eben einfach dazu bestimmt zusammenzubleiben, aneinandergefesselt durch Schwermut und ihr großes Haus, das keine einzige glückliche Erinnerung mehr barg.

Sechsundzwanzig Jahre später jedoch, als sie mit ihrem Weidenkorb die gleiche Zufahrtsstraße entlangging, dachte Evelyn Ross nicht an die Vergangenheit. Abigails Ladys sollten am Nachmittag zum Bridge kommen, und Evelyn überlegte, welches Abendessen sie auf dem Servierwagen mit dem Tee ins Wohnzimmer rollen sollte. Vielleicht würde sie das gute China-Porzellan mit den gelben Rosen nehmen. Oder war das übertrieben? Würde Abigail die Augen verdrehen? Evelyn beschloss, sich darum nicht zu kümmern. Das Geschirr war hübsch, und überhaupt, wozu schonten sie es? Welche Gelegenheit auf Ard Carraig wäre je besonders genug, um seine Benutzung zu rechtfertigen?

Als sie im Haus war, hängte sie ihren Mantel an den Ständer neben der Gefriertruhe, schaltete das Radio an und begann das Mittagessen vorzubereiten. Sie warf einen Blick auf die Uhr. 12:15. Florence wäre bald von der Schule zurück, und sie hatte es immer eilig. Die Suppe dampfte auf der Herdplatte, und die Sodabrot-Scheiben waren auf einen Teller gefächert, als sie das vertraute *Pling* der Fahrradklingel hörte, mit dem Florence hastig ihr Rad an die Wand neben der Hintertür lehnte. Gleich darauf eilte sie mit einem Schwall kalter Luft herein.

Von den drei Schwestern galt Florence als die hübscheste. Sie trug ihr hellbraunes Haar schulterlang und mit einem Seitenscheitel. Evelyn beneidete sie um ihre «Kurven», wie das in den Zeitschriften genannt wurde, allerdings tat Florence nichts, um ihre Vorzüge hervorzuheben. Die Schottenröcke und dicken Strickpullover, die den größten Teil ihrer Garderobe ausmachten, ließen sie immer ein wenig nach Schülersprecherin aussehen. Sie schien stärker außer Atem zu sein als gewöhnlich. Evelyn spürte sofort, dass sie Neuigkeiten mitbrachte.

«Riesenaufregung!»

«Was ist los?»

«Also, ich war gerade mit Geographie durch, als das Polizeiauto vorbeigerast ist.»

Florence hängte ihren Anorak über eine Stuhllehne und setzte sich. Sie nahm ein Stück Brot und legte eine Pause ein, um die Spannung zu steigern.

«Und?»

«Ich dachte mir zuerst nichts dabei, aber als ich gerade eben gegangen bin, habe ich es oben bei der Neubausiedlung stehen sehen. Ich wollte nicht neugierig erscheinen, also bin ich nicht raufgeradelt, aber als ich durchs Dorf kam, habe ich ein paar von den Bauarbeitern vor dem Laden gesehen, also hab ich angehalten und gefragt, was los ist. Da kommst du nie drauf!»

«Stimmt. Keine Chance», sagte Evelyn, während sie

drei Suppenteller aus der Anrichte nahm. Dieses Spiel hatten sie schon öfter gespielt.

«Sie haben etwas gefunden, als sie die Fundamente ausgehoben haben, und sie glauben, es ist eine Leiche!»

Die Suppenteller zerschellten klirrend auf dem Boden, die Scherben flogen in sämtliche Richtungen auseinander.

3

Duneen hatte es irgendwie fertiggebracht, dem Internet durch die Maschen zu schlüpfen. Kein 4G, kein 3G, überhaupt kein Empfang. PJ starrte auf sein nutzloses Handy und wusste nicht recht, was er als Nächstes tun sollte. Es bestand kaum ein Zweifel daran, dass die Bauarbeiter eine Leiche ausgegraben hatten oder zumindest Teile davon. Den ersten Verdacht hatten lange weiße Knochen erregt, doch inzwischen hatten sie auf dem großen Hügel aus dunkler Erde Gesellschaft von etwas bekommen, das eindeutig ein menschlicher Schädel war.

Es war PJ bewusst, dass ihn der Vorarbeiter und die übrigen Männer, die in der Nähe herumstanden, erwartungsvoll ansahen. Sie standen vollkommen unbeweglich da, jeder mit der vorgeschriebenen neongelben Jacke, weiße Schutzhelme in prekären Winkeln auf dem Kopf. PJ hätte ein Würdenträger bei der Visite sein können oder der Pfarrer, der gekommen war, um die Arbeiten zu segnen. Er versuchte, den Schweißtropfen zu ignorieren, der ihm seitlich an der Nase hinabrann. Dies war ganz klar der Augenblick, um seine Autorität auszuüben, doch in Wahrheit wollte er nur eine übergeordnete Stelle kontaktieren. Das hier würde die Ermittlungen von Detectives erfordern, den Coroner, die Rollen mit dem Plastikband, das von der Garda Síochána, der irischen Nationalpolizei, bei Großereignissen benutzt wurde. Er musste irgendwo welches haben, aber nur Gott wusste, wo. Unklare Erinnerungen an seine Ausbildung in Templemore sagten ihm, dass man unter keinen Umständen einen Tatort unbewacht zurücklassen sollte, doch er wusste genauso, dass seine Knochen bleich wie die da unten wären, bis hier durch Zufall ein hochrangiger Polizeibeamter vorbeikäme. Er wandte den Blick von den Ausgrabungen ab, sah zur Schule hinüber, zog sein Notizbuch heraus, um Zeit zu gewinnen, und hoffte dabei inständig, den Eindruck zu vermitteln, dass er einem genau vorgeschriebenen Prozedere folgte.

Auf keiner Baustelle war es jemals so still gewesen. Eine Holztaube gurrte leise in einem Baum in der Nähe, und in der Entfernung hörte man einen Traktor im Leerlauf. Einer der Bauarbeiter unterdrückte ein Husten. Sollte er die menschlichen Überreste liegen lassen und weggehen, um Meldung zu machen, oder sollte er vor Ort bleiben und jemand anderen beauftragen, die Welt da draußen über das aufregendste Vorkommnis zu informieren, das es in seiner gesamten Berufslaufbahn je gegeben hatte? Mit einem Mal war er sicher. Er schlug das Notizbuch auf und sah den Vorarbeiter an.

«Haben Sie hier ein Seil?»

«Haben wir.»

«Gut, ich möchte, dass Sie diesen Bereich hier damit absperren, von der Stelle um die Knochen bis zur anderen Seite der Baugrube. Können Sie das für mich tun?»

«Kein Problem.»

«Außerdem müssen Sie mir dafür sorgen, dass absolut niemand diesen Bereich betritt», er begann zu seinem Auto zu gehen, «bis ich mit den ...»

Shit! Er hatte das Wort vergessen. Wie war es noch? Bitte, bitte, bitte, flehte er in Gedanken.

«Forensikern wiederkomme!», verkündete er ein bisschen zu laut und mit einem breiten Lächeln, das niemand verstand, abgesehen von ihm selbst.

Das Gebäude, das als Polizeiwache von Duneen diente, hatte sein Dasein als Bungalow eines pensionierten Lehrers angefangen; eine Schachtel mit Kieselrauputz, einer Tür in der Mitte und rechts und links davon je einem großen rechteckigen Fenster. Das ehemalige Wohnzimmer mit seinem pfirsichfarben gekachelten Kamin und der Decke mit Strukturputz beherbergte nun PJs Dienstsitz, die übrigen Zimmer waren seine Wohnräume. Einige Möbel hatten zur Grundausstattung gehört, die anderen waren eine Mischung aus Funden in Trödelläden und ein paar Stücken, die seine Schwester nicht genommen hatte, als ihre Eltern gestorben waren. Es war die Art planloser Inneneinrichtung, mit der man in einem heruntergekommenen Bed and Breakfast oder einem Altenheim rechnen kann. Nicht unbequem im Grunde, aber auch nicht besonders geeignet, um sich zu Hause zu fühlen.

PJ stellte das Auto in der kurzen Zufahrt ab. Hinter dem Haus lag ein langer, schmaler Garten, der sich bis zum Fluss erstreckte, was bedeutete, dass er in den meisten Wintern überschwemmt war, allerdings hatte es das Wasser bisher noch nie bis durch die Hintertür geschafft. Von Entschlossenheit erfüllt, manövrierte der Sergeant seine Massen mit relativer Geschwindigkeit um das Auto herum und zu dem schmalen Glasvordach. In der Luft hing der Geruch nach gebratenen Schweinekoteletts.

Mrs. Meany, ein Geschirrhandtuch in der Hand, erwartete ihn in der Diele. Die alte Dame war PJs Vollzeit-Haushälterin, wohnte allerdings allein in einem Cottage am anderen Ende des Dorfes. Sie hatte eine ganze Reihe von Jahren in Duneen als Pfarrhaushälterin gearbeitet, doch dann hatte sich Miss Roberts, die Direktorin des Hotels in Ballytorne, zur Ruhe gesetzt und Mrs. Meany gebeten, sich um sie zu kümmern, weil sie sonst niemanden hatte. Als Anreiz hatte sie ihr das Cottage in Aussicht gestellt. Das Arrangement hatte sich sehr gut für Mrs. Meany geeignet. Sie mochte das kleine Cottage und das Gefühl, dass es ihr ganz allein gehörte. Niemand konnte es ihr wegnehmen, und wie ein Tier, das seine Duftmarken setzt, hatte sie jede verfügbare Oberfläche mit oftmals abgestaubten Porzellanfiguren und kleinen Glasornamenten vollgestellt. Nach Miss Roberts' Tod hatte sie für mehrere Leute im Dorf gekocht und geputzt, bevor sie als Vollzeitkraft in der Polizeiwache angefangen hatte.

«Da sind Sie ja, Sergeant. Ich habe schon angefangen zu denken, es wäre etwas passiert.» Sie wedelte mit dem Geschirrhandtuch und drehte sich zur Küche um.

«Nun, nach Lage der Dinge, Mrs. Meany ...» Er hörte seine eigene Stimme. Er klang ärgerlich. Warum klang er ärgerlich? «... ist tatsächlich etwas passiert.»

Die alte Dame drehte sich mit angemessen schockiertem und fasziniertem Gesichtsausdruck um.

Erfreut von ihrer Reaktion, fuhr PJ fort. «Ich habe gerade eine Leiche gefunden.»

«Sie haben *was*?»

«Eine menschliche Leiche!»

Er hatte sein Leben lang darauf gewartet, diese Worte aussprechen zu können, und es fühlte sich genauso gut an, wie er es sich immer vorgestellt hatte.

«Gott steh uns bei!», keuchte Mrs. Meany und hob beide Hände zum Hals, als würde sie den Kragen einer imaginären Strickjacke enger um sich ziehen. «Wo?»

«Ich habe keine Zeit. Ich muss Cork informieren», verkündete er und ging in sein Büro, während Mrs. Meany vor der Küchentür einen seltsamen kleinen Tanz der Unsicherheit aufführte, wie eine Figur vor einem Wetterhäuschen, die sich nicht entscheiden kann, ob es Regen oder Sonnenschein geben wird.

Als PJ den Hörer auflegte, überkam ihn eine merkwürdige Ernüchterung. Unterstützung war unterwegs, das war genau, was er wollte, was er brauchte, doch wenn sie erst einmal eingetroffen war, wäre es nicht mehr sein Fall. Er wäre einfach ein weiterer nutzloser Mann, der am Schauplatz herumstand, eine Art Verbrechens-Butler im Dienst derjenigen, die herausfinden würden, wessen Leiche dies war und was den Tod verursacht hatte. Handelte es sich überhaupt um ein Verbrechen? Die Anzugträger aus Cork würden noch mindestens eine Stunde brauchen, bis sie im Dorf angekommen waren. Gab es etwas, das er noch tun konnte? Womöglich knackte er diesen Fall ja in den nächsten sechzig Minuten. Er lächelte über seinen eigenen Wahnwitz.

Es klopfte an der Tür, und bevor er etwas sagen konnte, kam Mrs. Meany herein, die ein dampfendes Tablett balancierte. PJ schob seinen Stuhl vom Schreibtisch zurück.

«Keine Zeit fürs Mittagessen heute, Mrs. Meany.»

«Kein Mittagessen?» Ihre Stimme klang, als hätte er verkündet, am Nachmittag Selbstmord begehen zu wollen. «Wollen Sie nicht wenigstens einen kleinen Bissen essen, bevor Sie gehen?», sagte sie mit gesenktem Kopf wie ein Hund, der zwischen den Ohren gekrault werden will. Sie stellte den Teller auf den Schreibtisch und zog Messer und Gabel aus ihrer Schürzentasche.

«Es tut mir leid, Mrs. Meany, aber ich muss zurück zu der Baustelle. Sie schicken ein paar uniformierte Jungs, um den Tatort zu sichern.»

Erneut zog Mrs. Meany ihre imaginäre Strickjacke enger zusammen.

«Burkes Hof? Haben Sie die Leiche dort gefunden?»

«Genau.» PJ zog seine Jacke wieder an.

«Was für eine Leiche war es?»

«Nur Knochen ... ist zu früh, um was Genaues zu sagen.»

Die alte Dame hielt sich am Schreibtisch fest und schluckte Luft wie ein grauhaariger Goldfisch. Ihre Stimme war bloß noch ein Flüstern. «Jesus, Maria und ... Könnte es Tommy Burke sein?»

Der Sergeant trat einen Schritt zurück in den Raum.

«Der Knabe, dem der Bauernhof gehört hat? Der ist bestimmt nicht tot.»

«Nein?» Ihre Augen verengten sich.

«Er ist einfach abgehauen, oder? Nachdem er Ärger wegen eines Mädchens hatte, war's nicht so?»

«Das dachten wir alle, aber im Dorf hat nie wieder

jemand etwas von ihm gehört oder gesehen, und es muss jetzt siebzehn ... nein, mehr, weil Sie ja seit beinahe fünfzehn Jahren hier sind, also muss es eher zwanzig Jahre her sein, dass er verschwunden ist. Es würde schrecklich viel Sinn ergeben, wenn sich herausstellt, dass er die ganze Zeit oben auf dem Bauernhof war.» Sie strich sich eine graue Haarsträhne hinters Ohr und rieb sich langsam über die Schläfe. «Man darf überhaupt nicht daran denken. Allein in der Kälte und Einsamkeit all die Jahre und nicht einmal einen Grabstein.»

PJ sah erschrocken, dass sich die Augen der alten Frau mit Tränen gefüllt hatten.

«Oh, Mrs. Meany, jetzt beunruhigen Sie sich doch nicht. Wir können noch überhaupt nicht wissen, wer es ist oder wie die Knochen dorthin gekommen sind. Kochen Sie sich erst mal in Ruhe einen Tee, und später weiß ich vielleicht schon mehr.» Er legte ihr die Hand auf die Schulter und schob sie behutsam Richtung Tür.

«Danke, Sergeant. Ich weiß auch nicht. Der Gedanke daran ... an ihn. Ich weiß einfach nicht.» Sie zog die Tür hinter sich zu.

Sergeant PJ Collins wagte kaum zu atmen. Kein Anzugträger in Sicht, nicht mal die Uniformierten waren schon eingetroffen, und er hatte eine Spur. Er malte sich aus, wie er, einen Fuß auf dem Erdhaufen, dorthin deutete, wo das Bauernhaus früher gestanden hatte, und das übrige Team *auf Trab* brachte.

Er nahm eines der Schweinekoteletts in die Hand und biss ein großes Stück ab.

4

Eine schlaffe Frühlingszwiebel hing über den Rand eines der Weidenkörbe, in denen das frische Gemüse in der O'Driscoll-Laden-Café-Poststelle dargeboten wurde. Sie teilte sich den Platz mit einer verschrumpelten roten Paprika, während der Korb darüber Karotten in Beuteln enthielt, an denen sich Kondenswasser niedergeschlagen hatte. Auf dem Fußboden lag ein Sack Kartoffeln. Braune Papiertüten hingen an einer Schnur, um eifrigen Kunden eine eigene Wahl aus dem verlockenden Angebot zu ermöglichen. Der Vertriebsbeauftragte, von dem der Umbau erläutert worden war, hatte etwas von «französischer Marktatmosphäre» erzählt und versucht, sie zu so einem Aufbackofen für gefrorene Baguettes zu überreden. Bei diesem Vorschlag war für Mrs. O'Driscoll Schluss gewesen. Es gab in Duneen keinen Bedarf für Pariser Weißbrot. Sie hatten die tägliche Lieferung an geschnittenem Brot, und ihre Tochter Maeve verdiente sich mit ihrem selbstgebackenen Sodabrot etwas dazu, vielen Dank auch.

Bei O'Driscolls erledigte niemand so etwas wie einen *Großeinkauf*. Man kam vorbei, um einen vergessenen Liter Milch oder dringend benötigtes Toilettenpapier zu besorgen; es war die Art Laden, in dem man sämtliche

Zutaten für ein ausgiebiges irisches Frühstück bekam, aber eine recht magere Auswahl hatte, wenn es um eine Hauptmahlzeit ging. Sie verdienten ihr Geld durch ihre langen Öffnungszeiten, weil die Leute, wenn es zu spät oder zu früh war, um die vierzig Minuten nach Ballytorne, die nächste größere Stadt, zu fahren, bereitwillig ein bisschen mehr zahlten.

Mrs. O'Driscoll gefielen die Vormittage am besten. Das Wechselgeld in die Kasse zählen, den Aufsteller hinausbringen, die Zeitungslieferung hereinholen. Danach war der Tag von regelmäßigen Aktivitätswellen durchsetzt – wenn die Leute zur Arbeit gingen, eine leichte Welle um die Mittagszeit und natürlich wenn die Kinder von der Schule abgeholt wurden.

Dieser Nachmittag bildete keine Ausnahme, nur dass die kleine Müttergruppe immer größer zu werden schien und es mit dem Aufbruch nicht eilig hatte. Bis Viertel nach vier waren es schon wenigstens acht plus ihre gelangweilten Kinder, die ignoriert wurden, wenn sie an den Ärmeln und Röcken ihrer Mütter zogen. Das Zentrum der Gruppe war Susan Hickey, immer noch in dicke Kleidungsschichten gewickelt, um sich vor dem bevorstehenden Winter zu schützen. Ihr kleines, rundes Gesicht mit dem geschürzten Mund, der an den Knoten eines Luftballons erinnerte, war rot und verschwitzt von einer Mischung aus Wärme und Aufregung. Ihr Neffe arbeitete oben an der Neubausiedlung, und er hatte seiner Tante alles erzählt. Ein Riesenberg Knochen – es könnte sich geradezu um ein Massengrab handeln. Überall dort wimmelte es von Polizei, ein paar Beamte waren sogar aus Cork runtergekommen. Unterschiedliche Laute der Umstehenden signalisierten Bestürzung und Anerkennung. Eine Frau legte ihrem Sohn die Hände über die Ohren.

Hinter dem Tresen saß Mrs. O'Driscoll in stummer Betrachtung ihrer gleichermaßen stummen Registrierkasse. Es störte sie nicht, wenn sich die Kunden unterhielten, aber die meisten dieser Frauen hatten überhaupt nichts gekauft. Die arme Petra versuchte, um sie herumzufegen; die Sache konnte sie natürlich nicht interessieren, denn die Burkes waren schon lange weg, als sie nach Duneen gekommen war. Eine geflüsterte Vermutung drang von dem hastig einberufenen Hexenzirkel bis zu Mrs. O'Driscoll.

«Glaubst du, unser Tommy war eine Art Serienmörder?»

Dies wurde mit einem Geräusch beantwortet, als würde die Luft aus einer gigantischen Luftmatratze gelassen. Mrs. O'Driscoll konnte sich nicht länger zurückhalten.

«Oh, Herrgott noch mal. Wenn dieser Junge ein Mörder gewesen wäre, hätte er dann nicht mit seinem eigenen Vater angefangen?»

Alle Blicke wandten sich ihr zu. Sie forderten mehr, und Mrs. O'Driscoll öffnete widerstrebend den Mund und suchte nach Worten.

«Big Tom war der Einzige in dieser Familie, der was Schlechtes an sich hatte. Der junge Tommy war vielleicht ein bisschen beschränkt, aber er war garantiert kein irischer Jack the Ripper.»

Die Frauen drängten sich vor der Kassentheke zusammen, um mehr zu erfahren. Susan Hickey gefiel es nicht sonderlich, wie ihr auf solche Weise die Expertenrolle entrissen wurde.

«Nun», sagte sie laut, «die Polizei wird ihn bestimmt in England aufspüren, um ihm ein paar Fragen zu stellen.»

Darauf folgte allgemeines Nicken. Mrs. O'Driscoll verdrehte die Augen. Sie wusste, dass es Susan Hickey gewesen war, die sich gegen eine Weinlizenz für das Café ausgesprochen hatte.

«In England? Wer hat Ihnen das denn erzählt, Susan?»

«Das weiß doch jeder.»

«Soweit ich weiß, hat keine Menschenseele etwas von ihm gehört, seit er weg ist. Er könnte überall sein.»

Eine kleine Frau, deren Haar einmal blond gewesen war, hob die Hand wie bei einer Ausschusssitzung. «Glaubt ihr nicht ... dass er eine von den Leichen da oben sein könnte?»

Die Luftmatratze ließ mit einem scharfen Geräusch Luft ab. Die Richtung, in die sich diese Geschichte entwickelte, gefiel ihnen.

Plötzlich hallte ein lautes Krachen durch den Laden, gefolgt von dem schrillen Geheul eines Kindes. Die Mütter sahen sich nach ihren diversen Schützlingen um.

«Fintan, wo bist du?» Die Reaktion waren laute, bebende Schluchzer. «Fintan! Was hast du angestellt?» Als die Mutter des Jungen um ein Regal kam, war die Antwort klar. Ein tränenfeuchtes Gesicht starrte vom Boden empor, umgeben von wenigstens einem Dutzend Dosen Reisbrei.

«Oh, Mrs. O'Driscoll, das tut mir sehr leid. Fintan, was sagst du zu Mrs. O'Driscoll?»

Anscheinend war alles, was Fintan zu sagen hatte, ein langgezogener Schreckensschrei, den er ausstieß, während ihn seine Mutter an der Hand vom Ort des Verbrechens wegzog. Mrs. O'Driscoll tat die ausführlichen Entschuldigungen mit einer Handbewegung ab, während sie hinter der Theke herauskam, und rief nach Petra, die ihr helfen sollte. Insgeheim war sie sehr zufrieden. Ohne dass ein Schaden entstanden war, hatte der Vorfall den sinnlosen Spekulationen der Mütterrunde ein Ende gesetzt.

Nachdem alles wieder aufgeräumt und der Laden leer war, nahm sie erneut ihren Posten hinter der Kasse ein. Drahtig, aber stark hockte sie auf einem hohen Stuhl, den Rücken leicht gebeugt von Jahren hinter der Registrierkasse, und ihr ungeschminktes Gesicht verriet nichts. Sie war keine Frau, von der man eine Umarmung oder ein tröstliches Schulterklopfen zu erwarten hatte, aber ihr Blick besaß dennoch genügend Wärme, um zu vermitteln, dass man sich in der Not auf sie verlassen konnte. Respekt einflößend, aber nicht zu sehr, ließ sie das Weltgeschehen mit dem ihr eigenen Sinn für das, was gut und richtig war, an sich vorüberziehen. Sie half denjenigen, von denen sie glaubte, sie wären zumindest imstande, den Versuch zu machen, sich selbst zu helfen, zögerte jedoch nicht, über Menschen zu urteilen, die ihrer Meinung nach selbst für ihr Unglück verantwortlich waren. Einen Laden zu führen, eine Poststelle und ein Café zeigte ihr sämtliche Facetten des menschlichen Daseins.

Sie sah ein Polizeiauto vorbeifahren. Seine Warnleuchte blinkte orange, und es fuhr den Hügel hinauf zu Burkes altem Bauernhof. Sie fragte sich, was in aller Welt dort vorging. Ein Stechen zuckte ihr durch den Magen; ein Unwohlsein, das von den Geheimnissen herrührte, die ausgegraben werden und den Frieden dieses Dorfes stören könnten. Natürlich war sie sich der diversen Dramen bewusst, die über die Jahre stattgefunden hatten, doch irgendwie hatten sie sich hinter den Kulissen abgespielt. Die Skandale hatten sich in Grenzen gehalten. Was aber würde geschehen, wenn diese Knochen die ganze Gemeinde ins Scheinwerferlicht stellten?

Sie kaute an der Seite ihres Daumennagels und dachte an den kleinen Tommy Burke und seine Mutter. Sie selbst war damals noch ein Kind gewesen, doch sie hatte nur zu gern hinten im Laden gesessen und so getan, als würde sie Hausaufgaben machen, während sie in Wahrheit jedes Wort belauschte, das die Erwachsenen sagten. Und wenn geflüstert wurde, umso besser.

Niemand hatte geglaubt, dass Mrs. Burke jemals ein Kind bekommen würde, doch dann, nach zehn Jahren Ehe, kam die wundersame Nachricht von ihrer Schwangerschaft. Es war nicht nur ihr Bauch, der dicker wurde, sie blühte insgesamt auf. Über die Ladentheke hinweg oder nach der Messe auf der Kirchentreppe sah man an ihr ein neues, strahlendes Lächeln. Sie explodierte geradezu vor Glück. In den Wochen vor dem Geburtstermin traf man nur Mr. Burke im Dorf. Seine Frau ruhte sich aus. Unter Kopftüchern wurde getuschelt, schlechte Neuigkeiten schienen in der Luft zu liegen, doch dann kam die freudige Nachricht von der Geburt des Kindes. Ein Junge, Tom, der nach seinem Vater genannt und Little Tommy gerufen wurde, während der Vater ab diesem Zeitpunkt Big Tom hieß.

Es dauerte ein paar Wochen, bis irgendjemand die junge Mutter zu sehen bekam, und der kleine Junge schien sehr schmächtig. Die kopftuchtragenden Mütter der Gemeinde sprachen erneut mit gedämpften Stimmen die Prognosen durch. Keine erwartete, dass Little Tommy gut gedeihen würde. Mrs. Burke wurde wieder zu einer bemitleidenswerten Gestalt.

Die Zeit setzte sie alle ins Unrecht. Das Baby wuchs schnell, wurde zu einem kräftigen kleinen Schuljungen, und das Lächeln kehrte in das Gesicht seiner Mutter zurück. Doch es sollte nicht lange bleiben.

Die meisten Dorfbewohner hätten gesagt, dass Big Tom den Bauernhof vertrunken hatte, aber Mrs. O'Driscoll hatte ihre Eltern darüber reden hören. Sie wusste, dass mehr dahintersteckte. Er hatte einen großen Teil des Grundbesitzes verspielt und den Rest heruntergewirtschaftet. Sie erinnerte sich an Little Tommy, der kaum groß genug gewesen war, um über die Ladentheke zu sehen, und an seine Mutter, die mit hochrotem Gesicht stotternd um einen Kredit gebeten hatte. Damals hatte Mrs. O'Driscoll ihre Eltern zum ersten und einzigen Mal streiten hören. Ihr Vater streckte ihrer Mutter das Kassenbuch entgegen und fragte sie, ob sie verrückt geworden wäre. Warum hatte sie sich bereit erklärt, diese Burke anschreiben zu lassen? Ihre Mutter hatte zurückgeschrien. Hatte er kein Herz? Das war einfach christliche Nächstenliebe. Das hätte jeder gemacht.

Zu sterben war die einzige vernünftige Entscheidung, die Big Tom je getroffen hatte. Wie sich herausstellte, hatte er ohne das Wissen seiner Frau oder seines Sohnes, der inzwischen achtzehn Jahre alt und selbst so weit war, den Bauernhof zu führen, eine Lebensversicherung abgeschlossen. Zum ersten Mal in ihrem Leben hatten sie ein bisschen Geld auf der Bank. Der andere Glücksfall, der ihnen widerfuhr, war diese schlimme Sache draußen auf Ard Carraig mit Robert und Rosemary Ross. Die Ross-Töchter hatten Land und brauchten Geld. Little Tommy besaß nicht genug, um einen Bauernhof zu kaufen, aber er konnte eine angemessene Pacht zahlen. Alle freuten sich, dass diese beiden düsteren Geschichten eine Art Happy End bekamen. Mrs. Burke starb in dem Wissen, dass ihr Sohn gut zurechtkam. Er rührte nie einen Tropfen Alkohol an und interessierte sich nicht für Pferderennen.

Nach dem Tod seiner Mutter veränderte sich Tommy. Er hatte schon immer schwer gearbeitet, nun aber gab es nichts anderes mehr in seinem Leben. Er versuchte ständig, irgendjemandem irgendetwas zu verkaufen, und alles, über das er reden wollte, war Land. Was es kostete, wer es besaß, wer verkaufte, wo es lag. Sein leidenschaftlicher Wunsch, seinem Vater in nichts zu gleichen, schien eine unheilvolle Wendung genommen zu haben. Jedem gefiel es, wenn ein junger Mann zielstrebig war, doch das war etwas anderes. Es bedeutete ihm zu viel. Es war nicht mehr normal. Ein gutaussehender Bursche wie Tommy sollte Freunde haben und zur Sperrstunde aus dem Pub torkeln. Mrs. O'Driscoll wusste noch, dass sie gedacht hatte, er wäre wohl niemals zufrieden, und wie zu erwarten, hatte es böse geendet.

Die Ladentür wurde geöffnet und holte Mrs. O'Driscoll in die Gegenwart zurück. Eine spätnachmittägliche Brise ließ die Papiertüten an den Gemüsekörben rascheln. Sie kannte den Mann in dem Anzug nicht, der hereinkam, aber nach beinahe vierzig Jahren hinter der Ladentheke wusste sie, was für ein Typ Mann er war, und er gefiel ihr nicht. In die Auswahl dieser Krawatte war zu viel Zeit gesteckt worden, und sein Lächeln hätte besser gepasst, wenn er eine Gruppe behinderter Kinder beim Ausflug vor sich gehabt hätte.

«Einmal Camel Lights, bitte.»

Sie griff hinter sich nach der Schachtel.

«Oh, und Streichhölzer.»

Mrs. O'Driscoll verdrehte die Augen. Er hielt sich wohl für einen tollen Kerl, aber reich würde er sie garantiert nicht machen.

5

Abigail stand ein paar Minuten an der offenen Haustür und sah den Lichtern der Autos nach, die sich über die Zufahrtsallee entfernten. Das Astwerk der Bäume fing die Strahlen der Scheinwerfer ein und hob sich gegen den schwarzen Himmel ab. Sie atmete einige Male tief durch und betrachtete ihren Schatten vor sich auf dem Kies. Diese Stille. Sie mochte diese Zeit am Abend.

Üblicherweise ging Florence mit einem Buch und einem kleinen Glas Milch als Erste zu Bett, und dann, wenn Evelyn den Frühstückstisch gedeckt hatte, verschwand auch sie nach oben. Abigail genoss die halbe Stunde, in der sie das Haus für sich hatte. Sie hatte durchaus nichts gegen Menschen; aber sie brauchte sie einfach nicht. Manchmal erschien ihr diese Eigenständigkeit wie eine Charakterschwäche. Stimmte vielleicht irgendwas nicht mit ihr? Aber meistens sah sie darin eine Stärke.

Man brauchte keinen Doktor Freud, um darauf zu kommen, dass ihre emotionale Zurückhaltung eng mit dem Tod ihrer Eltern zusammenhing. Sie hätte gesagt, dass sie beide gleichermaßen geliebt hatte, doch in Wahrheit hatte sie vor allem ihren Vater vergöttert. In ihrer frühesten Erinnerung ging sie an seiner Riesenhand mit unsicheren Schritten in zu großen Gummistiefeln über ein gepflügtes Feld. Sie hatten zusammen die Kälber gefüttert. Abigail hatte auf seinem Schoß gesessen, als er den Traktor auf die hintere Koppel fuhr. Selbst als Florence und Evelyn dazukamen, änderte sich nichts an ihrer besonderen Beziehung zu ihrem Daddy. Während die anderen Mädchen lieber mit der Mutter im Haus waren oder im Garten spielten, blieb Abigail an der Seite ihres Vaters. Mit ihrem ernsten Gesichtchen unter dem geraden Pony wurde sie ein vertrauter Anblick, wo immer Robert Ross auch auftauchte. Die Arbeiter auf dem Bauernhof fingen an, sie «der Schatten» zu nennen, als wäre sie ein treuer Collie.

Natürlich fehlte er ihr, nachdem er gestorben war, doch was ihr das Herz brach, war die Erkenntnis, dass er sie nicht genug geliebt hatte, um nicht zu gehen. Nach dem Tod ihrer Mutter war sie traurig gewesen, aber da war noch ein anderes Gefühl. Eine Energie und Stärke, die sie durchfloss, als sie sich darauf vorbereitete, zur Teilhaberin an der Seite ihres Vaters zu werden. Gemeinsam würden sie Ard Carraig führen. Als sie in den Tagen, nachdem Evelyn seine Leiche entdeckt hatte, in die Kissen heulte, schmerzte es sie am meisten, dass ihr Vater nicht die gleiche Vorstellung von der Zukunft gehabt hatte wie sie selbst. Zum ersten Mal in ihrem erst kurzen Leben wurde ihr bewusst, dass sie allein war. Ein solcher Schmerz kann in einem jungen Herzen merkwürdige Dinge anrichten.

Abigail trat ins Haus zurück und zog die schwere Eingangstür hinter sich zu. Sie schloss ab und legte die dicke Messingkette vor. Auf ihrem Weg durch den Flur schaltete sie die Lampe auf dem langen Eichentisch aus. In einer hellblauen Schale lagen ein paar Schlüsselbunde und einige Lotterielose. Daneben standen aus unterschiedlichen Jahren gerahmte Fotos der drei Schwestern in Schuluniform und ein größerer Silberrahmen mit einem Hochzeitsfoto von Rosemary und Robert. Abigail war oft stehen geblieben, um diese Gesichter zu betrachten, hatte nach einem Zeichen oder einem Hinweis gesucht, nach etwas, das die Trauer voraussagte, die sich auf sie legen sollte. Da war nichts. Das Lächeln so zukunftssicher, in Erwartung all der Freude, die sie bringen würde. Florence in ihrem Erstkommunionskleid und dem Schleier. Gott, sie sah ihrer Mutter derartig ähnlich.

Abigail ging weiter ins Wohnzimmer und stellte den Kaminschirm vor die verglühenden Scheite. Das polierte Holz der Beistelltischchen schimmerte golden im Schein der Lampen. Sie machte ihre Runde durch den Raum, schaltete eine nach der anderen aus, dann brachte sie ein vergessenes Weinglas in die Küche. Sie stellte es auf die Ablauffläche, damit sich Evelyn am Morgen darum kümmerte. Im Wegdrehen erhaschte sie einen Blick auf ihr Spiegelbild in der nachtschwarzen Fensterscheibe. Sie hielt inne und starrte sich an. Das geisterhafte Bild, das in der glatten Dunkelheit schwamm, zeigte ihr deutlich die Ringe unter ihren Augen und die tiefen Falten auf ihrer Stirn. Abigail war nicht eitel, dennoch war sie betroffen. Wann war sie so alt geworden? Noch keine fünfzig, aber ein Gesicht wie eine alte Vettel. Das war unfair. Sie fühlte sich immer noch wie ein Schulmädchen, das nur das Haus hütete und darauf wartete, dass die Erwachsenen zurückkamen. Sie rieb sich die Augen und ging zum Schrank hinüber, um sich ein Wasserglas herauszunehmen. Zeit zum Schlafengehen.

Der Abend war eine Katastrophe gewesen. Niemand hatte die geringste Lust auf Bridge gehabt. Sie wollten alle bloß tratschen und über die Knochen spekulieren. Selbst Mavis, die immer nur im Flüsterton sprach, hatte sich dazu hinreißen lassen, vor der Runde der Spielerinnen zu kreischen: «Es war in den Sky News!»

Big Tom, Little Tommy, Sergeant Collins. Die Namen wurden in der Runde weitergegeben, als würden sie Stille Post spielen. Die eigentliche Bridgerunde war nicht in Gang gekommen, und dann hatte sich auch noch Evelyn zum Narren gemacht. Wie konnte man vergessen, die Teeblätter in die Kanne zu geben? Die Situation war Abigail peinlich. Sie wusste natürlich, was ihre Schwester durcheinandergebracht hatte, und ganz bestimmt würden sich die anderen am nächsten Tag das Maul zerreißen, aber keine hätte es gewagt, vor ihnen etwas dazu zu sagen.

Wirklich, dachte sie, als sie die Treppe hinaufging, ich bin nur froh, dass dieser Tag heute vorbei ist.

Alles an Abigail zeigte die praktisch veranlagte Frau, von ihrem kurzgeschnittenen grauen Haar bis zu ihren flachen braunen Schuhen. Sie genoss nicht nur die Einsamkeit der Abende, sondern auch die gleichbleibenden Abläufe. Die vertrauten Gewohnheiten, die sie über Jahrzehnte hinweg entwickelt hatte. Ein Haushalt, der nach ihren Regeln geführt wurde. Das Klicken der Lichtschalter begleitete ihren Weg bis hinauf zum obersten Stockwerk und den Flur entlang bis zu ihrem Zimmer. Als sie die letzte Lampe ausschaltete, sah sie überrascht, dass unter Evelyns Zimmertür Licht herausfiel. Abigail zögerte.

Normalerweise wäre sie verärgert. Ihre Schwestern wussten, dass sie es nicht mochte, wenn sie das Licht brennen ließen, doch an diesem Abend war es anders. Sollte sie zurückgehen und leise anklopfen? Flüsternd nachfragen, ob alles in Ordnung war? Ihr war natürlich klar, dass sie das tun sollte, aber in Wahrheit befürchtete sie, Evelyn könnte nein sagen oder mit tränenüberströmtem Gesicht an die Tür kommen. Und was sollte sie dann tun?

Nicht dass es ihr gleichgültig war. Im Gegenteil. Evelyn war nicht wie Florence, die Abigail niemals Grund zur Sorge gab. Die Schule und die Schulkinder schienen Florence alles zu geben, was sie im Leben brauchte, doch Evelyn, die süße, unschuldige Evelyn, tja, sie war anders. Hatte Abigail einen Fehler gemacht, indem sie dafür gesorgt hatte, dass sie alle zusammenblieben? Es hatte so gewirkt, als sei es das Richtige. Florence war Evelyn zuliebe ohne zu zögern nach Duneen zurückgekommen. Evelyn hatte so viel durchgemacht und wirkte so zerbrechlich. Es war nur angemessen, dass sich ihre Schwestern um sie kümmerten. Doch die Zuflucht von Ard Carraig, das musste Abigail zugeben, war inzwischen zu einer Art Gefängnis für sie drei geworden. Evelyn sollte mehr vom Leben haben, als dieses Haus zu putzen und für ihre Schwestern zu kochen.

Gott, dachte Abigail, ich halte mich hier für die unsoziale, aber sogar ich habe mehr Freunde als Evelyn. Der Gedanke schmerzte sie, doch was Evelyn wirklich brauchte, war ein Mann. Während das Licht weiter durch den Spalt unter der Tür über den abgetretenen Teppich fiel, ging Abigail in ihr Zimmer und zog die Tür hinter sich zu.

In demselben Moment blätterte Evelyn durch eine *Vogue*. Das Heft war vom März 1995 und stammte von einem der ordentlichen Stapel unter dem Fenster. Irgendjemand spendete die Zeitschriften jedes Jahr beim Fest der Church of Ireland an den Buchstand. Abigail hätte es nicht gern gesehen, wenn sie Geld auf neue Ausgaben verschwendete, aber da sie so billig waren und die Erlöse wohltätigen Einrichtungen zugutekamen, konnte selbst Abigail nicht mehr tun, als eine Augenbraue zu heben.

Evelyn blätterte die Seiten in einem langsamen, gleichmäßigen Rhythmus um, doch ihr Blick war nicht auf die Fotos der in Versace gehüllten Madonna gerichtet. Sie starrte geradeaus auf die Wand. Die eintönige Tapete zeigte ein Gewirr von grünen und braunen Blättern und hatte bestimmt schon in der Zeit ihrer Großmutter an dieser Wand gehangen. Sie ließ, wie sie es schon oft getan hatte, ihren Blick an den Ästen entlanggleiten, um die Stelle zu entdecken, an der sich das Muster wiederholte. Sie hätte auf keinen Fall ins Bett gehen und schlafen können. Jedenfalls nicht gleich. Erst musste sie sich wieder beruhigen. Das abendliche Fiasko mit dem Tee war ihr unglaublich peinlich. Klares, heißes Wasser in die Tassen ausschenken! Selbst bei der Erinnerung daran wurde sie noch rot.

Mit dem März 1995 war sie durch. Sie schlug die Zeitschrift auf ihrem Schoß zu und erhob sich, um sie auf den Stapel zurückzulegen. Als sie stand, sah auch sie ihr Gesicht in dem kalten Fensterglas. Sie hielt inne. Ja, da waren ein paar graue Haare, und sie hatte einen etwas strengen Zug um den Mund, doch im Grunde war ihr Gesicht unverändert. Sie dachte an einen anderen Abend vor mehr als zwanzig Jahren, an dem sie in diesem Zimmer gestanden und ihr Spiegelbild angestarrt hatte. Tränen waren ihr über die Wangen gelaufen, und ihre Brust hatte gebebt, während sie versuchte, zwischen unterdrückten Schluchzern einzuatmen. Am liebsten wäre sie zu ihren Schwestern gelaufen, aber sie konnte ihnen nicht erzählen, was passiert war. Rückblickend war ihr klargeworden, dass die beiden es gewusst haben mussten. Wie sich herausstellte, hatte der größte Teil der Gemeinde zum Publikum der Seifenoper gehört, zu der ihr Leben geworden war, doch weder Abigail noch Florence hatten sie gefragt, wie es ihr ging, oder ihr auch nur tröstend über den Arm gestrichen, als sie sich, über das große Waschbecken in der Stiefelkammer gebeugt, Hände und Gesicht wusch.

Sie spürte, wie sich hinter ihrem Gesicht ein merkwürdiger Druck aufbaute. Nein. Sie würde nicht weinen. Es mochte sein, dass sie den Schmerz schon mehr als dreiundzwanzig Jahre mit sich herumschleppte, aber sie würde ihn auch jetzt nicht zeigen. Ihr Gesicht verzerrte sich zu einem schmallippigen Lächeln.

Sie wusste, wer da oben begraben lag, und der Gedanke daran machte ihr Freude. Es musste Tommy Burke sein. Er hatte sie nicht verlassen. Er hatte sich nicht davongemacht. Er war die ganze Zeit in Duneen gewesen, außerstande, sich bei ihr zu melden. Sie setzte sich auf das Bett, dann streckte sie sich aus und umarmte ihr Kopfkissen. Sie war wieder siebzehn. Tommy hatte nicht aufgehört, sie zu lieben.

Sie atmete den sauberen Geruch des Kopfkissenbezugs ein und versuchte, ihre Gefühle zu entwirren. Da war Erleichterung, aber auch Trauer und Wut, denn ihr

Leben, ihr gesamtes Leben, mit Zärtlichkeit und Kindern und Picknickausflügen und Lachen, war ihr gestohlen worden. Sie hielt den Atem an. Wie hatte Tommy mit seinem glänzenden Haar, seiner sonnengebräunten Haut, dem breiten Mund, wie hatte der hinreißende, perfekte Tommy in einem namenlosen Grab enden können? Vielleicht würde nun nach all den Jahren das Rätsel ihres Lebens gelöst werden. Sie hatte diese Einsamkeit und den Kummer schließlich nicht verursacht. Irgendjemand hatte ihr das Glück gestohlen, und jetzt, wo sie Tommys Leiche gefunden hatten, wusste sie genau, wer.

6

Unter diesen Umständen könnte er sogar abnehmen. Mrs. Meany war am Abend zuvor nach Hause gegangen, ohne ihm ein Essen vorzubereiten, und an diesem Morgen war er vor ihrer Ankunft weggefahren. Sie hatte noch nie vergessen, ihn zu verpflegen. Er hoffte, dass sie nicht krank war. Ein Pâté-Sandwich am Vorabend und am Morgen eine Schale Müsli im Stehen in der dämmrigen Küche, mehr hatte er nicht gegessen. Er fühlte sich ein bisschen schwindelig, aber auch energiegeladener als seit Jahren.

Der Detective Superintendent aus Cork trat die Kippe seiner dritten Camel Lights des Morgens aus. PJ sah ihn an. Gott, was für ein widerlicher Arsch. Das zurückgegelte Haar, die lange Hakennase, dieser Anzug und das saubere, gebügelte Hemd. Und was für ein Typ Mann trug Socken, die zur Krawatte passten? Seit halb acht hatte sein nasales Geleier nicht ausgesetzt. «Wenn es ein Obdachloser war», «wenn es Selbstmord war», «wenn es Mord war». Er hatte eine detaillierte Theorie für jedes denkbare Szenario und war versessen darauf, sie aller Welt mitzuteilen. Irgendwie war es allen anderen gelungen, unheimlich beschäftigt auszusehen, sodass PJ als unfreiwillige Einpersonen-Zuhörerschaft herhalten musste. Der Wind, der über die

Baustelle zog, schien den Winter mitgebracht zu haben. Als PJ am Abend zuvor Detective Superintendent Dunne gegoogelt und entdeckt hatte, dass sein Vorname Linus lautete, waren ihm schlimme Befürchtungen gekommen. Linus? Was sollte das für ein Name sein? Wie konnte der Mann ein Verbrechen aufklären, wenn er nicht mal begriff, dass ihn dieser Name wie einen Schwachkopf wirken ließ?

Die Leute von der Spurensicherung waren am Vortag spätnachmittags eingetroffen und hatten die Knochen zur Untersuchung nach Cork gebracht. Jetzt waren sie zurück und suchten nach weiteren Spuren und sterblichen Überresten. PJ fand, sie sollten seiner Argumentation folgen, solange sich keine neuen oder widersprüchlichen Hinweise fanden. Der junge Mann, der dieses Land vor ungefähr zwanzig Jahren bewirtschaftet hatte, war damals aus dem Dorf verschwunden, seitdem hatte niemand etwas von ihm gehört, und jetzt war eine Leiche aufgetaucht. Da konnte man doch mit ziemlicher Sicherheit annehmen, dass dieser Tommy Burke entweder das Opfer oder der Mörder war. Aber diese sogenannten Experten interessierten sich anscheinend nur für das, was sie nicht wussten. Der Einsatz von Baggern bedeutete, dass sie nicht sicher waren, ob es sich um ein flaches oder ein tiefes Grab handelte. Und daraus konnte man schließen, dass sie mit der genaueren Bestimmung des Todeszeitpunkts Schwierigkeiten haben würden. Das Einzige, was sie mit ziemlicher Sicherheit sagen konnten, war, dass die bisher gefundenen Überreste die eines jungen, männlichen Erwachsenen waren.

Nach all den Rodungen und Ausschachtungen war es

schwer zu sagen, auf welchem Teil des ehemaligen Bauernhofs sie sich befanden. Der Bauunternehmer hatte einen Geländeplan, der sich jedoch in seinem Büro in Skibbereen befand. Der Plan war unterwegs. Sergeant Collins' Magen gluckerte ungeduldig, doch das ging in dem nicht enden wollenden Vortrag zur Ermittlung unbemerkt unter. Er sah sich auf der planierten Baustelle um und versuchte sich zu orientieren.

Zum ersten Mal war PJ ein paar Wochen nach seiner Versetzung nach Duneen auf das Bauernhaus der Burkes gestoßen. Es war nicht nur die Beförderung, die PJ gereizt hatte; auch die Vorstellung, ein Einmannbetrieb zu sein, gefiel ihm. Nach seinem Abschluss in Templemore war er in Thurles stationiert gewesen. Die Arbeit war nicht schlecht; doch die Abende im Pub und das Gestichel auf der Wache setzten ihm zu. Niemand sagte ihm je etwas direkt ins Gesicht, aber es fiel ihm schwer, die Blicke zu ignorieren, mit denen ihn die anderen Polizisten empfingen, wenn er hereinkam. In jeder Miene las er die unausgesprochene Frage: «Wie zum Teufel bist du durch die Ausbildung gekommen?» Die Wahrheit lautete, dass PJ es mit Ach und Krach geschafft hatte, und zwar hauptsächlich dank der schriftlichen Aufgaben. In Thurles hatte er mehr Überstunden geschoben als irgendwer sonst und sich immer als Erster für die Schichten gemeldet, die kein anderer übernehmen wollte, doch trotz allem war er von den Kollegen nie akzeptiert worden.

Bei der Übernahme des Postens in Duneen war er versessen darauf gewesen, einen neuen Anfang zu machen. Er hatte das Gefühl, hier wirklich nützlich sein zu können. Jahrelang war für das Dorf ein alter Knacker zuständig gewesen, der, so hatte PJ gehört, den größten Teil seiner Polizeiarbeit von einem Barhocker in Byrnes aus erledigte. PJ war das frische Blut, das der Ort brauchte. Er hatte beschlossen, sonntags abends einen Gang durchs Dorf zu machen. Man sah die Welt mit anderen Augen, wenn man zu Fuß ging, und es bot ihm Gelegenheit, ein paar Worte mit den Leuten zu wechseln, denen er begegnete.

Er erinnerte sich daran, dass es ein warmer Abend Anfang September gewesen war. Er war an der Schule vorbei hier heraufgegangen, bereute jedoch seine Entscheidung bald. Die Straße war viel steiler, als er gedacht hatte, er kam ziemlich außer Atem und schwitzte so stark, dass ihm die Kleidung am Körper klebte. Als Vorwand, um eine Pause einlegen zu können, blieb er an einer dichten Hecke stehen und tat so, als suche er nach einem kräftigen Ast, den er abbrechen und als Spazierstock verwenden konnte.

Als er ins Gebüsch spähte, überraschte ihn ein Schimmern etwa sechs Meter vor ihm. Was war das? Ein Stück Metall, der Flügel eines Vogels? Er stieg in den Graben, um genauer hinzusehen. Glas. Es war ein winziges Stück von einem Fenster, dessen Rest von üppigem, wildwachsendem Grün überwuchert wurde. Er trat wieder zurück und ging auf die andere Straßenseite. Tatsächlich, da war eine kleine, rostige Gartentür, die in der dichten Hecke beinahe verschwand, und dort, ganz oben, konnte er die Spitze eines Schornsteinaufsatzes sehen. Ein ganzes Haus von der Natur verschluckt. PJ wischte sich den Schweiß aus den Augenwinkeln und seufzte. Die Traurigkeit einer solchen Vernachlässigung wurde irgendwie von dem Erstaunen über die Vitalität und Kraft der Natur aufgehoben. Die Spuren der Menschheit konnten so leicht getilgt werden. Er hatte seinen Spaziergang fortgesetzt und sich vorgenommen, die Geschichte dieses verborgenen Bauernhauses herauszufinden.

Plötzlich herrschte Schweigen. Das Geleier des Superintendenten hatte geendet, und er sah PJ erwartungsvoll an. Hatte er eine Frage gestellt? PJ kam sich vor, als wäre er wieder in der Schule und vom Lehrer ertappt worden. Er schluckte und versuchte es mit einem zögernden «Sorry?».

«Wer? Welcher der Einwohner?»

«Wer jetzt? Es tut mir leid. Ich war nur...» Seine Stimme erstarb.

Der Detective Superintendent pflückte einen Phantom-Tabakkrümel von seiner Zungenspitze und senkte die Augenbrauen, bis er beinahe schielte.

«Sergeant Collins, ich hatte gehofft, Sie könnten mir bei dieser Ermittlung nützlich sein. Ich hatte gehofft, Ihr Wissen wäre eine Bereicherung für mich und das übrige Team, aber wenn Sie kein Interesse haben...» Er hob die Hände. PJ sah ihm beim Reden zu und kam zu dem Schluss, dass er mit Schweigen vermutlich am besten fuhr.

«Wer war der Letzte, der diesen Bauern gesehen hat?»

«Tommy Burke? Im Dorf heißt es, er ist nach London gegangen.»

Der Superintendent schloss die Augen und senkte den Kopf. Einen Moment später sah er mit einem Seufzen wieder auf.

«Das ist mir bekannt, Sergeant. Wer hat ihn gehen sehen? Mit wem hatte er Kontakt?»

PJs Miene erhellte sich. Dazu konnte er immerhin etwas sagen.

«Soweit ich weiß, hat niemand von ihm gehört, seit er weg ist, allerdings weiß ich nicht, weshalb die Leute denken, er wäre in London. Ich frage mal ein bisschen im Dorf rum ... Es sei denn ... Ist das in Ordnung? Ich möchte nicht gegen das Prozedere verstoßen.»

Ein schwaches Lächeln von dem Detective. «Nein. Das wäre sehr nützlich.»

«Soll ich dann gleich mit den Frauen reden, oder ist das Ihr Bereich?»

«Frauen?»

PJ unterdrückte ein Stöhnen. Er hatte es ihm nicht erzählt. Tja, das war nicht seine Schuld. Dieser Schleimbeutel hatte ja nicht aufgehört zu reden, aber klar, jetzt kam er selbst rüber wie ein Stümper.

«Es heißt, Tommy ist weg, weil sein Liebesleben zu chaotisch wurde. Wie das alles genau zusammenhing, habe ich nicht mitbekommen, aber ich glaube, er hat zwei Mädchen zappeln lassen, bis die beiden schließlich im Dorf aufeinander losgegangen sind.»

«Namen?»

«Na ja, ich weiß, dass eine von den Ross-Schwestern beteiligt war, aber wer die andere war, kann ich nicht sagen. Möchten Sie, dass ich es herausfinde?»

Einem langen Fähnchen Zigarettenrauch folgte ein leises «Ja, das wäre gut». Seine Stimme war eine herablassende Mischung aus gelangweilt, trübselig und resigniert. PJ hatte unheimlich Lust, ihm einen Kinnhaken zu verpassen.

Das Geraschel von Papier im Wind ließ beide Männer

über die Schulter schauen. Ein Polizist schwankte zwischen den Baugruben heran wie eine Jolle auf rauer See, deren Segel im Wind schlagen. Der Geländeplan in seinen Händen richtete sich auf und klatschte ihm ins Gesicht, sodass er beinahe hinfiel.

Meine Güte. Was ist das für ein verdammter Clown, dachte PJ.

«Meine Güte. Da kommt noch so ein verdammter Clown», sagte der Detective. PJ spürte, wie er rot wurde.

Erste Regentropfen fielen auf ihre Jacken, und der finstere Himmel verhieß noch mehr. Detective Dunne scheuchte den ankommenden Polizisten zurück.

«Zu dem Container», rief er in den Wind, dann schlug er seinen Jackenkragen hoch und machte sich auf den Weg zu dem kleinen behelfsmäßigen Baustellenbüro. PJ zögerte einen Moment, dann folgte er ihm.

Sie standen um den Tisch mit der braunen Resopalplatte und starrten auf den alten Geländeplan, der vor ihnen ausgebreitet lag. Seltsame Namen von alten Landgütern standen nördlich und östlich des Bereichs, der jetzt die Baustelle war. Das alte Haus war ein kleines Stück von der Straße zurückversetzt eingezeichnet, dahinter mehrere Nebengebäude und etwas, das vermutlich ein großer Garten oder eine Koppel war. Der Detective sah mehrere Male aus dem Fenster und richtete den Blick wieder auf den Tisch, bevor er sich äußerte.

«Die Leiche wurde also ungefähr hier gefunden», sagte er und deutete auf der östlichen Seite neben die Wirtschaftsgebäude, die den Hof hinter dem Wohnhaus begrenzt haben mussten. Er sah PJ an und öffnete den Mund zum Sprechen. Der Sergeant wappnete sich.

«Wie viele Hektar?»

Eine Welle der Erleichterung. Das wusste er so ungefähr.

«Also, wie groß der Bauernhof früher mal war, weiß ich nicht, aber das, was jetzt noch übrig ist, sind ungefähr zweieinhalb Hektar. Die Brüder Flynn haben das Land vor ein paar Jahren gekauft, aber dann ist natürlich alles den Bach runtergegangen.»

Beim Sprechen hatte er eine Idee, eine brillante Idee. Wenn die Brüder Flynn das Land gekauft hatten, mussten sie wissen, wo Tommy Burke war. Er platzte heraus. «Oh, denken Sie ...», doch bevor er den Satz beenden konnte, hatte sich der Detective dem anderen Polizisten zugewandt.

«Einer von diesen Flynns muss den Aufenthaltsort von diesem Burke-Typen kennen, wenn sie ihm das Haus abgekauft haben. Spüren Sie die beiden auf.»

PJ fand, das klang irgendwie gewalttätig.

«Einer von ihnen ist dadrüben, Detective.» Der Polizist deutete durch das verdreckte Fenster auf einen großen, silberfarbenen Wagen, der hinter einem Kieshaufen neben ein paar Baustellenfahrzeugen stand. Sowohl PJ als auch der Detective spähten hinaus und sahen auf dem Fahrersitz einen glatzköpfigen Mann mittleren Alters, der in sein Handy redete.

«Na dann holen Sie ihn hier rein», bellte der Detective und machte mit seinem Ton eindeutig klar, dass er sich für den Kapitän eines Narrenschiffs hielt.

Als der andere Polizist draußen war, hatte PJ das Gefühl, dies wäre seine Chance, um sich zu rehabilitieren. Er hatte doch garantiert Insiderwissen aus dem Dorf zu bieten, einen Ermittlungsansatz vorzuschlagen. Er durchforstete sein Gehirn, doch ohne Ergebnis. Die beiden Männer standen schweigend nebeneinander, das Geräusch des Regens, der auf das dünne Metalldach trommelte, erfüllte die Stille. Eine schwerfällige Winterfliege krabbelte langsam über den Jahreskalender der Bank of Ireland, der neben der Tür hing.

Die Brüder Flynn, Martin und John, hatten Mitte der Neunziger das kleine Bauunternehmen ihres Vaters übernommen und es schnell in das großartige Unternehmen *Flynn's Future Homes* verwandelt, das auf Anraten einer Londoner Unternehmensberatung zu *Flynn's Futures* abgekürzt worden war. Sie planten, die Millionen, die sie während des Booms verdienen würden, zum Ausbau weiterer Geschäftsbereiche einzusetzen. Martin und John hatten nämlich noch massenhaft neue Einfälle auf Lager, doch betrüblicherweise galt dies für die Wirtschaft ebenso. Es kam zum großen Crash, und nun besaßen die Flynns nur noch ihre Häuser und ihre Autos, und da konnten sie noch von Glück reden. Es gab keine Büros und keine Angestellten mehr, und die Leute wollten nicht mal nach der Kirche mit ihnen reden, weil sie bei so vielen so hoch verschuldet waren. Dieses bescheidene Bauprojekt in Duneen sollte der Beginn ihres Neuanfangs werden, und jetzt das. Eine Leiche. Martin war nicht besonders religiös, aber während er im Auto mit seinem Bruder John darüber sprach, ob die Versicherung zahlen würde oder nicht, kam er zu dem Schluss, dass Gott, wenn es einen gab, ein Schwachkopf war.

«Er heißt Connolly. Ich glaube, Fergus Connolly. Er hat seine Firma oben in Dublin. Er ist auf uns zugekommen. Hat gesagt, das Land stammt aus seiner Verwandtschaft.» Martin saß auf dem rosa Plastikstuhl dem Detective gegenüber und beantwortete die Fragen so gut wie möglich. Alles, an das er denken konnte, war die Summe, die sie damals bezahlt hatten, als es noch so ausgesehen hatte, als würde die goldene Gans niemals mit dem Eierlegen aufhören. Dann fiel ihm selbst eine Frage ein.

«Sagen Sie mal. Wenn dieser Connolly wusste, dass hier eine Leiche liegt, könnte ich ihn dann haftbar machen?» Er spürte förmlich, wie die Brieftasche in der Tasche seines Sakkos schwerer wurde.

Detective Dunne klappte sein Notizbuch zu und lächelte ihn an, aber es wirkte eher mitleidig.

«Das weiß ich wirklich nicht. Das besprechen Sie am besten mit einem Anwalt. Danke für Ihre Hilfe.» Er stand auf und signalisierte damit, dass die Unterredung beendet war. Während Martin ebenfalls aufstand, fiel ihm ein, dass er eine noch dringendere Frage hatte.

«Wann, glauben Sie, können wir weiterarbeiten?»

Wieder das mitleidige Lächeln.

«Das kann ich wirklich nicht sagen. Wir bleiben in Verbindung.» Der Detective öffnete die schmale Tür und scheuchte Martin die Treppe hinunter und hinaus in den Regen.

Die Polizisten sahen ihn zu seinem Auto zurückhasten.

«Also. Suchen wir diesen Connolly. Nach meiner Erfahrung passieren die meisten schlimmen Sachen auf dieser Welt wegen Sex oder Geld, und gerade haben wir einen Riesenhaufen Geld gefunden.» Linus Dunne knöpfte seinen Mantel zu und machte sich auf den Weg zu seinem Wagen.

PJ verdrehte die Augen. Hatte Dunne das wirklich gerade laut gesagt? Wetten, er hatte einen Uniabschluss und war im Zeitraffertempo aufgestiegen? PJ stand an der Tür des Containers und beobachtete, wie sich Dunne mit sorgsam gesetzten Schritten seinen Weg über das morastige Gelände suchte, als wäre er ein Dressurpony. Echt, er war wirklich ein kompletter Arsch.

7

Duneen schlief. Ein paar Wolkenfetzen trieben vor dem Halbmond, der tief am Himmel stand. Ein Fuchs trabte anmutig die Hauptstraße entlang, genoss es, frei herumstreifen zu können, statt sich unter den dichten Rhododendronbüschen hinter dem Pfarrhaus verstecken zu müssen. Die Straßenlampen warfen den Schatten seines Schwanzes hinter ihm auf den Gehweg wie einen schwarzen Umhang. Beinahe als werde er erwartet, beschleunigte er sein Tempo, als er zu der Gasse neben dem Laden der O'Driscolls kam. Das Vorgefühl, ohne Störungen in den Mülleimern stöbern zu können, ließ seine Schritte federn, während er ins Dunkel tauchte.

Der Fuchs war nicht als einziger Einwohner wach. In vier Häusern fanden vier Frauen nicht in den Schlaf.

Mrs. Meany wälzte sich unruhig hin und her. Normalerweise betete sie ein paar Rosenkränze, wenn sie nicht schlafen konnte, aber in dieser Nacht konnte sie sich nicht einmal darauf konzentrieren. Sie verzählte sich so oft bei den Perlen und den Ave Marias, dass es ihr zu unandächtig vorkam. Wenn sie nicht schlafen konnte, sagte sie sich, konnte sie ebenso gut lesen, aber die Worte wollten sich nicht zu sinnvollen Sätzen aneinanderfügen. Sie klappte das Buch zu, rieb über den schimmernden Einband, folgte den großen, eingeprägten Goldbuchstaben mit dem Zeigefinger. Sie war doch so müde, warum wehrte sich ihr Verstand dann gegen den Schlaf? Natürlich hatte sie weiter an die Leiche gedacht, die oben bei Burkes Hof entdeckt worden war, aber es war mehr als das. Es war ein Unbehagen, eine Unruhe, die an ihr nagte. Die Vergangenheit klaffte vor ihr auf wie ein schwarzer Abgrund, und sie spürte, wie sie hineinstürzte. Mit fest zusammengepressten Augen stieß sie ein Wimmern aus und schob das Buch zur Seite, sodass es mit einem dumpfen Schlag auf den Boden fiel.

Susan Hickey wusste genau, weshalb sie nicht schlafen konnte. Es war die Aufregung. Sie war viel zu lange aufgeblieben, um alles vorzubereiten. Am dritten Freitag im Monat veranstaltete sie einen Vormittagskaffee, um Geld für das Hospiz in Ballytorne zu sammeln. Gewöhnlich brachte sie fünfzig Euro zusammen und wurde bei den Verkündigungen in der Messe mit einem kleinen Dank erwähnt. Natürlich tat sie es nicht deshalb, aber es war eine nette Geste. Sie genoss es, anderen, weniger begünstigten Menschen zu helfen, doch zugleich war es unfassbar, wie schnell jeden Monat wieder der dritte Freitag vor der Tür stand. Der nächste Vormittag allerdings konnte für sie gar nicht schnell genug kommen.

Vor sich hin lächelnd, legte sie einen weiteren Stapel Papierservietten auf den schon bedenklich hohen Stoß auf der Anrichte. Der Zeitpunkt hätte nicht besser passen können. Im ganzen Dorf wimmelte es von Polizei, und in Duneen war eine richtige Leiche gefunden worden. Zugegeben, die Feststellung, dass es kein Massengrab war, hatte sie enttäuscht, aber in gewisser Hinsicht war es auf diese Art beinahe noch besser. Ein geheimnisvolles Einzelschicksal. Aus dem gesamten Gemeindegebiet würden Leute kommen. Was für ein Glücksfall, dass ihr Vormittagskaffee vor der Sonntagsmesse stattfand, sodass er für alle die erste Gelegenheit war, über die ganzen Einzelheiten zu diskutieren. Sie war keine Spielerin, aber nachdem sie die Sache mit, nun ja, praktisch jedem Menschen besprochen hatte, dem sie in den letzten achtundvierzig Stunden begegnet war, ging sie mit ziemlicher Sicherheit davon aus, dass die Knochen die sterblichen Überreste von Little Tommy Burke waren.

Sie sprang die Treppe hinauf, um ins Bett zu gehen. Wem auch immer diese Knochen gehörten, sie hatten sich nicht selbst begraben! Außer Atem schlug sie die Bettdecke zurück und schaltete das Licht aus. Sie hoffte, dass sie genügend Kaffeetassen hatte.

Evelyn legte sich wie die Lady of Shalott ins Bett, die Arme über der Brust gekreuzt und das Haar auf dem Kissen ausgebreitet. Ihre Atemzüge waren tief und regelmäßig, und doch blieben ihre Augen weit offen, starrten in das Halbdunkel, das sie einhüllte. Sie fragte sich, ob sie dabei war, verrückt zu werden. Die vergangenen beiden Tage waren die Hölle gewesen. Sie wusste schon gar nicht mehr, wie oft sie nach oben rennen oder unten zur Toilette hatte verschwinden müssen, weil ihr die Tränen gekommen waren. Sie hatte es nicht gewagt, auch nur einen Fuß ins Dorf zu setzen, weil sie genau wusste, wie es sein würde. Neugierige Blicke und Getuschel, und wenn man dann dachte, das wäre schon schlimm genug, kam irgendeine sensationslüsterne Ziege an, legte einem die Hand auf den Arm und fragte mit deutlichem Unterton: «Und wie geht es *Ihnen*?» Bei dem Gedanken daran überlief Evelyn sogar unter der Bettdecke ein Schauer.

Evelyn war bewusst, dass Abigail sie genau beobachtete, Florence dagegen hatte garantiert überhaupt nichts mitbekommen. Ohnehin argwöhnte Evelyn, die viele Zeit, die Florence mit den Schulkindern verbrachte, könnte inzwischen dazu geführt haben, dass sie selbst die Welt durch Kinderaugen sah. Florence bildete das Zentrum ihres eigenen Universums, und wenn irgendetwas sie nicht direkt betraf, fand es gewissermaßen nicht statt. Sie saß am Tisch und erzählte fröhlich von den Polizeiautos, die den Hügel hinter der Schule hinauf- und hinunterfuhren, ohne daran zu denken, welche Rolle ihre eigene Schwester bei diesem Rätsel gespielt haben könnte. Allerdings, warum sollte irgendjemand vermuten, dass das, was vor all den Jahren geschehen – oder wichtiger, nicht geschehen – war, ihr immer noch das Herz abdrückte wie ein Schraubstock. Als ihre Eltern gestorben waren oder als Tommy gegangen war, hatte sie wenigstens gewusst, warum sie weinte. Damals hatten sich die schlaflosen Nächte richtig angefühlt, natürlich angefühlt, aber jetzt? Wie sollten ihr Herz und ihr Verstand einen Sinn in diesen Gefühlen finden, wenn sie nicht imstande war, sie zu benennen? War es Trauer, Bedauern, Liebe? Nein, entschied sie, das stärkste Gefühl war Wut. Sie wollte dieses Gesicht ohrfeigen, das ihr aus dem Spiegel entgegensah. Diese dumme Frau, die zugelassen hatte, dass ihr ganzes Leben in ödem Stumpfsinn an ihr vorbeigegangen war.

Sie legte eine Hand an die Wange, um die Tränen abzuwischen, die über ihr Gesicht ins Kopfkissen liefen.

Die junge, leidenschaftliche Frau, wo war sie jetzt? Wild, das war das richtige Wort; Evelyn Ross war einmal wild gewesen. Sie hatte mit gespreizten Beinen mitten auf der Hauptstraße gestanden und gejault. Sie erinnerte sich an den ersten Schlag und diesen irrsinnigen Adrenalinschub, als die Leute versucht hatten, sie auseinanderzubringen. Warum hatte sie diese Version ihres Ichs so vollkommen verbannt? Warum hatte sie es durch diese blasierte Schnepfe ersetzt? Diese Frau, die sich Gedanken um die Reinigung von Fliesenfugen machte und Borretschblüten in den Salat gab. Und für wen? Nicht einmal für einen Mann – nur für ihre Schwestern, die es gar nicht bemerkten! Was war sie nur für eine Gans! Was war sie nur für eine dumme, dumme Frau.

Sie schaltete das Licht an und schloss für eine Sekunde die Augen, um nicht von der plötzlichen Helligkeit geblendet zu werden. Die Augen wieder geöffnet, ließ sie den Blick durch den Raum gleiten, als würde sie etwas suchen, irgendetwas, das sie tun konnte, um ihr Leben zu ändern. Sie konnte die Zeit nicht zurückdrehen, aber sie konnte neu anfangen. *Vogue*! Ihr lächerlicher Schrein für die Kleidung, die sie niemals besitzen, und die Orte, zu denen sie niemals fahren würde. Sie sprang geradezu aus dem Bett und begann, die alten Zeitschriften stapelweise zur Tür zu schleppen und dort unordentlich aufzuschichten. Als sämtliche Hefte umgeräumt waren, betrachtete sie befriedigt das hellere Rechteck auf dem Teppich, wo sie gelegen hatten, und nahm sich vor, gründlich durchzusaugen. Am nächsten Morgen würden die *Vogue*-Hefte weiterreisen. Evelyn würde sie hinter den langen Schuppen bringen und verbrennen.

Sie schloss die Augen und stellte sich die Hitze auf ihrem Gesicht vor und die Flammen, die wie Fahnen im Wind tanzen würden. Wenigstens etwas, auf das sie sich freuen konnte.

Der Schlaf hatte Brid Riordan überwältigt, aber inzwischen war sie hellwach. Sie schob die Schuld auf die Schraubverschlüsse. Sie machten es, wenn gegen zehn Uhr abends eine Flasche leer war, so einfach zu denken, nur noch ein Glas wäre eine gute Idee, und dann war es plötzlich ein Uhr morgens, und man schwankte angetrunken in der Küche herum und versuchte alles für den nächsten Tag vorzubereiten. Dieses eine Mal, als Carmel von der Schule nach Hause kam, nachdem sie eine Spülmittelflasche in ihrer Brotdose gefunden hatte, war irgendwie lustig, aber auch ziemlich beschämend gewesen. Danach hatte sich Brid mehr angestrengt. Na ja, danach und nachdem sie ins Röhrchen hatte pusten müssen, als sie die Kinder zur Schule brachte. Gott sei Dank war sie mit einer Geldbuße davongekommen. Anthony hatte sie angesehen, als hätte sie versucht, die Kinder umzubringen, aber sie wusste, dass sie vollkommen imstande gewesen war, Auto zu fahren. Bei diesen Tests durchzufallen, war etwas ganz anderes, als betrunken zu sein. Das wusste jeder.

Sie war um drei Uhr morgens mit dem Gesicht auf dem Küchentisch aufgewacht, und jetzt, zwei Stunden später, saß sie immer noch da, während das Radio lief, ohne dass sie recht hinhörte. Sie wusste, dass sie nach oben gehen sollte. Sonst würde sie sich am Morgen grauenhaft fühlen, aber sie konnte das missbilligende Seufzen nicht ertragen, mit dem sich Anthony umdrehte, wenn sie ins Bett ging.

Das war ein Teil des Problems. Er stand so früh auf, und sie hatte niemanden zum Reden, da war es doch klar, dass sie mal ein Glas Wein trank. Sie starb vor Langeweile! Die Kinder verkrochen sich ständig mit ihren Computern. Anthony wollte nicht, dass sie wieder einen Hund bekam, nachdem sie Trixie überfahren hatte, obwohl die ganze Familie wusste, dass es nicht ihre Schuld gewesen war. Wirklich, sie starb vor Langeweile.

Tagsüber war es nicht so schlimm. Es gab etwas zu tun. Ein bisschen Hausarbeit, eine Fahrt ins Dorf oder rüber nach Ballytorne zum Einkaufen, Abendessen machen, doch wenn Anthony, Carmel und Cathal ihr Essen hinuntergeschlungen hatten, war sie wieder allein, hatte nichts zu tun und keine Ablenkung. Früher war sie eine richtige Leseratte gewesen, aber irgendwie hatte sich das verloren. Als Jugendliche hatte sie gern Zuflucht in Romanen gesucht, hatte sich zwischen den Seiten so viele Zukunftsvisionen ausgemalt, doch die Zeit für solche Phantasien war abgelaufen. Das hier war ihre Zukunft. Inzwischen schien kein Buch mehr sie fesseln zu können, obwohl sie hin und wieder noch eines kaufte und im Haus liegen ließ, falls sie doch plötzlich wieder Lust bekam. Aber in Wahrheit waren Bücher einfach nur noch mehr Gegenstände, die abgestaubt werden mussten.

Tommy Burke. Sie hatte am Mittag einfach ein Glas trinken müssen. Warum hatte ihr niemand etwas gesagt? Sie war sicher, dass Anthony davon gehört hatte, aber vielleicht hatte er sie nicht aufregen wollen; oder vielleicht hatte er einfach überhaupt nicht mit ihr reden wollen. Das tat er ohnehin selten zurzeit. Was für ein Schock. Sie hatte gerade die Glühbirne im Flur ausgetauscht. Zwar hatte sie Anthony gebeten, das zu machen, aber da hätte sie ebenso gut gegen eine Wand reden können. Durch die Milchglasscheibe der Haustür hatte sie den Umriss von Pat gesehen, dem Postboten. Carmel und Cathal hatten sich darüber früher kaum wieder eingekriegt. Ihre Briefe wurden von einem echten Postboten Pat gebracht, wie der aus dem Trickfilm. Eine Riesenaufregung war das gewesen, wenn sie mal schulfrei hatten und zu Hause waren, wenn er kam! Brid öffnete die Tür, um die paar Rechnungen und Wurfsendungen entgegenzunehmen, die er für sie haben würde, aber vor allem, um einfach ein anderes Gesicht zu sehen, eine andere Stimme zu hören. Sie wechselten die üblichen Floskeln über das Wetter, kamen zu dem Schluss, dass es mild war dafür, dass sie beinahe schon Dezember hatten, und ganz bestimmt im Vergleich zur vergangenen Woche, doch dann, als sich Pat zum Gehen umdrehte, sagte er: «Riesig was los da oben auf dem Baugelände.»

Sie hatte natürlich nicht wissen können, was passiert war; sie hatte einfach angenommen, einer von den Bauarbeitern hätte sich verletzt oder wäre womöglich sogar umgekommen.

«Wieso, Pat?» Eine ganz simple Frage. Sie beugte sich vor, um zu hören, worum es ging, und er erzählte ihr von den Knochen, und dann nannte er den Namen. Sie hatte seinen Namen seit so vielen Jahren nicht mehr gehört, und hier erzählte ihr jemand, dass Tommy Burke tot und auf seinem eigenen Bauernhof begraben war.

Sie war auf den Esszimmerstuhl gesunken, der im Flur stand, eine Glühbirne in der einen Hand und ihre Briefe in der anderen. Pat war zur ihr gestürzt. «Alles in Ordnung,

Mrs. Riordan?» Brid hatte sich zusammengenommen und ihm beim Aufstehen versichert, alles sei bestens. Sie hatte ihm nachgewinkt und die Haustür ins Schloss gedrückt. Dann war sie ohne darüber nachzudenken auf kürzestem Weg zum Kühlschrank gegangen und hatte sich ein Glas Weißwein eingeschenkt.

Brid Riordan war nie das hübscheste Mädchen von Duneen gewesen. Das schwache Kinn ihrer Mutter zusammen mit dem breiten Gesicht und dem stämmigen Körperbau ihres Vaters hatten zur Folge, dass sie schon immer viel älter ausgesehen hatte, als sie war, sogar schon als Kind. In der Schule hatte sie sich auf ihre Klugheit verlassen und darauf, dass sie sich bereitwillig über sich selbst lustig machte. Nach dem Schulabschluss blieb sie weiter auf dem Bauernhof bei ihren Eltern und arbeitete in der Buchhaltung des größten Drogeriemarktes von Ballytorne. Sie machte das Beste aus sich, gab ihr Gehalt für Make-up und Kleidung aus, ging tanzen, doch irgendwie, obwohl sie so gern einen Freund gehabt hätte, wusste sie, dass keiner der Jungs, die mit ihr sprachen, gut genug war. Sie blätterte durch Zeitschriften und versenkte sich in den feuchten Blick John Travoltas oder stellte sich vor, wie ihr David Soul die Hand auf den Rücken legte, während er ihr half, in ein niedriges Cabrio zu steigen.

Als sie fünfundzwanzig wurde, hatte sie noch immer keinen Freund. Ihre Freundinnen aus der Schule gaben eine nach der anderen ihre Verlobung bekannt, und ein paar schoben sogar schon Kinderwagen. Brid war drei Mal Brautjungfer gewesen, und natürlich erzählte ihr jeder, wenn sie mit ihrem schlecht sitzenden Kleid in einer Farbe, die in der Natur nicht vorkam, auf der Hochzeitsfeier herumstand, dass sie die Nächste sein würde. Sie lächelte und nickte, obwohl sie wusste, dass es nicht stimmte. Aber trotz allem verfiel sie nicht in Panik. Die anderen Mädchen hatten ihre Vorzüge – schimmerndes Haar, schöne Körper, perfekte Zähne –, aber ihr war bewusst, dass auch sie ihren Reiz entfalten würde. Sie wusste es ganz sicher, hatte ihre Mutter sie doch vor Jahren an einem frühen Samstagabend, als ihr Vater noch beim Melken war, in einem erzieherischen Akt, der genauso haarsträubend war wie brutal, *zum Reden* an den Küchentisch geholt. Als sie das Radio ausschaltete, hatte Brid gewusst, dass es um etwas Ernstes ging.

Ihre Mutter fing an, über Jungs zu sprechen, und sofort begann sich Brid vor dem Gespräch zu fürchten, das ihr bevorstand. Sie hatte gehört, wie ältere Mädchen in der Klosterschule über «Schwänze» und «Steife» geredet und gelacht hatten. Das alles klang schrecklich. Tatsächlich aber ging das Gespräch in eine vollkommen andere Richtung, und ihre Mutter erklärte ihr, sie würde es nicht leicht haben. Jungs wären nun einmal mehr an den hübschen Mädchen interessiert. Brids Augen füllten sich mit Tränen, und ihre Mutter streichelte ihre Hand und sagte, sie müsse sich keine Sorgen machen. Ihr Vater wurde älter und war nicht gerade bei bester Gesundheit, und wenn er starb, würden die Jungs wegen des Bauernhofs Schlange stehen. Brid würde ihren Mann schon noch finden, und er würde ein guter, zuverlässiger Arbeiter sein, der einen großartigen Vater abgab, weil er einen vernünftigen Kopf auf den Schultern trug. Das war das Gegenteil dessen, was eine Teenagerin hören wollte, die von Prinzen und

Popstars träumte, doch es hatte sie auf die nächsten zehn Jahre ihres Lebens vorbereitet.

Als ihr Vater wieder einmal ins Krankenhaus eingeliefert wurde und es so aussah, als wäre es das letzte Mal, kamen mehrere Freundinnen ihrer Mutter mit Kuchen oder Eintopf vorbei, damit sie nicht kochen musste, wo sie doch jeden Tag nach Cork und zurückfuhr. Und sie brachten ihre Söhne mit. Riesenkinder, die unbehaglich in der Küche saßen und auf den Boden starrten, während ihre Mütter an ihrer Stelle mit Brid redeten.

«Brendan war ein paar Jahre nach dir mit der Schule fertig, und er war sehr gut in Englisch. Du liest doch so gern, oder, Brid?»

«Kevin ist gerade von der Landwirtschaftsschule in Darrara zurück. Er hat sehr gut abgeschnitten. Er liebt die Landwirtschaft. Stimmt's, Kevin?»

Diese Abende waren eine Tortur für alle und natürlich sinnlos. Es gab aus dem Dorf nur einen einzigen Besucher, der ihr willkommen war, und das war Tommy Burke. Er war nicht besonders groß, aber das gefiel Brid irgendwie. Mit seinem dunklen Haar und seinem zögernden Lächeln hatte er etwas von einem Spanier an sich. Sie fragte sich, ob ihr etwas so Schlichtes wie Land wirklich solch einen Mann verschaffen könnte, und beschloss, bis sie das genau wusste, keinen der anderen Trottel in Betracht zu ziehen, die Lee-Jeans trugen und formlose Sweatshirts mit den Namen amerikanischer Städte, die sie niemals sehen würden.

Sie warb mehrere Monate um Tommy, ohne dass er überhaupt etwas davon wusste. Freitags folgte sie ihm auf dem Markt von Ballytorne von einem Stand zum anderen.

So lernte sie ihn nach und nach aus der Entfernung kennen. Er hatte eine Vorliebe für Käse und aß lieber hellen als dunklen Pudding. Sie speicherte diese Informationen für die Zeit, in der sie ihr gemeinsames Leben beginnen würden. Nach der Messe stellte sie sich in O'Driscolls Laden so dicht neben ihn, wie sie es nur wagte, wenn er sich die Zeitung kaufte. Er roch unheimlich gut. Überhaupt nicht wie die anderen Jungs.

Als ihre Träume schließlich wahr wurden, schien alles unglaublich schnell und einfach zu gehen. Er hatte abgewartet, bis die Bestattung ihres Vaters vorbei war, was sie für einen netten Zug hielt, und dann kam er zu ihnen, um sein Beileid auszusprechen. Sie erinnerte sich daran, dass ihre Mutter die Flasche Rotwein von ihm entgegengenommen und an sie weitergereicht hatte, damit sie in der Küche zu all den anderen Flaschen gestellt wurde, die Leute bei ihren Kondolenzbesuchen mitgebracht hatten. Tommy und ihre Mutter hatten sich gekünstelt unterhalten. Er hatte ausführlich danach gefragt, wie viele Hektar der Besitz umfasste und wie hoch die Erträge waren, während sie ihn mit dem breiten, unbedarften Lächeln eines Mädchens anstarrte, das nicht allzu traurig über den Tod seines Vaters zu sein schien.

Nachdem Tommy gegangen war, verwandelte sich ihre Mutter in ein kicherndes Schulmädchen, schwärmte von seinen Augen und seiner Haut. Brid fühlte sich entschieden unwohl. Sie wollte nicht daran denken, dass ihre Mutter solche Gefühle für irgendeinen Mann haben könnte, aber ganz besonders nicht für den Mann, der sie selbst zum glücklichsten Mädchen von ganz Irland machen würde.

Zur nächsten Begegnung kam es nach der Messe, als er sie auf der Kirchentreppe ansprach. Ohne jegliche Einleitung platzte er mit einer Kinoeinladung nach Ballytorne für den folgenden Freitag heraus. Es war nicht ganz eindeutig, ob er sie fragte oder ihre Mutter oder womöglich sie beide. Erst der wütende Blick ihrer Mutter brachte Brid dazu, ein atemloses «Ja, das wäre sehr nett» hervorzustoßen. Der Ausdruck auf Tommys Gesicht änderte sich nicht. Er grummelte nur: «Dann hol ich dich so um sieben ab.» Und damit ging er. Aus dem Augenwinkel sah sie, dass ihre Mutter sie mit hochgezogenen Augenbrauen und zusammengepressten Lippen musterte.

«Was denn?», fragte Brid. «Es ist doch nur Kino!» Die beiden Frauen lächelten sich an, und dann, auf dem Weg zum Auto, brachen sie beide in Gelächter aus.

Wie sich herausstellte, verlief keine der Verabredungen so, wie Brid es sich ausgemalt hatte. Keine langen, leidenschaftlichen Küsse. Seine raue Wange rieb nie über ihren zarten, weißen Hals. Keine Mondscheinspaziergänge Hand in Hand. Diese erste Fahrt ins Kino, bei der sie *Robin Hood: König der Diebe* sahen – Kevin Costner wirkte unheimlich alt –, hatte den Ton für die nächsten sechs oder sieben Verabredungen vorgegeben, die darauf folgten. Er hielt ihr die Türen auf und kaufte ihr Knabberzeug, aber wenn sie im Dunkeln saßen, versuchte er nie, den Arm um sie zu legen oder ihre Hand zu halten. Brid war dicht neben ihn gerückt, sodass sich ihre Arme berührten, und selbst noch durch die Wolle ihrer Strickjacke spürte sie seine Körperwärme.

Nach dem Kino hatte er zwei Tüten Pommes frites gekauft, und sie hatten sich in sein Auto gesetzt, mehr um zu essen, als um zu reden. Er stellte ein paar Fragen bezüglich der Beerdigung ihres Vaters und sprach ein bisschen darüber, wie seltsam es für ihn war, allein in seinem Haus zu wohnen, ohne Mutter und Vater. Brid bekundete mit leisen Geräuschen Zustimmung oder Mitleid, während sie sich ein Pommes nach dem anderen in den Mund schob. Sie stellte sich vor, wie sie beide allein in seinem Haus wären. Dort würde es anders sein. Seine Hände wären überall auf ihrem Körper, sie würden sich in zerwühlten weißen Laken verheddern, und dann ... Ihre Phantasie verschwamm zu einem warmen Nebel.

Nachdem er auf dem Hof hinter Brids Haus gehalten hatte, war Tommy sofort hinausgesprungen und hatte den Wagen umrundet, um ihr die Tür zu öffnen. Sie stieg aus und hatte sein Gesicht plötzlich sehr dicht vor sich. Sie spürte seinen Atem auf der Haut, der nach Pommes roch. Sie wartete. Tommy räusperte sich.

«Tja dann. Vielen Dank. Hättest du Lust auf noch eine Verabredung?» Sie starrte ihm ins Gesicht, doch seine Miene verriet nichts. Er legte mehr Begeisterung an den Tag, wenn er Käse aussuchte.

«Ja, das wäre toll», gab sie zurück, und dann, mehr aus Verzweiflung als aus Verlangen, beugte sie sich vor und küsste ihn auf die Wange. Immer noch nichts. Es war, als wäre er an ihrer Stelle verlegen und wollte ihr eine weitere Beschämung ersparen. Brid hatte sich genauso benommen, als Tante Rhonas Morgenmantel aufgeklafft war und eine blasse, blau geäderte Brust enthüllt hatte.

Sie stand mit dem Rücken an die Haustür gelehnt im Flur und lauschte auf sein wegfahrendes Auto, unsicher, was passiert war. Hatte sie etwas falsch gemacht? Oder waren erste Verabredungen immer so? Sie achtete darauf, ihre Zweifel nicht zu zeigen, als ihre Mutter sie nach dem Abend ausfragte, und bis zum nächsten Morgen gelang es ihr, die gesamte Verabredung in einem neuen Licht zu sehen. Er war der perfekte Gentleman, der sie eindeutig als seine Prinzessin ansah, nicht als Schlampe, die sich von jedem Jungen für ein Glas Wein die Titten abknutschen ließ.

Zwei Monate später hatten sie sich immer noch nicht geküsst, und schon gar nicht hatte er versucht, ihren BH zu öffnen, aber trotzdem sah sie sich eine kleine weiße Schachtel mit einem Ring darin öffnen. Es war Samstagnachmittag, und sie saßen in Tommys Auto am Marktplatz von Ballytorne. Brid sah Leute mit ihren Einkäufen vorbeigehen, ein paar unterhielten sich, lachten miteinander, aber die meisten wirkten gelangweilt und vom Leben zermürbt. Sie richtete ihren Blick wieder auf den Ring mit dem kleinen Diamanten und dann auf Tommy. Er wandte sich ab, starrte geradeaus durch die Windschutzscheibe und sagte: «Ich habe mich gefragt, ob du gern heiraten würdest.»

Brid stellte sich vor, sie würde auf der Straße stehen und ins Auto schauen. Dieses Mädchen auf dem Beifahrersitz bekam gerade einen Heiratsantrag von Tommy Burke! Dieses Mädchen war eindeutig das glücklichste Mädchen auf Erden, aber ganz gleich, was sie in diesem Moment empfand, Brid war ziemlich sicher, dass es nicht Glück war. Sie wollte ihm Fragen stellen. Liebst du mich? Möchtest du, dass ich glücklich bin? Wirst du ... Sie öffnete den Mund und sagte ein wenig lauter, als sie es gewollt hatte, «Ja».

Sie beugte sich in ihrem unförmigen Mantel vor, um ihn zu umarmen. Er ließ sich auf den Mund küssen. Seine Lippen fühlten sich warm und sehr trocken an. Dann schob er sie sanft weg und ließ den Motor an. Als sie schweigend zurück nach Duneen fuhren, vorbei an den vertrauten Häusern, Feldern und Kreuzungen, zog sie sich tief in ihren Mantel zurück und vergoss dicke, heiße Tränen.

Zusammen mit der Nachricht von der Verlobung breitete sich auch die Freude darüber aus. Eine Hochzeit gefiel jedem, ganz besonders nach all den traurigen Ereignissen, die sich in der letzten Zeit im Dorf zugetragen hatten. Es hatte viel zu viele Beerdigungen gegeben. Die Anzeige in der *Irish Times* war die Idee von Brids Mutter. Sie wollte, dass alles perfekt ablief. Sie wusste, wie erwartungsvoll ihre Kleine von diesem Tag geträumt hatte, und sie würde dafür sorgen, dass es genauso wurde, wie sie es sich erhoffte, und sogar noch besser.

Nach dem schrecklichen Vorfall mit Evelyn Ross und in den Tagen nach Tommys Verschwinden fragte sich Brid häufig, ob jeder schon längst Bescheid gewusst hatte. Hatten all diese Leute, die ihr strahlend die Hand geschüttelt und ihr gratuliert hatten, sie insgeheim bedauert? Sie war zu dem Schluss gekommen, dass es nicht so war, alles andere hätte sie in den Wahnsinn getrieben. Es war so schon schwer genug, sich vorzustellen, wie das Leben weitergehen sollte, als sie mit ihrer Mutter in der Küche saß und Hochzeitsgeschenke zum Zurückschicken verpackte.

Mit einem Ruck wurde die Küchentür aufgerissen. Anthony stand da, das Gesicht rot und noch feucht von der

Dusche. Sein kariertes Hemd klebte an seinem schmalen Rücken, wo er sich nicht richtig abgetrocknet hatte.

Mist. War sie eingeschlafen? Sie schob ihr Haar zurück und versuchte zu lächeln.

«Guten Morgen.»

Anthony sah sie mit diesem Blick an. Dem Blick, der alles sagte, was mit ihrem Leben nicht stimmte, aber vor allem, dass sie ihn anwiderte.

«Warst du die ganze Nacht auf?»

Sie stand jetzt am Spülbecken, drehte das Wasser auf, tat so, als hätte sie etwas zu tun.

«Ich habe hier unten ein Nickerchen gemacht. Ich dachte, ich könnte nicht schlafen, und wollte dich nicht auch noch wach halten.» Sie versuchte es wieder mit einem kleinen Lächeln.

Auf dem Weg zum Kühlschrank murmelte Anthony etwas vor sich hin. Er achtete darauf, dass sie mitbekam, wie er demonstrativ die leere Weinflasche auf dem Küchentresen ignorierte. Sie hob den Blick zur Decke. Ein neuer Tag im Paradies.

8

Detective Superintendent Dunne hatte entschieden, nach Dublin zu fahren, um mit dem Cousin zu sprechen, der das Land verkauft hatte. Er hätte natürlich nicht persönlich fahren müssen, aber diese Ausrede war so gut wie jede andere, um eine Nacht von June und dem Baby wegzukommen. Es war vereinbart worden, dass einer seiner Kollegen aus Cork kommen würde, um mit den beiden Frauen zu reden, die Tommy Burke nahegestanden hatten. PJ sollte dabei eine Art Fahrer und Fremdenführer abgeben.

Linus hatte Cork gerade hinter sich gelassen und fuhr auf der M8 nordwärts Richtung Dublin, als sein Handy klingelte. Er wartete darauf, dass sich die Freisprechanlage einschaltete, aber das geschah nicht. Das war ja klar, verdammt. Nach kurzem Zögern angelte er nach dem Mobilteil und betete darum, nicht von der Polizei angehalten zu werden. Kommentarlos hörte er sich den Bericht über eine nächtliche Messerstecherei mit tödlichem Ausgang an, die zur Folge hatte, dass sein Kollege dort gebraucht wurde, und erklärte sich widerstrebend damit einverstanden, dass Sergeant Sumo, wie er diesen Collins insgeheim nannte, die Befragung der ehemaligen

Freundinnen durchführen sollte. Er dachte, sogar Sumo müsse imstande sein, die paar Fakten zu sammeln; und wenn sie noch weitere Informationen brauchten, könnte er später immer noch selbst mit den Frauen sprechen. Als er das Gespräch beendet hatte, warf er einen Blick auf die Tankanzeige. Das Benzin würde vermutlich bis nach Urlingford reichen.

Irgendjemand wusste es. Vielleicht wussten sie auch alle, wer dort oben begraben und wie es passiert war. Hatten die guten Leute von Duneen ein Schweigekomplott geschlossen? Jedenfalls hatten sie PJ in seiner ganzen Zeit im Dorf noch nie so deutlich fühlen lassen, dass er ein Außenseiter war. Unterhaltungen brachen ab, sobald er in Sicht kam, und wenn die Leute seinen Blick auffingen, wirkten sie befangen und verstohlen; selbst Mrs. Meany stellte ihm die Mahlzeiten schweigend hin. Das gefiel PJ nicht. Hatten sie allesamt etwas zu verbergen, oder wussten sie einfach nicht so recht, wie sie jetzt mit ihm umgehen sollten, wo er tatsächlich ein echtes Verbrechen zu untersuchen hatte?

Er fragte sich, wie dieser Vormittagsbesuch laufen würde. Und was sagte das über erhörte Gebete? Er hatte geflucht, weil man ihn keine einzige Befragung selbst durchführen ließ, doch als links das Tor von Ard Carraig auftauchte, stellte er fest, dass er sich davor fürchtete. Er hatte diese unerwartete Verantwortung als Vertrauensbeweis angesehen, aber jetzt, als sein Auto langsam ausrollte, während sich sein Herzschlag alarmierend beschleunigte, fragte er sich, ob dieses Vertrauen unberechtigt war.

Er schaltete den Motor aus und nahm sich einen Moment Zeit, um sich zu sammeln. Obwohl er über die Jahre häufig an dem Tor vorbeigekommen war, hatte er nun zum ersten Mal einen Anlass, bis zum Haus selbst zu fahren. Die graue Fassade war weniger herrschaftlich, als er gedacht hatte, und auch wenn es eine große georgianische Lünette über der Eingangstür und hohe Schiebefenster besaß, wirkte das Gebäude doch sehr schlicht und kahl. Trotzdem verströmte es eine Atmosphäre ruhiger Eleganz, wie es sich dort am Ende einer weitgeschwungenen Allee erhob. Links davon, hinter einer hohen Steinmauer, sah PJ grauen Rauch zu einem ebenso grauen Himmel hinaufsteigen.

Okay, dachte er, also musste jemand da sein. Als er zum Gebäude gefahren und nirgends ein abgestelltes Auto zu sehen gewesen war, hatte er befürchtet, sie wären weg. Er hoffte, dass die Schwester, die er sprechen wollte – er warf einen Blick auf den Zettel, der auf dem Beifahrersitz lag: Evelyn –, zu Hause war. Er öffnete die Wagentür und stellte einen Fuß auf den Kies, doch dann, als wäre der Boden mit glühenden Kohlen bedeckt, zuckte er mit dem Bein zurück ins Auto. Wie sollte er das hier angehen? Sollte er so tun, als hörte er die ganze Geschichte zum ersten Mal? Nein. Das wäre dumm. Warum hätte er schließlich kommen sollen, wenn er nichts wusste? Sollte er freundlich mit ihr umgehen? Oder war es besser, sie ein bisschen einzuschüchtern?

Er registrierte, dass er wieder nervös wurde. Er packte das Steuer mit beiden Händen und atmete ein paar Mal tief durch. Evelyn Ross war nicht gefährlich. Er würde sich einfach von der Situation leiten lassen. Bevor er es sich anders überlegen konnte, hievte er sich aus dem Auto und schlug die Tür zu. Nach einem Moment des Zögerns beschloss er, sich direkt dorthin zu wenden, wo der Rauch herkam. Er ging am Haus vorbei zu einer kleinen Tür in der hohen Gartenmauer. Wie ihm auffiel, war der Anstrich der Tür in sehr gutem Zustand.

Gut, dachte er, ich registriere Details. Das ist gut. Ich kann das. Er drückte die Türklinke herunter, und mit einem leichten Ruck und einem langen Knarren öffnete sich die Tür. Auf der anderen Seite fand er sich in einem kleinen, gepflasterten Hof wieder, den mehrere Nebengebäude begrenzten. Der Rauch stieg irgendwo dahinter auf.

Evelyn Ross dachte, langsam sei das Feuer so weit heruntergebrannt, dass sie es allein lassen und ins Haus zurückgehen konnte. Ihre Augen waren gerötet, doch die Ursache dafür war der Rauch und nicht etwa Tränen über den Verlust ihres *Vogue*-Hügels. Es tatsächlich zu tun, hatte sie mit weniger Hochgefühl erfüllt als der Gedanke daran am Abend zuvor, aber sie hatte trotzdem den Eindruck, die ersten paar Schritte auf dem Weg in ein neues Leben gegangen zu sein. Sie sah sich um. Die Baumwipfel hinter den Kaminen, die Felder, die zu den überwucherten Ufern des Flusses hin abfielen, an denen die Schoßtiere ihrer Kindheit begraben lagen, die Feuchtigkeitsflecken auf der Steinmauer des langen Schuppens, alles war ihr so schmerzlich vertraut, dass es sich beinahe ein bisschen über sie lustig zu machen schien. «Wieso bist du immer noch hier?» Evelyn senkte den Blick auf ihre dunkelgrünen Gummistiefel, die sie schon so lange besaß, dass sie sich nicht mehr an ihren Kauf erinnern konnte. Warum hatte sie hier Wurzeln geschlagen?

Sie hatte sich nie vorgestellt, dass dieses Haus und diese paar Felder ihr ganzes Leben sein würden. Irgendwie hatte sie gedacht, der richtige Moment zum Fortgehen würde noch kommen, doch wie sich herausstellte, wartete sie noch immer auf ihn. Sie erinnerte sich so gut an den Tag, an dem Florence von der Uni zurückgekommen war. An die Tüten in der Diele, auf denen die Namen unglaublich glamouröser Läden in Dublin standen: Brown Thomas, Switzer's, Boyers. Das Seidenpapier auf dem Küchentisch, als sie ihre Geschenke ausgepackt hatte – ein Haarband, das mit winzigen perlmuttfarbenen Perlen bestickt war, und ein Paar Hausschuhe mit Hasenfellbesatz. An jenem Tag war sie aufrichtig glücklich darüber gewesen, dass sie alle wieder zusammen waren, doch als Florence die große Neuigkeit von ihrer Stelle in der Schule von Duneen verkündete, hatten sich in Evelyns Freude selbst damals schon Schuldgefühle gemischt. Sie wusste, dass Florence nur ihretwegen zurückgekommen war, aber was konnte sie daran ändern? Sie hatte ihre Schwester nie darum gebeten. Es war nicht ihre Schuld. Wenn Abigail für ihre Rückkehr gesorgt hatte, dann war sie schuld! Doch im Grunde wusste Evelyn, dass die beiden ihretwegen geblieben waren, und hätte sie beschlossen zu gehen, wäre das gewesen, wie ihnen zu sagen, dass sie ihr Leben vergeudet hatten. Es war grotesk. War es tatsächlich möglich, dass sie einen so großen Teil ihres eigenen Lebens aufgrund einer Art perverser Höflichkeit verschwendet hatte?

Als sie wieder aufsah, kam eine männliche Gestalt um die Ecke. Wer war das? Er sah nach Sergeant Collins aus, aber warum sollte er ... Oh, natürlich. Evelyn hatte damit gerechnet, dass jemand kommen würde. Sie hob die Hand und winkte ihm zu. Der Polizist erwiderte die Geste und blieb dann stehen, während sie zwischen Unkraut und hochgeschossenem Gras zu ihm ging.

«Guten Morgen, Sergeant.»

«Hallo. Sie sind Evelyn Ross, oder?»

«Die bin ich. Ich habe nur gerade ... Wie kann ich Ihnen behilflich sein?»

«Wir wollen Ihnen nur einige Fragen zu Tommy Burkes Verschwinden stellen. Zu den Einzelheiten, an die Sie sich noch erinnern. Wäre das ...» Er ließ den Satz verklingen.

Evelyn lächelte. «Natürlich. Möchten Sie hereinkommen?» Sie deutete in die Richtung, aus der er gekommen war, und begann schon loszugehen, bevor der Sergeant noch sein Einverständnis gebrummt hatte. Schweigend gingen sie um den Schuppen herum und überquerten den gepflasterten Hof bis zur Hintertür des Wohnhauses.

Evelyn überlegte, in welchen Raum sie mit ihm gehen sollte. War die Küche zu salopp, zu privat? Das Wohnzimmer vorn allerdings schien auch nicht zu passen, und davon abgesehen, hatte sie dort die Vorhänge noch nicht aufgezogen und den Kamin nicht ausgekehrt.

PJ stellte fest, dass er sich gern davon ablenken ließ, wie der weiche graue Stoff von Evelyns Hose an ihrer geschwungenen Hüfte lag. Er überlegte, wie alt sie war.

Tja, dachte er, in einer Minute kann ich sie fragen.

Evelyn zuckte leicht zusammen, als sie ihre Schwester Florence mit einem Bücherstapel am Küchentisch sitzen sah. Dann fiel ihr wieder ein, dass sie am Abend zuvor gesagt hatte, sie hätte wegen irgendwelcher Klempnerarbeiten in der Schule den halben Tag frei. Florence sah auf und lächelte, doch bevor Evelyn die beiden miteinander bekannt machen konnte, war PJ schon mit unerwartetem Selbstvertrauen zum Tisch gegangen und hatte die Hand ausgestreckt. «Miss Ross.»

«Sergeant», erfolgte die Antwort, die zusammen mit einem kräftigen Händedruck zeigte, dass sie sich kannten. PJ bemerkte Evelyns erstaunte Miene.

«Ich gebe den Kids in der Klasse von Miss Ross ein paar Mal im Jahr Verkehrsunterricht.»

«Natürlich», sagte Evelyn, während ihre Schwester aufstand und ihre Bücher wegschob.

«Oh bitte, wir sind hier nicht im Klassenzimmer. Nennen Sie mich Florence.» Sie ließ ihrem Satz ein seltsames hohes Kichern folgen, das Evelyn noch nie von ihr gehört hatte. Konnte es sein, dass ihre Schwester mit diesem verschwitzten Trottel flirtete? Oh Gott. Und jetzt wurde er sogar rot.

«Florence, könntest du uns allein lassen? Der Sergeant möchte mir ein paar Fragen stellen.»

Ihre Schwester wirkte einen Moment verblüfft, doch dann begriff sie, worum es ging. Sie sah Evelyn mit dem ermutigenden Lächeln an, das sie ihren Schülern vor einer Klassenarbeit zuwarf. «Sicher.» Sie begann, ihre Bücher einzusammeln. «Ich kann das auch im Wohnzimmer machen.» Beim Hinausgehen warf sie einen Blick über die Schulter. «Hat mich gefreut, Sergeant Collins.»

«Mich auch ...», er zögerte, «Miss ... Florence.» Er lächelte bemüht. Evelyn nahm schweigend zur Kenntnis, dass ihm das Lächeln überhaupt nicht stand.

Tee. Sollte sie ihm Tee anbieten?

«Hätten Sie gern einen Tee?»

«Nein, das ist nicht nötig, danke. Na ja, außer wenn Sie ohnehin welchen machen.»

«Ja, natürlich», gab Evelyn zurück und ging mit dem Wasserkessel zur Spüle. «Setzen Sie sich doch.»

Am Küchenschrank entschied sie sich für Teebecher. Dies war keine Tasse-mit-Untertasse-Situation.

«Ich weiß nicht, ob ich Ihnen weiterhelfen kann. Das ist alles so lange her, ich habe vermutlich alles vergessen», sagte sie laut, obwohl das natürlich eine Lüge war. Sie erinnerte sich an jede Kleinigkeit. Während sie kochendes Wasser über die Teebeutel goss, überlegte sie, wie viel sie diesem Mann erzählen sollte. Und warum konnte sie ihm nicht alles erzählen? Sie hatte nichts zu verbergen. Als sie zum Tisch zurückging, spürte sie unerwartete Aufregung in sich aufsteigen.

Den Tee vor sich, Milch und Zucker hineingerührt (Evelyn sah entsetzt mit an, wie der Sergeant drei gehäufte Löffel Zucker in seinen Becher schaufelte), bereiteten sie sich auf die Hauptsache vor. PJ tastete nach seinem Notizbuch. Oh, verdammt! Er hatte das kleine schwarze Notizbuch vor Augen, wie es auf dem Beifahrersitz lag. Er nahm seinen Stift heraus und hielt ihn hoch, als wäre er ein Zauberstab, mit dem er ein Blatt Papier aus der Luft hexen könnte. Er war froh, dass kein Klugscheißer aus Cork dabei war, der das mitbekam. Er räusperte sich.

Evelyn beugte sich vor. «Sergeant, möchten Sie etwas zum Draufschreiben?» PJ wusste, dass sie nicht versuchte, sich über ihn lustig zu machen. Sie war einfach nur hilfsbereit und freundlich. Er strahlte.

«Ja, bitte.»

Oh, dachte sie, dieses Lächeln steht ihm besser. Sie erhaschte einen Blick auf den Mann hinter der Polizeiuniform. Er wirkte sympathisch, beinahe verletzlich. Trotz seines enormen Umfangs hatte er etwas Jungenhaftes an sich. Sie gab ihm einen alten Block mit Spiralbindung, den sie für ihre Einkaufslisten benutzte, und die Befragung begann.

Sie dauerte etwas weniger als eine halbe Stunde. Seine Fragen waren einfach und umfassend: «Welche Art von Beziehung hatten Sie zu Tommy Burke?», «Wann haben Sie ihn das letzte Mal gesehen?», «Haben Sie seitdem etwas von ihm gehört?», «Haben Sie irgendeine Vorstellung davon, wo er jetzt sein könnte?»

Evelyn antwortete ruhig. Es war so seltsam, ihre Stimme nach all den Jahren seinen Namen wieder sagen zu hören. Sie hoffte, dass sie überlegt und nachdenklich klang. Manchmal legte sie eine Kunstpause ein, als müsste sie sich ins Gedächtnis rufen, in welcher Reihenfolge genau sich manche Ereignisse abgespielt hatten. PJ machte umfangreiche Notizen. Linus, der Arsch, sollte ihm hier nichts vorwerfen können.

Sie erzählte ihm, dass Tommy nach dem Tod seiner Mutter Hilfe im Haushalt gebraucht hatte. Das musste er Abigail gegenüber erwähnt haben, als er die Pacht bezahlte, und sie hatte ihm Evelyn dafür vorgeschlagen, damit sie ein bisschen eigenes Geld in die Tasche bekam. Zu diesem Zeitpunkt hatte ihre Schwester gedacht, Evelyn könnte immer noch ein Leben mit Partys und Jungs weit weg von Ard Carraig vor sich haben. Sie berichtete ausführlich von dem Tag, an dem sie sich gerade fertig gemacht hatte, um zum Bauernhof der Burkes zu gehen, als Florence die Verlobungsanzeige in der *Irish Times* vorlas. Ohne zu erwähnen, wie ihre beiden Schwestern sie deswegen aufgezogen hatten, beschrieb sie, wie sie zu dem Bauernhof gegangen war und festgestellt hatte, dass das Haus abgeschlossen war. Sie hatte Tommy nie wieder gesehen. Nein, und sie wusste nichts über seinen aktuellen Aufenthaltsort.

Sie antwortete wahrheitsgemäß und so genau sie konnte, und doch war ihr klar, als der Sergeant zum Ende kam, die beschriebenen Seiten aus dem Block riss und ihr für den Tee dankte, dass sie ihre Geschichte nicht erzählt hatte. Dieser Mann hatte ein paar Fakten gesammelt, aber er wusste nicht, was wirklich passiert war. Sie dachte an all das, was sie ihm nicht erzählt hatte.

Sie hatte ihm nicht ihre Gefühle von jenem Vormittag beschrieben, an dem Tommy mit offenem Hemd in die Küche gekommen war. Er war zusammengefahren, als er sie bemerkte, und hatte sofort angefangen, sein Hemd zuzuknöpfen, doch da hatte sie das schwarze Brusthaar schon gesehen, dessen Ausläufer bis zu seinem Gürtel hinunterreichte, und seine glatte, weiße Haut und die honigfarbenen Brustwarzen. Sein Erröten. Sein Lächeln. Wie ihr Herzschlag schneller geworden war; wie sie danach oft die Augen geschlossen hatte, um ihn noch einmal mit seinem feuchten Haar und dem offenen Hemd durch die Tür kommen zu sehen.

Sie erzählte dem Sergeant nichts davon, wie sie sich unnötig im Haus zu schaffen gemacht und sich vorgestellt hatte, wie sie dort mit Tommy leben würde. Ein Krug mit Blumen auf der Kommode, zwei Badehandtücher, nachsehen, ob die Toilettenbrille heruntergeklappt war. Sie konnte nicht direkt mit Tommy reden, aber sie hatte das Gefühl, indem sie sich bei dem Haus einschmeichelte, würde sich alles Übrige von selbst ergeben. Sie würde einfach in sein Leben hineinschlüpfen. Sie sah ihm beim Essen zu, dann brachte sie seinen leeren Teller zur Spüle, mit leicht zitternden Händen nach dem Blick, mit dem er dankend zu ihr aufgesehen hatte, während ihm eine Haarsträhne über die Augen hing.

Ebenfalls nicht erwähnt worden war das kleine braune Päckchen, das sie eines Vormittags auf dem Küchentisch gefunden hatte. Tommy hatte ohne sie anzusehen darauf gedeutet und gesagt: «Das ist für dich.» Sie öffnete es langsam, versuchte ihre Aufregung zu unterdrücken. Immerhin konnten es ja einfach ein paar Geschirrhandtücher oder Staublappen sein. Als sie das Papier zurückschlug, schnappte sie leise nach Luft. Rosa Rosen auf einem seidigen, cremefarbenen Stoff. Sie hielt ihn hoch, ließ ihn durch die Luft wehen.

«Es ist ein Halstuch», hatte Tommy erklärt.

«Ja, ich weiß. Es ist einfach wunderschön.» Und dann hatte sie ihn umarmt. Dieser Polizist würde nie die Körperwärme von Thomas verstehen oder wie stark er sich angefühlt hatte und seinen Geruch nach Gras und Erde und Moschus und Männlichkeit. Nachdem sie sich von ihm gelöst hatte, war ein verlegenes Schweigen entstanden. Evelyn ließ das Halstuch zwischen ihren Händen herumgleiten und hob es ans Gesicht.

«Danke.» Sein Lächeln. Seine geröteten Wangen. Das war das letzte Mal gewesen, dass sie ihn gesehen hatte.

Jahrelang hatte sie geglaubt, das Halstuch wäre so etwas wie ein Abschiedsgeschenk gewesen, nun aber wusste sie, dass sie an jenem Vormittag recht damit gehabt hatte, das Halstuch zusammenzufalten, um es mit nach Hause zu nehmen, wo es den Ehrenplatz auf ihrer Frisierkommode einnehmen sollte. Es war ein Liebesbeweis gewesen.

Sie war auch nicht imstande, ihre Demütigung vor dem Laden der O'Driscolls zu erwähnen oder dass sie sich selbst hineingelassen hatte, als sie vor dem abgeschlossenen Haus stand. Ein Teil von ihr hatte ihn sehen wollen, um ihm zu sagen, dass sie nie wieder kommen würde, um für ihn zu putzen oder zu kochen, aber der Feigling in ihr war froh, dass niemand da war. Sie fragte sich, wann seine neue Frau einziehen würde. Schon der Gedanke daran ließ sie schwanken. Wie konnte er nur diesem Mädchen den Vorzug geben? Wie konnte er mit dieser Frau leben wollen?

Sie erzählte dem Sergeant nicht, dass sie den einzelnen benutzten Teller und die Tasse gespült hatte, die auf der Anrichte standen, oder dass sie die Treppe hinaufgegangen war und sich auf Tommys ungemachtes Bett geworfen hatte, seinen Geruch aufgesogen und sein Kopfkissen nassgeweint hatte. Und sie erwähnte auch nicht, wie sie das Seidenhalstuch säuberlich gefaltet auf den Küchentisch gelegt hatte. Ihr war der Gedanke durch den Kopf gegangen, eine Nachricht zu hinterlassen, doch dann hatte sie sich vorgestellt, wie Tommy und Brid die Nachricht gemeinsam lasen und darüber lachten oder, noch schlimmer, sie bedauerten. Sie ließ die Tür weit offen stehen und setzte einen bleischweren Fuß vor den anderen, als sie zu ihrer Vergangenheit ohne Liebe zurückkehrte, die auch ihre Zukunft zu sein schien.

«Es ist Tommy, oder?», platzte sie heraus.

«Wie bitte?»

«Da oben. Die Knochen. Sie sind von Tommy, oder?»

«Es ist zu früh, um das zu wissen. Es werden Untersuchungen gemacht, und dann finden wir es heraus.» PJ hielt inne und betrachtete Evelyn. Ihr Blick huschte durch den Raum. Ihre Oberlippe zuckte. «Warum sind Sie so sicher, dass es um Tommy geht?»

Sie zögerte, bevor sie anfing zu reden. Sie hatte es niemandem erzählt, allerdings hatte auch nie jemand sie gefragt. Diese Unterredung gefiel ihr überraschend gut. Kaum je hatte ein Mensch, und schon gar kein Mann, sich so für sie interessiert. Sie wusste, dass er nur seine Arbeit machte, aber sie fühlte sich trotzdem geschmeichelt.

«Es ist einfach einleuchtend, dass er es ist. Als ich von den Knochen gehört habe, wusste ich es sofort. Er ... Sie halten mich bestimmt für verrückt, Sergeant, und ich weiß, dass ich zu der Zeit noch sehr jung war, aber Tommy Burke ... also ... Er hat mich geliebt.»

Plötzlich spürte sie, wie ein Gefühls-Tsunami auf sie zurollte. Sie griff sich die Teebecher, stand auf und drehte dem Sergeant den Rücken zu, fest entschlossen, vor diesem Mann nicht die Fassung zu verlieren. Schnell ging sie zur Spüle und ließ kaltes Wasser über ihre Hände laufen. Ein paar tiefe Atemzüge. Sie versuchte es noch einmal. Was sollte sie sagen? Sie beschloss, auf jede Einleitung in Bezug auf Tommys Gefühle zu verzichten oder dazu, warum sie so sicher sein konnte. Es gab nur eines, was sie diesem Mann sagen musste.

«Brid Riordan hat Tommy Burke umgebracht.»

Sie drehte sich um und starrte Sergeant Collins an, wartete auf das, was er sagen würde. Sie wusste nicht, welche Reaktion sie auf ihre Anschuldigung erwartet hatte, aber ein bisschen mehr als das bestimmt. Der Sergeant saß nämlich vollkommen bewegungslos da, starrte sie an und atmete durch seinen leicht geöffneten Mund.

PJ dachte nach.

Natürlich wäre Brid Riordan verdächtig, aber Evelyn Ross musste doch klar sein, dass sie genauso unter Verdacht stand. Er begann sich unbehaglich zu fühlen. Sich allein mit einer Frau in einem Raum aufzuhalten, die eindeutig extrem emotional war, schien keiner seiner besten Einfälle gewesen zu sein. Er überlegte, ob er nach Florence rufen sollte, um die Situation zu entschärfen. Evelyns Behauptung klang weniger nach Fakten als nach einem höchst intimen Geheimnis, das sie nicht mit einem Fremden teilen sollte. Sie sahen beide nicht weg, und ihre Blicke versenkten sich ineinander. PJ schwitzte, und sein Mund war trocken. Er schluckte, dann sagte er: «Danke für den Tee, Miss Ross. Wir melden uns wieder, falls wir weitere Fragen haben.» Er lächelte auf eine, wie er hoffte, aufmunternde Art.

«Haben Sie mich verstanden, Sergeant? Ich habe Ihnen gesagt, wer Tommy umgebracht hat.»

«Ja, natürlich. Nun, dies ist eine laufende Untersuchung, und ich, wir … sie werden auf allen möglichen Wegen ermitteln … nein, nicht Wegen, sorry, in alle möglichen Richtungen.» PJ wünschte sich aus diesem Raum weg und in sein Auto. Ein Blick auf Evelyns Gesicht und ihre zuckenden Halsmuskeln sagte ihm, dass dies nicht so schnell geschehen würde, wie er es gerne hätte.

«Glauben Sie mir nicht? Halten Sie mich für eine verrückte alte Jungfer?» Als wäre Feuer an eine Zündschnur gelegt worden, sprühte Evelyn vor Ärger darüber, dass dieser Mann, statt ihr zu danken und die hässliche Säuferschlampe zu verhaften, mit ihr redete, als wäre sie eine von diesen alten Schachteln, die von den Bergen herunterkamen, um am Postschalter bei O'Driscoll's ihre Rente in Empfang zu nehmen.

PJ war aufgestanden und ging zur Tür, während er sagte: «Überhaupt nicht. Aber Sie müssen verstehen, dass wir abwarten müssen, bis wir sämtliche Fakten beieinanderhaben. Die Ermittlung hat gerade erst begonnen, und wir wissen noch nicht einmal, wessen Knochen da oben gefunden worden sind.» Er hoffte, dass diese Sätze plausibel klangen. Er wollte einfach nur, dass Evelyn wieder zu der ruhigen, charmanten Frau wurde, die er eine halbe Stunde zuvor angetroffen hatte. Inzwischen hatte er die Diele erreicht.

«Auf Wiedersehen, Sergeant!» Das war Florences Stimme, die aus einem Raum zu seiner Rechten kam. Nur noch ein paar Schritte bis zur Haustür. Seine Hand lag auf dem großen Messingriegel, als sich Evelyn dicht an ihn drängte und ihm zuflüsterte: «Sie werden schon sehen. Ich habe recht. Diese Frau wusste, dass er sie nie wirklich lieben würde.» PJ konnte die feinen Härchen über ihrer Oberlippe sehen.

Evelyn trat zurück, selbst bestürzt über ihren heftigen Ausbruch. Sie wusste, dass sie recht hatte, aber plötzlich war ihr bewusst geworden, wie verstört sie diesem armen Polizisten erscheinen musste, der so eindeutig darauf aus war, vor ihr zu flüchten.

«Verzeihung, Sergeant. Lassen Sie mich das machen.» Und sie streckte die Hand aus und öffnete die Tür für ihn.

Einen Moment standen sie schweigend voreinander. Der Wind strich durch die Bäume, und die kalte Luft auf ihren Gesichtern fühlte sich gut an. Sie hob den Blick zu ihm. «Ich muss mich entschuldigen.»

«Schon in Ordnung. Wir bleiben in Kontakt.» Und dann streckte er, ohne weiter darüber nachzudenken, die Hand aus und strich ihr über den Arm. Gesten wie diese fielen ihm nicht leicht, und doch kam sie ihm richtig vor. Auch Evelyn war über die Hand auf ihrem Arm erstaunt, doch sie fand es anerkennenswert, dass dieser Mann auf seine unbeholfene Art versuchte, sie aufzubauen. Sie lächelte, und er ging hinüber zu dem Polizeiauto.

Über das Rauschen der Bäume hinweg wurde ein Auto hörbar. PJ blieb stehen und sah hin. Ein kleiner roter Wagen mit Fließheck kam über die Auffahrt auf das Haus zu. Er war etwas zu schnell, und als er auf dem Kiesplatz vor dem Haus ankam, schlidderte er abrupt zum Halt. Hinter dem Steuer erkannte er die entsetzte Miene Brid Riordans. Drei Augenpaare begegneten sich, und dann vollführte der Wagen eine ungestüme Kehrtwende, bevor er mit kreischend durchdrehenden Reifen in einer Wolke aus Staub und Kies zum Tor zurückraste. In dem Auto klammerte sich Brid ans Steuer und brüllte ein langes, lautes: «Miiiiist!»

9

Linus saß in einem kleinen Lichtkegel am Ende des langgestreckten, verlassenen Büros. In grauem Halbdunkel standen die Schreibtische aufgereiht wie Krankenhausbetten; der Schimmer einer Straßenlaterne fiel durch die Lamellenjalousie herein, ein Notausgangsschild leuchtete grün, und auf irgendeinem Schreibtisch flackerte die Helligkeit eines Bildschirmschoners. Detective Superintendent Linus Dunne genoss das Privileg einer eigenen Glas-Sperrholz-Arbeitskabine. Wenn es so spät war, ließ er die Tür zur Belüftung halb offen, doch tagsüber hatte er sie lieber zu. Wenn er ihr dummes Gerede nicht hören musste, argumentierte er insgeheim, konnte er möglicherweise ein paar Stunden lang vergessen, dass er mit Idioten zusammenarbeitete.

Allerdings, dachte er, während er sich durch endlose Mails aus unterschiedlichen Dezernaten scrollte, half ihm sein Verstand hier auch nicht unbedingt weiter. O'Shea, dieser Flachwichser, hatte durch Zufall die Typen von der Messerstecherei ausfindig gemacht und auch noch einen Haufen Diebesgut bei ihnen entdeckt, was bedeutete, dass er innerhalb von zwei Stunden ungefähr fünfzehn Fälle gelöst hatte, was er jetzt an irgendeinem Tresen feierte.

Dunne entschlüpfte ein langes, erschöpftes Seufzen. Es lief nicht gut. Er griff nach seinem Kaffeebecher. Kalt. Er überlegte, ob er neuen kochen sollte, entschied sich aber dagegen. Der Küchenbereich war unten, und davon abgesehen, sollte er nach Hause gehen. Hier kam er ohnehin nicht weiter.

Die Fahrt nach Dublin hatte für die Beantwortung seiner Fragen wenig gebracht. Fergus Connolly in seinem gepflegten Reihenhaus in Ranelagh zu finden, war kein Problem gewesen. Sie hatten in einem überdimensionierten Küchen-Esszimmer-Anbau nach hinten hinaus gesessen, während Mrs. Connolly dem «Super Detective» etwas zu trinken anbot. Linus hatte einen kläglichen Blick auf die makellose Gaggia-Maschine geworfen, die auf der Arbeitsfläche aus Granit funkelte, als ihm Mrs. Connolly eine Tasse schwachen Instantkaffee hinstellte.

Fergus erzählte seine Geschichte. Was ihm seine Mutter nach ihrem Tod hinterließ, war viel weniger, als er erwartet hatte. Sie verdächtigten einen verwitweten Nachbarn, sie zu Anteilskäufen von mehreren Pleite-Unternehmen überredet zu haben, aber beweisen konnten sie nichts, und das Geld war so oder so weg. Dann war Fergus eingefallen, dass seine Mutter von einem Neffen unten in West Cork erzählt hatte, der verschwunden war und dessen Land von Rechts wegen jetzt ihr gehören müsste. Über die Jahre hatte er die Sache vergessen, weil es nur um ein paar Hektar in einer abgelegenen Gegend ging. Was sollten die schon wert sein? Inzwischen aber war Grundbesitz Gold wert, ganz besonders, wenn man eine Baugenehmigung bekam. Er hatte einen Anwalt beauftragt, und schließlich hatte der High Court Tommy

Burke für tot erklärt. Bei dieser Information hatte sich Linus an seinem Kaffee verschluckt und war rhabarberrot angelaufen. Das alte Paar sah ihn überrascht an. Selbst sie waren erstaunt darüber, dass die Ermittlungen eine so fundamentale Tatsache nicht zutage gefördert hatten. Der alte Mann fuhr mit seinem Bericht fort. Er war der einzige Erbe. Fergus lächelte seiner Frau strahlend zu, die wiederum Linus mit einer Geste angrinste, als wäre sie die leicht aus der Form geratene Assistentin eines Zauberkünstlers. *Voilà!* Eine lächerliche Siebzigtausend-Euro-Küche.

Ein ziemlich guter Zaubertrick, dachte Linus, als er aufbrach. Gott, war das ein Sean Scully, der da in der Diele hing? Er nahm sich vor zu überprüfen, wie viel Geld sie für dieses Stück Bauernhof bekommen hatten. Konnte Connolly Burke getötet haben? Linus warf einen Blick zurück auf das wie geisteskrank grinsende Paar, das ihm von der Tür aus nachwinkte. Beide trugen Strickjacken, die über ihren ziemlich ausladenden Bäuchen nicht mehr ganz schlossen. Nein, dachte er, das waren keine Mörder.

Danach hatte Linus beschlossen, nicht zu übernachten, sondern direkt nach Cork zurückzufahren, um sein nutzloses Flachwichserteam anzubrüllen. Es gab eine Todeserklärung für Tommy Burke, und keinem war es eingefallen, das zu überprüfen. Es war unfassbar! Das hätte sogar ein Trupp Zehnjähriger mit Google als einzigem Hilfsmittel besser gemacht. Wenigstens waren die Berichte effizienter, die er von der Kriminaltechnik vorfand. Der Tote war männlich und zwischen sechzehn und zweiundzwanzig Jahren alt. Die Todesursache war stumpfe Gewalteinwirkung auf die Schädelseite, und sie schätzten, dass die sterblichen Überreste mehr als zwei, aber weniger als drei Jahrzehnte in der Erde gelegen hatten. Am Ende der E-Mail folgten die schlechten Nachrichten: Weder durch den Abgleich des Zahnschemas noch durch die DNA hatte die Identität des Toten festgestellt werden können. Der Detective überdachte, was er inzwischen wusste und was er herausfinden wollte. Es war ein junger Mann, der ermordet worden war, und zwar vor mehr als zwanzig Jahren. Solange sie nicht nachweisen konnten, wer der Mann war, kamen sie jedoch nicht weiter. Sie hatten keinerlei Gewissheit, dass es sich bei dem Toten um Tommy Burke handelte. Sosehr es ihm missfiel, aber Linus wurde klar, dass er die Exhumierung der Eltern beantragen musste. Er war nicht zartbesaitet, wenn es um Blut ging oder um etwas wie das abgetrennte Bein, das sie im Frühjahr entdeckt hatten, aber wenn es darum ging, die Totenruhe zu stören, fühlte er sich äußerst unwohl. Trotzdem, es musste gemacht werden. Er würde Sergeant Sumo vorwarnen, damit er den Einheimischen erklärte, warum es notwendig war.

Er streckte die Hand aus, um die Schreibtischlampe auszuschalten, und sein Blick fiel auf das holzgerahmte Foto rechts vom Computer. Eine kleine, magere Frau mit dunklem Haar, das schlaff herabhing, trug ein Baby auf dem Arm, dessen Gesicht in einer zitronengelben Decke verschwand. Linus dachte daran, wie er dieses Foto aufgenommen hatte, nur ein paar Stunden nachdem sie aus dem Krankenhaus zurück waren. Er drückte den Daumen herunter und tauchte die Arbeitskabine in Dunkelheit. Er blieb noch einen Moment unbeweglich sitzen, und dann, beim Aufstehen, beschloss er, auf einen Sprung in den Pub zu schauen, bevor er nach Hause ging.

10

Brid hasste sich selbst. Wie hatte sie so dumm sein können? Welcher Teufel hatte sie geritten, als sie nach Ard Carraig gefahren war? Warum nur hatte sie geglaubt, das wäre eine gute Idee?

Sie schob es auf ihre Müdigkeit. Irgendwie fehlte ihr die Energie, gegen ihre spontanen Anwandlungen zu kämpfen. Sie hatte seit diesem Tag vor all den Jahren schon tausend Mal über Evelyn Ross herfallen wollen. Mit ihrer Selbstgefälligkeit und ihrem perfekten Äußeren. Wie sie durchs Dorf ging in ihrem Mantel, der so gut fiel, mit ihrem verdammten Weidenkorb. Jeder Schritt, den sie tat, eine Deklaration, mit der sie der Welt kundtat, wie rein ihre Liebe zu Tommy gewesen war und dass sie auf seine Rückkehr wartete. Nicht wie Brid, deren Blusen um den Busen spannten, weil sie in den Schultern zu breit war. Brid mit ihren lauten Kindern; Brid, die sich außergewöhnlich hastig für diesen Langweiler Riordan entschieden hatte.

Evelyn konnte das nicht verstehen. Aber Brids Mutter hatte ihr keine Wahl gelassen, ihr unmissverständlich erklärt, dass sie ihr Leben ruiniert hatte. Eine Jungfrau mit einem Bauernhof war eine Sache, aber ein gebrochenes

Eheversprechen hinter sich herzuschleppen wie ein beflecktes Laken war etwas ganz anderes. Als Anthony gekommen war, um seine Fühler wegen des herrenlosen Bauernhofs auszustrecken, hatte ihre Mutter sie mehr oder weniger so lange mit ihm im Wohnzimmer eingesperrt, bis eine Heirat zur Sprache gekommen war. Brid wusste von Anfang an, dass das nicht richtig war, aber sie dachte, es wäre immer noch besser als die Alternative. Die Hochzeit wurde zu einer willkommenen Abwechslung, und Anthony war anfangs erfreulich aufmerksam auf eine Art, die Tommy nie gezeigt hatte. Er küsste sie gern, ließ seine Hände über ihre Brüste gleiten; er machte alles richtig, aber er war der falsche Mann. Er war nicht Tommy.

Sie dachte, sie würde Tommy vergessen und mit ihrem Leben weitermachen können, aber wie konnte sie das, wenn es diese verdammte Evelyn Ross gab? Die ruhige, gelassene Evelyn ging mit gleichmäßigen Schritten durchs Dorf. Nie hatte sie Schwitzflecken unter den Armen, nie eine störrische Haarsträhne, die sich weigerte, flachzuliegen, selbst wenn man sie mit kaltem Wasser herunterbürstete. Ob Evelyn eine Zeitung kaufte, bei einem Sommerfest von einem Stand zum anderen schlenderte, nach der Messe die Kirchentreppe herunterkam – was sie in Wahrheit machte, war, Brid Riordan zu verurteilen. Die hässliche, fette, verschwitzte Brid Riordan.

Mit den Gedanken bei Tommy, hatte Brid im Auto gesessen, bevor sie zu O'Driscolls hineinging, um ein Brot zu kaufen. Sie hatte in Richtung Ard Carraig geschaut, und plötzlich war es, als sei überhaupt keine Zeit vergangen. Es war alles so real. Das Licht war das gleiche, die schweren Wolken, die über den Himmel zogen und Schatten über die Straßen gleiten ließen, als würde das ganze Dorf an sich selbst zweifeln. Es war ungefähr um die gleiche Zeit gewesen, halb neun am Vormittag, und sie war gerade mit einer Schachtel Eier aus dem Laden gekommen. Ihre Mutter wollte Meringue machen, um sie den Leuten anzubieten, die vorbeikamen, um sich vor dem großen Tag die Hochzeitsgeschenke anzuschauen. Brid hörte sie, bevor sie Evelyn sah. Sie kam mit klappernden Absätzen die Straße heruntergerannt. Im ersten Moment wusste Brid nicht, wer es war; sie sah nur einen wild von einer Seite zur anderen schwingenden Rock über federnden Knien. Sie erinnerte sich daran, dass Evelyns Haar in die entgegengesetzte Richtung geflattert hatte, und dann war sie da, stand keuchend vor ihr. Brid dachte an Kühe, die hinter der Holztür des Melkstands schnauften.

«Warum?» Die Stimme war so laut, dass sofort Leute an die Ladentür kamen.

Brid versuchte ruhig zu bleiben. «Was, warum?»

Evelyn wedelte mit einem Stück Seidenstoff vor ihr herum. «Warum hast du es auf jemanden abgesehen, der in jemand anderen verliebt ist?» Ihre Stimme hatte sich zu einem Schrei gesteigert.

«Ich bin ... ich bin mit ihm verlobt.» Brid war bewusst, wie heiß und rot ihr Gesicht wurde.

Inzwischen schluchzte Evelyn und brachte aufheulend heraus: «Er hat mir dieses Halstuch geschenkt!»

«Tja», Brids Stimme war lauter geworden. «Er hat aber *mir* einen Heiratsantrag gemacht!» Sie versuchte, triumphierend zu klingen, aber als sie die zarten Rosatöne des Halstuchs und das schlanke junge Mädchen vor sich sah, erkannte sie irgendwie die Wahrheit.

Sie starrten sich an, nun beide weinend, ihre Lippen bewegten sich, weil sie nach etwas suchten, das sie sagen könnten, doch plötzlich gab es keine Worte mehr.

Dann spürte Brid einen scharfen, stechenden Schmerz auf der linken Wange. Sie brauchte einen Moment, um zu begreifen, dass Evelyn Ross sie geschlagen hatte. Es war, als hätte jemand den Startschuss gegeben. Sie stürzten sich aufeinander wie Tiere, die um einen halb aufgefressenen Kadaver kämpfen. Brid schlug heftig zu, und Evelyn fiel zu Boden. Die Eier flogen weg, als sich Brid rittlings auf sie setzte, aber Evelyn packte Brid am Haar und zog ihren Kopf auf den Gehweg herunter. Sie wand sich und boxte um sich, und dann war sie oben. Leute waren auf der Straße stehen geblieben, und noch mehr liefen eilig den Hügel herunter, um zu sehen, was da los war. Brid spürte einen scharfen Schmerz im Ohr. Evelyn hatte sich mit ihren Nägeln darin verkrallt! Sie hob die Hand, um sie zu schlagen, doch stattdessen fuhr ihr Ellbogen knapp unter dem rechten Auge heftig gegen Evelyns Gesicht. Keuchend und knurrend waren sie in den Rinnstein und auf die Straße gerollt.

Die Zuschauer, sosehr sie die Darbietung auch genossen, hatten das Gefühl, die Sache lange genug laufen gelassen zu haben, also traten ein paar von ihnen vor und zogen sie auseinander. Nach Luft schnappend, hatten sich die beiden Mädchen zornerfüllt angestarrt. Brids Mantel stand offen, weil mehrere Knöpfe abgerissen worden waren, und ein schmales Blutrinnsal lief an ihrem Hals herunter. Evelyns Bluse war zerrissen, und alle Welt konnte ihren fleischfarbenen BH-Träger sehen.

Die alte Mrs. Byrne, inzwischen war sie lange tot, war

diejenige, die sie wegscheuchte. «Er ist nur ein Mann, und davon gibt es wahrhaftig genügend! Und jetzt geht nach Hause!»

Irgendjemand hatte die zitternde und weinende Brid die Hauptstraße entlang begleitet, bis sie gesagt hatte, es ginge wieder. Sie hatte keine Ahnung, was mit Evelyn los war. Sie trottete nach Hause, wusste nicht, was sie denken sollte. Sollte sie ihrer Mutter davon erzählen? Doch sie war sicher, dass für all das am Ende ihr die Schuld zugeschoben werden würde. Als sie sich langsam wieder beruhigte, überrollte sie eine Welle der Scham. Das ganze Dorf hatte gesehen, wie sie sich aufgeführt hatte, als wäre sie in der Gosse aufgewachsen. Jeder wusste, dass Tommy Burke sie nicht liebte. Aber er würde sie heiraten. Er würde ihr gehören. Da konnte diese magere Ziege mit Halstüchern auf der Straße herumwedeln, so lange sie wollte, denn er hatte *ihr* einen Antrag gemacht. Sie wischte sich die triefende Nase an ihrem Mantel ab und fing an, sich ein bisschen besser zu fühlen.

Auch ihre Mutter wusste nicht, was sie davon halten sollte. Eins von den Ross-Mädchen? Am helllichten Tag? Sie war nicht sicher, ob sie die vollständige Geschichte gehört hatte, aber nun saß ihre Tochter da und bat weinend darum, nicht noch einmal ins Dorf zu müssen, um neue Eier zu kaufen. Sie schickte Brid für eine Stunde ins Bett und dachte, sie würden der Sache schon auf den Grund gehen, wenn Tommy zum Abendessen kam. Sie hatte geräucherte Makrele mit gekochten Eiern und Kartoffelsalat, das müsste genügen.

Für Brid in ihrem Zimmer zog sich der Tag in die Länge. Sie konnte nicht lesen. Ungefähr um vier wagte sie sich nach unten und trank Tee mit ihrer Mutter, die zur Abwechslung einmal sehr freundlich mit ihr umging. Als ihre Mutter sagte, sie solle sich keine Sorgen machen, fühlte sie sich tatsächlich besser. Doch als um sieben nichts von Tommy zu hören und zu sehen war, sank ihre Laune erneut. Ihre Mutter war in Schweigen verfallen und wollte ihr nicht mehr in die Augen schauen. Schließlich, um neun Uhr, ging ihre Mutter in den Flur, um ihren Mantel zu holen, und knöpfte ihn zu, während sie noch einmal in die Küche zurückkam.

«Brid, ich gehe runter ins Dorf und suche ihn. Ich bin nicht lange weg.»

Brid wunderte sich. Ihre Mutter war noch nie so nett zu ihr gewesen. Die Situation musste ernst sein.

Weniger als eine Stunde später hörte sie, dass die Hintertür geöffnet wurde. Brid drehte die Lautstärke der Fernsehsendung herunter, der sie nicht gefolgt war. «Mammy?»

Die Tür ging auf, und ihre Mutter kam herein. Schweigend zog sie ihren Mantel aus, setzte sich und legte den Mantel über ihre Knie.

«Also, ich war bei Flynn's und in der Long Bar, aber sie wussten nichts. Dann war ich im Byrne's, und der junge Cormac wusste, dass Tommy heute Nachmittag in Ballytorne gesehen worden ist. Er hatte eine Reisetasche dabei und ist in den Bus nach Cork gestiegen. Cormac sagte, auf dem Bauernhof hat sich den ganzen Tag nichts gerührt.»

Brid starrte ihre Mutter an. «Was hat das zu bedeuten, Mammy?» Sie spürte, wie ihr Kinn anfing zu beben.

«Tja, ich weiß es nicht. Wir können nicht sicher sein,

und du darfst die Hoffnung noch nicht aufgeben, aber ich würde sagen, dass es mit der Hochzeit ... eine Verzögerung gibt.»

«Eine Verzögerung?» Sie beugte sich vor.

Ihre Mutter kaute auf der Unterlippe, während sie das Gesicht ihrer Tochter musterte. So wenig ihr das gefiel, das Mädchen musste die Wahrheit erfahren.

«Oh Brid. Es tut mir so leid für dich, Schätzchen, aber ich glaube, die Hochzeit findet vermutlich nicht mehr statt.»

Brid schlug sich die Hand vors Gesicht und schnappte nach Luft. Auf der anderen Seite des Raumes stand der Tisch, auf dem sie die ersten paar Hochzeitsgeschenke arrangiert hatten. Ein Schongarer, noch in der Schachtel; ein Set lachsrosa Tischwäsche; eine Schale aus Kristallglas. Brid hatte sich vorgestellt, wie Tommy vom Melken nach Hause kam und fragte, was da so köstlich roch, wenn sie den Deckel von dem Schongarer nahm; sein begeistertes Lächeln, wenn sie ihm eine Riesenportion Nachtisch aus der Schüssel auf den Teller schöpfte. Sie fühlte sich leer. Da waren keine Tränen, keine Träume, da war gar nichts. Ihre Mutter stand auf, ging in die Diele, um ihren Mantel aufzuhängen, und ließ ihre Tochter einsamer zurück, als es jemals ein Mensch sein sollte.

Und als sie dann an diesem Morgen im Auto saß und den grauenhaften Tag in Gedanken nacherlebte, hatte sie plötzlich mit tiefverwurzelter, gewaltsamer Sicherheit gewusst, dass sie Evelyn Ross zur Rede stellen sollte. Brid war überzeugt davon, dass diese Frau wusste, was mit Tommy passiert war, und sie absichtlich all diese Jahre hatte leiden lassen. Die Polizei würde ewig brauchen, um aktiv zu werden, also würde sie jetzt selbst reinen Tisch machen. Als sie die Zufahrt hinauffuhr, murmelte sie sich ermutigend zu: «Lange genug, ... verlogenes Miststück, ... damit ist es jetzt vorbei.» Erst als sie unvermittelt das Polizeiauto vor sich sah, Sergeant Collins daneben und Evelyn an der Haustür, wurde ihr bewusst, was für ein Irrsinn ihr Vorhaben war. Sie wand sich bei der Vorstellung, was die beiden von ihr gedacht haben mussten. Sie hatte ihre erstaunten Blicke aufgefangen, das Auto gewendet und die Flucht ergriffen.

Als sie zurück auf der Straße war, beschloss sie, lieber nicht nach Hause zu fahren. Sergeant Collins war vermutlich verpflichtet, ihr zu folgen, und sie war nicht bereit. Sie konnte jetzt noch nicht mit ihm sprechen. Ohne eigentliches Ziel bog sie links ab und fuhr einfach weiter.

Etwa eine Stunde später fand sie sich in Schull wieder. Sie warf einen Blick auf die Uhr. Kurz nach zwölf. Sie parkte hinter dem Supermarkt und ging die Hauptstraße hinunter. Gott sei Dank! Der erste Pub, an dem sie vorbeikam, war nicht leer. Es hatte ihr noch nie gefallen, der einzige Gast zu sein. Das machte einen schrecklichen Eindruck. Sie bestellte ein Glas Wein. Der junge Barkeeper (war er überhaupt schon in einem Alter, in dem man Alkohol trinken durfte?) erklärte ihr, dass sie keinen offenen Wein ausschenkten. Sie hatten nur die kleinen Flaschen, die man manchmal auch im Flugzeug bekam.

«Dann einen Weißen davon, bitte.»

«Wir haben zwei Sorten.» Er deutete auf das Arrangement winziger Flaschen auf dem Regal hinter ihm.

Brid spähte auf die ihr unbekannten Etiketten. «Einfach den besseren von den beiden.»

Der Barkeeper lächelte verlegen. «Na ja, einer hat ein grünes Etikett, das andere ist gelb. Ich kenne mich mit Wein nicht so aus, ehrlich gesagt.»

«Dann gelb», sagte sie schroff, weil sie es kaum erwarten konnte, den Wein zu bekommen, und ließ ein sanfteres «Bitte» folgen.

Nach zwei weiteren der Fläschchen, in denen mehr drin war, als man glaubte, und die sie auf leeren Magen getrunken hatte, fühlte sie sich nicht besonders gut. Es fiel ihr schwer, scharf zu sehen. Sie beschloss, dass sie besser etwas essen sollte, und ging in den Supermarkt, um sich ein Sandwich zu besorgen. Sie hatte große Schwierigkeiten damit, sich zu entscheiden, und mehrere Sandwiches fielen auf den Boden. Die Auslage war sehr unpraktisch konstruiert. Schließlich suchte sie sich ein Käse-Schinken-Sandwich aus und ging damit zu der gelangweilten Kassiererin.

«Zwei sechzig, bitte.»

Brid senkte den Blick. Gott, sie hatte ihre Handtasche in dem Pub vergessen. Sie versuchte, der Kassiererin zu erklären, was passiert war, aber es war zu kompliziert. Also ließ sie das Sandwich zurück und ging wieder in den Pub. Der Barkeeper lächelte, als sie hereinkam, und hielt ihre Handtasche in die Höhe.

«Gott sei Dank!»

Der junge Mann bot ihr an, sie die Straße hinunterzubegleiten. Er schien merkwürdig interessiert daran, ob sie ein Auto hatte oder nicht. Das gefiel Brid nicht, also sagte sie es ihm nicht und entkam zurück in den Supermarkt, aber der Versuch, sich ein Sandwich zu besorgen, war mit einem Mal schon bei dem Gedanken daran eine geradezu herkulische Aufgabe, also ging sie nur durch zum Hinterausgang und hinaus auf den Parkplatz.

So viele rote Kleinwagen. Wie eine unfähige Hexe, die wirkungslose Bannflüche schleuderte, schwenkte sie ihren Autoschlüssel mit der Fernsteuerung durch die Luft. Schließlich hörte sie das vertraute Piepen und stieg ein. Sobald sie auf dem Fahrersitz saß und noch bevor sie auch nur die Tür geschlossen hatte, war sie schon eingeschlafen.

Als sie aufwachte, hatte sie das vertraute Gefühl der Momente, in denen sie am Küchentisch oder auf der Couch wieder zu sich kam und sich erschöpfter fühlte als vor dem Schlaf. Ihr Mund war pelzig von dem Wein, und hinter ihrer Stirn dröhnte dumpfer Schmerz. Sie sah auf die Uhr. Das konnte nicht stimmen. Sie sah erneut hin, aber es war immer noch Viertel vor vier. Mit einem Ruck richtete sie sich auf, schlagartig vollkommen wach.

«Die Kinder! Mist, Mist, Mist.» Sie kam manchmal – na ja, ziemlich häufig – ein bisschen zu spät, aber das hier würde schlimm werden. Sie schob die Hand in die Handtasche, um die Autoschlüssel herauszuholen, doch sie kramte umsonst darin herum. Sie waren nicht zu finden. «Fuck!» Verzweifelt sah sie sich im Auto um. Nichts. Dann ... «Gott sei Dank!» Der Schlüsselanhänger ragte aus dem Becherhalter.

Sie ließ den Motor an und fuhr langsam vom Parkplatz. Sie war schon häufig in diesem Zustand Auto gefahren. Ihre Reaktionen vom Wein verzögert, aber nüchtern genug, um zu wissen, dass sie besonders vorsichtig sein musste. Sie überlegte, ob sie in der Schule anrufen sollte, entschied sich dann aber dagegen. Das würde nur zusätzlich Zeit kosten, und wenn sie sich ernsthafte Sorgen machen würden, dachte sie, hätten sie schon angerufen.

Es war beinahe halb sechs, als ihr roter Kleinwagen vor dem Schultor hielt. Die Fahrt hatte länger gedauert, als sie geschätzt hatte. Sie hatte hinter einem Lastwagen von Co-op herkriechen müssen, und dann, kurz bevor sie Duneen erreichte, hatte so ein Blödmann eine Herde Kühe zum Melken in den Stall getrieben. Weil sie wusste, dass vor der Schule Parkverbot herrschte, schaltete sie die Warnblinkanlage an und stieg aus, um sich umzusehen. Der Lehrerparkplatz rechts vom Schulgebäude war leer, auch die Reihen mit den Fahrradständern waren verwaist. Die einzige Bewegung stammte von einer schlaffen Chipstüte, die vom Wind gegen die Streben des Tors getrieben wurde. Brid wollte schlucken, doch ihr Mund war sehr trocken. Zu trocken.

Auf der Fahrt von Schull war es ihr gelungen, sich nicht zu sehr aufzuregen, jetzt aber wurde sie langsam panisch. Sie stützte sich mit der Hand auf die Motorhaube, versuchte ruhig zu atmen und nahm dabei wahr, wie unheimlich still es war. Kein Auto auf der Straße, keine Passanten. Wie lange habe ich im Auto geschlafen?, ging es ihr plötzlich durch den Kopf. Ist irgendwas passiert?

Zurück im Wagen, überprüfte sie ihre Erscheinung im Rückspiegel. Sie sah nicht zu schlimm aus. Nun ja, wenigstens nicht vollkommen durchgedreht. Während sie auf eine langsame, gleichmäßige Atmung achtete, ließ sie den Motor an. Bestimmt hatte ein Nachbar Carmel und Cathal zu Hause abgesetzt. Oder sie hatten einem der Lehrer leidgetan, und er hatte sie mitgenommen. Sie wussten, wo der Ersatzschlüssel lag. Sie würde nach Hause kommen, und die beiden hätten sich wie üblich in ihre Zimmer verkrochen, um auf ihre Computertastaturen einzuhacken, als wären sie mit weltbewegenden Aufgaben beschäftigt. Brid gelang es zu lächeln und recht akzeptabel in drei Zügen zu wenden, bevor sie Richtung Bauernhof losfuhr.

Kein Licht. Das war kein gutes Zeichen. Der Wagen kam mit knirschenden Reifen zum Stehen, und dann blieb nur noch Stille. Eine graue Stille umhüllte das Haus und den Hof. Als Brid zur Hintertür eilte, hörte sie ein merkwürdig hohes, abgehacktes Geräusch und überlegte einen Moment, was das war, bevor ihr klarwurde, dass sie begonnen hatte zu wimmern wie ein verängstigter Welpe. Sie fing an, zu einem eben wiedergefundenen Gott zu beten. «Bitte, lass sie hier sein. Bitte. Ich gehe auch wieder zur Kirche. Lass sie hier sein. Kein Alkohol mehr.» Die Tür war abgeschlossen. Brid stützte die Hände rechts und links am Türrahmen ab und beugte sich mit gesenktem Kopf vor. Sie war am Ende. Wo waren ihre Kinder, und warum war sie so eine verdammt unverantwortliche Idiotin gewesen?

Die Hintertür führte direkt in die große Küche, und sie sah ihn in demselben Moment, in dem sie das Licht anschaltete. Die blau beschriebene Rückseite eines alten Umschlags von den Elektrizitätswerken. Der Kuli lag quer darüber.

Ohne sich zu bewegen, dachte Brid über diesen Anblick nach. Sie wusste, dass diese Notiz keine guten Nachrichten enthalten konnte, aber sie würde sie trotzdem lesen müssen. Selbst quer durch den Raum erkannte sie Anthonys ordentliche, gleichmäßige Handschrift. Sie atmete tief ein.

Brid,

ich habe die Kinder für ein paar Tage zu meiner Mutter
gebracht. Ich weiß, dass du im Moment durcheinander
bist, aber das ist nicht fair den Kindern gegenüber.
Die Schule hat bei mir angerufen. Es geht uns allen gut.
Ich melde mich.
Anthony

Der vernünftige, sensible Antony. Warum war er nicht da? Sie wollte ihn auf der anderen Seite des Tisches vor sich haben, wollte, dass er sie anbrüllte, sie beschimpfte, weil sie die schlechteste Mutter war, die je gelebt hatte, sodass sie auf die Knie fallen und ihre Entschuldigungen schluchzen und ihre kleine Familie anflehen konnte, ihr zu verzeihen. Was sollte es bringen, wenn die drei bei der Großmutter im Bungalow schweigend zu Abend aßen, während sie hier saß, mit dem Ticken der Küchenuhr über dem Herd als einziger Gesellschaft? Wie sollte sich auf diese Art irgendein Problem lösen? Sie warf einen Blick zum Kühlschrank. Nein. Nein, das Letzte, was sie jetzt brauchte, war etwas zu trinken.

Knapp eine Stunde später saß sie immer noch auf demselben Stuhl, immer noch im Mantel, hatte nun aber ein Weinglas in der Hand, und auf dem Tisch vor ihr stand eine zu zwei Dritteln leere Flasche. Sie würde sie nicht ganz austrinken. Nach dem ersten Glas war Brid wieder eingefallen, dass sie immer noch nichts gegessen hatte. Sie hatte vor dem offenen Kühlschrank gestanden, aber ihr war alles zu kompliziert. Schon der Gedanke daran, einen Teller Suppe aufzuwärmen, überforderte sie. Schließlich hatte sie einen Rest Cheddarkäse gegessen.

Während sie an die Wand starrte, grübelte sie darüber nach, wie viele Nächte sie allein in diesem Raum zugebracht hatte. Es mussten Tausende sein, trotzdem war es an diesem Abend ganz anders. Das Haus schien beinahe zu spüren, dass es leer war. Das Klopfen eines einzelnen Herzens genügte nicht, um es mit Leben zu erfüllen, und es kam Brid so vor, als würde das Haus um sie herum den Betrieb einstellen. Ein Blick auf die Uhr zeigte ihr, dass es erst zwanzig nach sieben war. Noch früh und doch viel zu spät. Die Vorstellung von dem großen, leeren Bett, das sie erwartete, war der erste Funken Trost, der ihr an diesem Tag begegnete. Nach oben zu gehen, war gar nicht so abschreckend ohne den Gedanken an seine Seufzer und sein Gegrummel; an die Mauer seines Rückens, die sie jedes Mal vor sich hatte, wenn sie unter die Decke schlüpfte.

Es dauerte einen Augenblick, bis das schrille Signal zu ihr durchdrang. Die Klingel! Brid sprang auf und rannte zur Küchentür, doch noch bevor sie dort war, verlor sie schon wieder die Hoffnung. Natürlich würden es nicht die Kinder oder ihr Vater sein. Sie hatten Schlüssel. Während sie überlegte, wer um diese Zeit vorbeikommen könnte, ging sie in die Diele und schaltete das Licht unter dem Vordach an. Hinter der Milchglasscheibe zeichnete sich ein schwarzer Schatten ab, der zu groß für nur eine Person war. Sie registrierte ein leichtes Zittern ihrer Hand, als sie nach der Klinke griff, dann hielt sie den Atem an und zog langsam die Tür auf. Ihre Blicke trafen sich, sie senkte den Kopf und trat zurück. Sergeant Collins betrat die Diele.

11

PJ kam an diesem Tag nicht zum ersten Mal zum Haus der Riordans. Nachdem Brid in ihrem Auto von Ard Carraig geflüchtet war, hatte er ihr sofort folgen wollen, sich stattdessen aber mit dem Wasserkessel in der Hand wiedergefunden, um für Evelyn und ihre Schwester Florence Tee zu kochen, die am Küchentisch Evelyn beruhigte. Ihr Geschrei hatte Florence zur Haustür gebracht, und dann hatte PJ das Gefühl, die beiden nicht einfach allein lassen zu können. Er war in die Rolle des verantwortungsbewussten Erwachsenen geschlüpft und hatte die beiden Frauen in die Küche gelotst.

Evelyn hatte sich recht schnell wieder gefangen und erzählte PJ die ganze Geschichte von dem amourösen Konkurrenzkampf zwischen ihr selbst und Brid. Sie erzählte von dem Halstuch und dem schrecklichen Streit im Dorf. Während sie ihm alle Einzelheiten berichtete, die sie ihm zuvor verschwiegen hatte, dachte PJ, dass es kein Wunder war, wenn die Leute im Dorf dachten, Tommy hätte sich einfach davongemacht. Das hätte jeder Mann getan.

Florence hielt ihren Teebecher zwischen beiden Händen und starrte auf die Holzmaserung des Tisches. Sie fühlte sich schrecklich. Natürlich hatte sie einiges von dem gewusst, was damals geschehen war, aber nicht in allen diesen Einzelheiten. Für sie war das Ganze nur eine Teenagerschwärmerei von Evelyn gewesen. Wann war daraus diese Geschichte von verlorener Liebe geworden, und warum hatte sie nichts davon gewusst? Weil sie nie gefragt hatte. Ihre eigene Schwester nie gefragt hatte. Es war einfacher, das nicht zu tun. Selbst jetzt, wo sie wusste, dass sie Evelyn einfach die Hand auf den Arm legen sollte, konnte sie es nicht. So war es nicht zwischen ihnen, zwischen ihnen dreien nicht. Das Leben hatte ihnen seine Lektion erteilt. Gefühle sollte man fürchten, Schmerz war um jeden Preis zu vermeiden, und wenn das bedeutete, dass man auch keine Freude erfuhr, sei's drum.

Evelyn hörte auf zu sprechen. Florence blickte auf und sah den erwartungsvollen Blick ihrer Schwester. «Es tut mir so leid, Evelyn. Das war mir nie ... nie so klar.»

Ein schwaches Lächeln. «Sei nicht dumm. Das ist alles lange vorbei.» Doch alle drei Menschen am Tisch wussten, dass dies eine Lüge war.

PJ stand auf. «Also, wenn Sie nichts dagegen haben, sollte ich jetzt wohl zu Mrs. Riordan fahren. Kommen Sie zurecht?»

«Ja, ja, mir geht es gut», gab Evelyn zurück, während sie sich ebenfalls erhob.

«Danke, dass Sie so offen gesprochen haben und so, tja, geradeheraus.»

Sie lächelten sich an, und als PJ wegfuhr, während sie an der Haustür stand und den rechten Arm hob, um ihm nachzuwinken, fühlte er sich verändert.

Er blickte in den Rückspiegel, als ihre elegante Gestalt

im Haus verschwand, und als er am Tor anhielt, stellte er fest, dass er ohne erkennbaren Grund lächelte.

Bei den Riordans angekommen, hatte er kein Auto gesehen, und es war auch niemand zu Hause gewesen. Er warf eine offiziell aussehende Postkarte in den Briefkasten, auf der seine Kontaktdaten standen, und fuhr ins Dorf zurück. Er würde anfangen, sich nach Tommy Burkes Freunden zu erkundigen und danach, wer ihn hatte wegfahren sehen oder seitdem mit ihm in Verbindung gestanden hatte, doch bis er die Hauptstraße erreichte, musste er feststellen, dass er dringend all den Tee, den er auf Ard Carraig getrunken hatte, loswerden musste. Mit einem Blick auf die Uhr beschloss er, die Toilette in der Polizeiwache zu benutzen und etwas zu Mittag zu essen.

Freitag hieß frittierte Scholle und Salzkartoffeln. Die neue und nicht verbesserte Version von Mrs. Meany stellte ihm mit abwesender Miene den Teller hin und schlurfte zurück in die Küche. PJ fehlten die Tage beinahe, an denen sie am Tisch gestanden und ihm beim Essen zugesehen hatte, während ein endloser Redestrom aus ihrem Mund floss. Wer Krebs hatte. Die Probleme mit der Wasserleitung in ihrem Garten. Die schrecklichen Zustände im Norden. Er wusste, dass er sie hätte fragen sollen, was los war, doch die Vorstellung, sich ihre Antwort anhören zu müssen, machte ihn müde. Er entschied sich für friedliche Ruhe.

Üblicherweise erledigte er nach der Mittagspause Papierkram oder zeigte sich im Dorf, doch an diesem Tag konnte er nur an Ard Carraig denken und daran, welchen Grund es geben könnte, wieder hinzufahren. Schließlich fand er, zu berichten, dass er Brid Riordan noch nicht befragt hatte, wäre Vorwand genug. Er stellte sich vor, wie er Evelyn gegenübersaß und etwas Beruhigendes sagte und wie sich ein dankbarer Ausdruck auf ihrem blassen, schmalen Gesicht ausbreiten würde. Er wusste, dass er sich zum Narren machte und nichts dabei herauskommen würde, aber es war nichts dabei, ein bisschen zu flirten.

Er wusste nicht mehr, wann er sich das letzte Mal so gefühlt hatte. Hatte er sich überhaupt je so gefühlt? Natürlich hatte er auch andere Frauen attraktiv gefunden, sogar Hunderte, immer wieder, aber das hier war neu. Es lag an der Art, auf die sie ihn ansah – er wusste, dass sie ihn niemals reizvoll finden konnte, aber er hatte das Gefühl, sie würde noch etwas anderes als sein Gewicht wahrnehmen, ihr Blick würde weiter reichen als nur bis zu der Oberfläche seiner engen, unbequemen Uniform, und wenn sie redete, dann wandte sie sich an einen Mann. Und was machte es schon? Er wäre ganz bestimmt nicht so dumm, sich von seinen Gefühlen leiten zu lassen. Diese Lektion hatte er sehr früh gelernt.

Als er nach Ard Carraig kam, öffnete ihm auf sein Klingeln niemand die Tür, und das Haus wirkte verlassen. PJ trat zurück, sah zu den matt schimmernden Fensterscheiben hinauf und fragte sich, welches der Zimmer das von Evelyn war. Dann ging er seitlich ums Haus und genoss das Knirschen seiner Schritte auf dem Kies. Das verzweifelt klingende Krächzen einiger Krähen schien die einsame Atmosphäre noch zu verstärken. Rechts des Hauses erstreckte sich eine terrassierte Rasenfläche, die zu einem Feld hin abfiel. Der Rasen war sorgfältig gemäht, und mehrere Beete wirkten auf den gärtnerischen Laien wundervoll bepflanzt und gepflegt. Unvermittelt hob sich auf einem der weiter unten gelegenen Beete ein grauhaariger Kopf. «Meine Güte», entschlüpfte es PJ vor Schreck.

«Kann ich Ihnen behilflich sein?» Der Kopf hob sich weiter und gehörte zu einer kräftigen Frau in ausgeleierten Jeans und einer übergroßen Strickjacke. Sie wirkte, als hätte sie weder mit Besuch gerechnet noch wäre sie erfreut, welchen vor sich zu haben.

«Ich bin Sergeant Collins aus dem Dorf.» PJ ging auf sie zu, bemerkte zu spät, wie abschüssig die Rasenfläche war, und stolperte gefährlich schnell auf die Frau zu. Sie wirkte entsprechend erschrocken, doch es gelang ihm, zu einem sicheren Stand zu kommen, bevor er sie auf das Feld mitgerissen hatte.

«Abigail Ross.» Sie hielt ihre Hände in den schmutzigen Handschuhen in die Höhe, um zu zeigen, warum sie ihm zur Begrüßung nicht die Hand reichte. «Stimmt irgendwas nicht?»

«Ich wollte eigentlich Evelyn sprechen.»

«Warum?» Abigail sah ihn böse an. Er war nicht sicher, ob die niedrig stehende Wintersonne sie blendete oder ob ihre Miene durch seinen bloßen Anblick verursacht worden war. Wenn ihm ihre Schwester das Gefühl verlieh, ein Mann zu sein, so verlieh ihm Abigail das Gefühl, ein kleiner Junge zu sein, der gekommen war, um zu fragen, ob Evelyn zum Spielen rauskommen durfte. Er spürte, dass ihre Antwort nein wäre.

«Ich ... wir ermitteln ...»

«Ich weiß», unterbrach ihn Abigail. «Evelyn hat es mir erzählt. Sie ist nicht da. Kann ich ihr etwas ausrichten?»

«Äh, nein. Das ist nicht nötig. Ich komme ein anderes Mal. Es hat Zeit. Ich gehe dann wieder.» Mit einem halbherzigen Winken wandte er sich ab, um wieder zu seinem Auto hinaufzugehen.

«Oh, Sergeant!», rief ihm Abigail nach. Er drehte sich um. «Es wäre mir lieb, wenn meine Schwester nicht unnötig durcheinandergebracht wird. Sie ist manchmal sehr empfindlich und ... nun, was immer da oben auf diesem Bauernhof geschehen ist, hat nichts mit Evelyn zu tun. Da bin ich ganz sicher.»

Sie fixierte ihn mit ihrem Blick, und weil er nicht recht wusste, was er dazu sagen sollte, nickte er nur und wandte sich erneut um.

«Haben Sie mich verstanden, Sergeant?»

PJ blieb wie erstarrt stehen. Eine Grenze war überschritten worden. Langsam drehte er sich um, sah sie an und wartete so lange ab, wie er es nur wagte, bevor er sagte: «Ja. Ja, ich verstehe.»

Während er die Schräge hinaufstieg, ging ihm durch den Kopf, dass er nicht die leiseste Ahnung hatte, worauf Abigail hinauswollte.

Der restliche Tag hatte sich hingezogen. Er checkte seine Mails und durchforstete die Polizeiberichte, die ihm zugeschickt worden waren, und dann, weil Mrs. Meany freitags nachmittags früher ging, gönnte er sich eine Auszeit vor dem Fernseher.

Er wusste nicht genau, wie lange er geschlafen hatte. Draußen war es dunkel, und das ehemalige hintere Schlafzimmer, das er als Wohnzimmer benutzte, wurde nur von dem schwachen Licht einer Nachrichtensendung erhellt. Er schaltete die Lampe neben dem Sessel an und sah auf die Uhr. Viertel vor sieben. PJ setzte sich auf und beschloss, noch einmal zum Haus der Riordans zu fahren.

Als das Licht der Scheinwerfer über den Hof schwenkte, sah er Brids Auto neben dem Haus. Die Fahrertür war offen, und die Innenbeleuchtung brannte. Er ging zu dem Auto und schloss nach einem Blick in den Innenraum die Tür, sodass der Hof in vollkommenes Dunkel getaucht wurde. Mit seiner kleinen Taschenlampe vor sich her leuchtend, ging er bis zur Haustür und klingelte. Nichts. Er wollte gerade noch einmal klingeln, als mit blendender Helligkeit die Außenbeleuchtung anging und Brid in einem dunkelblauen Wollmantel die Tür öffnete. Der Mund blieb ihr offen stehen, als sie ihn sah, dann ließ sie sich an die Wand zurücksinken und bedeutete ihm damit wortlos, er solle hereinkommen. Er ging ins Haus, und sie zog die Tür hinter ihm zu, bevor sie ihn den Flur entlang zur Küche führte, ohne dass beide es für notwendig hielten, etwas zu sagen.

Das Scharren des Küchenstuhls über den Fliesenboden hörte sich unnatürlich laut an, als Brid ihm mit einer Geste anbot, sich zu setzen.

«Ich bleibe stehen, wenn es Ihnen recht ist. Es wird nicht lange dauern, denke ich», waren die ersten Worte, die er an sie richtete. Sie lehnte jetzt am Küchentresen und starrte einfach nur geradeaus. Er bemerkte die Weinflasche und dachte an das verlassene Auto auf dem Hof.

«Ist alles in Ordnung, Mrs. Riordan?», erkundigte er sich und musterte sie. Sie erwiderte seinen Blick nicht, aber ihre Atmung hatte sich verändert. Lange, langsame Atemzüge bei leicht geöffneten Lippen, jeder lauter und rauer als der vorhergehende. Es klang, als würde sie sich darauf vorbereiten, etwas sehr Schweres hochzuheben oder einen steilen Hügel hinaufzurennen.

«Mrs. Riordan?»

Ihre großen Augen schwenkten auf ihn.

«Meine Kinder.» Jedes Wort bedachtsam und abgezirkelt, wie eine Zauberformel. «Er hat meine Kinder mitgenommen.» Und damit sackten ihre Schultern herab, ihr Kopf kippte nach hinten, und sie stieß ein langes, tiefes Stöhnen aus.

Bevor PJ irgendwie reagieren konnte, hatte sich Brid an ihn geklammert. Ihre kurzen Arme fassten um seinen Bauch, und ihr Kopf war an seiner Brust vergraben. Ihr ganzer Körper hob und senkte sich mit jedem neuen Schluchzen. PJ überlegte, ob er sie wegschieben sollte, doch es schien einfacher, sie einfach nur in den Armen zu halten. Seine Hände fühlten sich auf ihrem Rücken breit und stark an. Er senkte den Kopf, um ihr leise «schsch» ins Ohr zu flüstern, als würde er ein weinendes Baby trösten, das unversehens in seiner Obhut gelandet war. Brid umklammerte ihn fester, und PJ spürte die Form ihrer schweren Brüste.

Die unbeholfene Umarmung schien sehr lange zu dauern, doch in Wahrheit wollten sie beide nicht, dass sie endete. Es war einfach ein gutes Gefühl, die Wärme eines anderen menschlichen Wesens zu umfassen, und sie wussten, dass, wenn der Zauber erst einmal gebrochen war, einer von ihnen anfangen musste zu reden. Die Augen geschlossen, fand sich PJ in einer dunklen, überwältigenden Sphäre wieder. Er spürte Strähnen ihres Haares, die an seiner Wange lagen, ihre Finger, die sich in seine Fleischmassen gruben, der nicht zu leugnende Druck seines inzwischen harten Schwanzes gegen ihren Körper ...

Brid hob den Kopf von seiner Brust, und er wusste,

was als Nächstes geschehen würde. War sie es, oder hatte er … Es spielte keine Rolle, wer es ausgelöst hatte, denn nun küssten sie sich. Als sich ihre Lippen trafen und ihre Zungen ein heißer, feuchter Knoten wurden, war es, als wären sie befreit worden. Hände tasteten nach nackter Haut; dann waren sie auf den Knien, rollten auf den Boden. Ein Stuhl kippte um. PJ wusste, dass er aufhören sollte, dass er aufhören musste, dass er aufhören würde, doch dann glitt ihre Hand an der Innenseite seines Oberschenkels hinauf, und es gab kein Zurück mehr.

12

In dem Schlafzimmer herrschte trübes Halblicht, das durch die Fenster hereinfiel, deren Vorhänge nicht zugezogen waren. Leichter Regen wurde gegen die Scheiben geweht. Kein Vogel zwitscherte. Brid war schon seit einer Stunde wach und betrachtete einfach nur den Berg von einem Mann, der neben ihr lag. Seine zartrosa Haut, die Schwärze der drahtigen Haare auf seinem Rücken, das langsame, gleichmäßige Heben und Senken seines atmenden Körpers. Sie war erstaunlich gelassen. Sie richtete ihren Blick an die Decke, die seit dem Tod ihrer Mutter nicht mehr gestrichen worden war, und überprüfte ihre Empfindungen, doch sosehr sie sich auch bemühte, sie entdeckte keine Schuldgefühle. Immer wieder blitzten Erinnerungen an das auf, was am Abend zuvor geschehen war. Die Knöpfe ihres Mantels, die über den Boden spritzten, sein Gewicht, mit dem er auf ihr lag, ihre schweißüberströmten Körper, die sich auf dem Treppenabsatz umeinanderschlangen, die Geräusche, die sie gemacht hatten! Sie wurde rot, und ein kleines Lächeln umspielte ihre Lippen. Sie beugte sich über PJ und küsste sanft seinen Rücken. Sie hatte keine Ahnung, wie es weitergehen würde, aber in diesem gestohlenen Moment zwischen dem Schlaf und dem Rest ihres Lebens war sie vollkommen glücklich.

Der Fleischberg neben ihr rührte sich. PJ richtete sich auf, stützte sich auf einen Arm und drehte sich ungeschickt zu ihr, um sie anzusehen.

«Ich muss auf die Toilette», flüsterte er.

«So. Dann nichts wie hin.» Brid lächelte, und PJ lächelte zurück. Weil sie sein Unbehagen spürte, wandte sie den Blick ab, damit er aufstehen konnte. Sie spürte, wie sich sein schwerer Körper von der Matratze hob, und hörte ihn zwischen den Kleidungsstücken herumsuchen, die auf dem Boden lagen. Sie warf einen Blick zu ihm hinüber und sah, wie er darum kämpfte, seinen Oberschenkel durch die Beinöffnung einer Unterhose zu schieben. Sie schlug sich die Hand vor den Mund.

«Ich glaube, die gehört Anthony.» Er drehte sich zu ihr um und stand einen Moment wie erstarrt da, bevor sie beide anfingen zu lachen. Er ließ die Unterhose fallen und setzte sich wieder aufs Bett.

«Das ist furchtbar.»

«Ich glaube, deine liegt irgendwo auf der Treppe.»

Ein neuer Lachanfall überrollte sie.

PJs Blick fiel auf die roten Zahlen des Digitalweckers.

«Mist, fast Viertel nach acht. Ich muss zurück.»

Er stand wieder auf und begann nach Kleidungsstücken zu suchen, die ihm gehörten.

«Geh pinkeln. Ich sammle deine Sachen ein», sagte Brid und streichelte seine Schulter.

PJ war schon fast an der Polizeiwache, als ihm einfiel, dass Samstag war und somit keine Mrs. Meany da wäre.

Er hatte sich umsonst Sorgen gemacht. Es würde keine peinlichen Fragen geben. Er war ziemlich durcheinander vom Hof der Riordans weggefahren. Die Nacht hatte ihm gefallen, und Brid schien eine sehr liebenswerte Frau zu sein, aber sie war verheiratet, und er war der Sergeant. Das durfte nicht noch einmal passieren. Trotzdem regte sich schon bei dem Gedanken daran etwas in seiner Hose.

Es war nicht das erste Mal, dass PJ Sex gehabt hatte. Als viel jüngerer Mann war er nach Dublin gefahren und zu einer Prostituierten gegangen; einer großen, dünnen Frau, die sich Anna nannte. Sie hatte einen Akzent gehabt, vielleicht osteuropäisch, aber seine einzigen echten Erinnerungen bestanden darin, wie blass ihre Haut gewesen war und dass ihr Nacken von dem roten Haarfärbemittel rosa Flecken gehabt hatte. Er war innerhalb von zwei Jahren drei Mal zu ihr gegangen, hatte aber bei jedem Besuch weniger Erregung gespürt. Es hatte daran gelegen, dass sie die Geldscheine zählte, bevor sie ihren BH und den Slip auszog; daran, dass sie seinen Körper berührte, ohne irgendein Verlangen wenigstens vorzutäuschen. Sie machte ihre Arbeit, er war ein Job, den sie erledigen musste, und nach dem letzten Besuch hatte er sich geschworen, niemals wiederzukommen.

So erwies sich, dass es ihm nicht um Sex gegangen war. Er hatte jemanden gesucht, der ihn wollte, und das war es, was ihn an der vergangenen Nacht so verblüffte. Brid hatte ihn schrankenlos begehrt. Es hatte nicht einen einzigen Moment gegeben, in dem sie zurückgezuckt war. Selbst an diesem Morgen, als er sich verabschiedete, hatte sie ihre warmen, feuchten Lippen ohne Zögern auf seine gedrückt und mit beiden Händen über seinen Bauch gestrichen. Er lächelte und dachte, er sollte besser aufhören, an sie zu denken, sonst würde er noch einen Unfall bauen.

«Oh nein, nicht der Arsch!»

PJ war bei der Polizeiwache angekommen, sah einen silberfarbenen Mercedes in der Einfahrt stehen, und daran lehnte, Zigarette in der Hand, Detective Superintendent Linus Dunne. PJ stellte den Motor ab. Noch bevor er ausgestiegen war, nahm er das anzügliche Grinsen des Detectives wahr.

«Guten Morgen, Sergeant! Sie sind früh auf für einen Samstag.»

PJ unterdrückte die Aggression, die in ihm hochkochte. «Bin kurz raus, die Zeitung besorgen.»

«Ach so.» Der Detective war kurz davor, zu lachen, und deutete auf PJs leere Hände.

PJ konterte. «Sie sind selbst ziemlich früh auf, Detective.»

«Ja. Tut mir leid, dass ich einfach so auftauche, aber ich habe versucht, auf der Wache anzurufen.» Er hielt inne und lächelte. «Ist niemand drangegangen.»

PJ spielte mit der Idee, zu erklären, weshalb niemand an den Apparat gegangen war, doch dann ließ er es lieber bleiben. «Wollen Sie reinkommen? Ich mache Tee.»

«Sehr gut. Ich wollte wissen, wie Sie gestern vorwärtsgekommen sind, und ich muss ein paar Akten überprüfen, die Sie hier haben.»

Minuten später saßen sich die Männer mit dem Tee zwischen sich am Küchentisch gegenüber. PJ war kurz vorm Verhungern und hätte sich am liebsten ein paar Eier in die Pfanne gehauen, gleichzeitig aber wollte er auf keinen Fall dem Arsch etwas zu essen machen. Linus berichtete, was er in Dublin herausgefunden hatte, und erklärte, warum eine Exhumierung notwendig war. PJ nickte und kaute auf seinem Daumennagel. Er wusste, dass eine Menge Leute bestürzt wären, wenn ein Bagger auf dem Friedhof eingesetzt wurde. Als hätte er seine Gedanken gelesen, fuhr Linus fort: «Mir gefällt das auch nicht, aber es ist die einzige Art, um die Identität der Leiche festzustellen. Das ist nicht irgendein Toter. Dieser Kerl wurde ermordet, und das heißt, es gibt einen Mörder. Welchen Eindruck haben die Frauen auf Sie gemacht?»

PJ zögerte. Er durfte nicht alles verraten. Verdammt, falls jemals herauskam, was passiert war, konnte er einpacken.

«Tja, sie können sich gegenseitig nicht ausstehen, so viel ist sicher. Evelyn Ross glaubt, Brid Riordan hätte ihn umgebracht, aber das bezweifle ich stark. Wenn man überhaupt etwas sagen kann, dann vielleicht, dass es Brid Riordan gelungen ist, mit ihrem Leben weiterzumachen. Evelyn Ross hat es dagegen immer noch nicht verarbeitet, und das heißt, *überhaupt nicht* verarbeitet. Und glaube ich, dass eine von den beiden jemanden töten könnte? Ich würde sagen, nein, andererseits weiß keiner, wie diese Frauen vor fünfundzwanzig Jahren waren.»

«Irgendein Kontakt mit Burke in all den Jahren?»

«Nein. Nur dieselbe Geschichte, dass er den Bus nach Cork genommen hat.»

«Und haben wir irgendjemanden, der das gesehen hat?»

«Noch nicht, aber ich habe mir überlegt, heute Abend

mal ein bisschen in den Pubs rumzufragen. Sie wissen ja, dass so ein Tröpfchen manchmal Wunder wirkt.»

Linus hob in mildem Erstaunen die Augenbrauen.

«Sehr gut. Ja, tun Sie das, und melden Sie sich, wenn Sie irgendetwas erfahren.»

Als PJ nickte, fiel ihm auf, dass dieses Gespräch nicht so höllisch verlaufen war, wie er es sich vorgestellt hatte. Er musste zugeben, dass der Arsch ziemlich gut in seinem Job war, und zum ersten Mal seit Tagen hatte er den Eindruck, dass sie diesen Fall tatsächlich lösen könnten.

«Und jetzt noch ein bisschen Schreibtischarbeit, und daran beteilige ich mich gern. Ich möchte die Akten durchsehen, um festzustellen, ob irgendeine unserer Schlüsselfiguren – die Ross-Schwestern, diese Brid Riordan oder Burke selbst – irgendwann mal mit dem Gesetz in Konflikt geraten sind.»

PJ grinste. «Das habe ich schon gemacht!»

Der Detective lächelte. «Und?»

«Nichts. Die älteste Ross-Schwester hat ein paar Punkte wegen Geschwindigkeitsüberschreitung auf dem Konto, Brid Riordan wegen Fahrens unter Alkoholeinfluss, und Tommy Burke hat einmal Anzeige erstattet, weil ihm Dieselkraftstoff vom Bauernhof gestohlen worden war, aber dafür wurde nie jemand belangt. Das ist alles.»

«Tja, ich muss zugeben, Sergeant, ich bin beeindruckt.»

PJ hasste sich selbst dafür, wie sehr es ihm schmeichelte, diese Worte aus dem Mund des Arschs zu hören.

«Wie sich rausstellt, bringt uns das alles keinen verdammten Schritt weiter, aber ich bin beeindruckt.» Er stand vom Tisch auf. «Ich mache mich mal wieder auf den Weg. Dann kommen Sie auch endlich zu Ihrem Frühstück.» Ein breites und wissendes Lächeln lag auf seinem Gesicht.

PJ spürte, dass er rot wurde, aber er sagte nichts.

Nach zwei Spiegeleiern, einem Bissen Blutwurst, zwei Scheiben Speck und einem Würstchen überlegte der Sergeant, ob er sich noch mal kurz hinlegen sollte. Er hatte in der Nacht zuvor wenig Schlaf bekommen und wusste, dass es spät werden konnte, wenn er am Abend eine Runde durch die Pubs machen wollte. Er stellte gerade seinen Teller in die Spüle, als es an der Eingangstür klopfte. Merkwürdig. Er hatte kein Auto gehört.

Er öffnete die Tür und hatte eine lächelnde Evelyn Ross vor sich. Ihre Wangen waren vom Gehen gerötet, und sie hatte einen Korb in der Hand.

«Sergeant!»

«Evelyn. Wie kann ich Ihnen ... Was kann ich ... Ist alles in Ordnung?»

PJ fühlte sich, als läge genau in diesem Moment eine nackte Brid Riordan mit ausgebreiteten Armen und gespreizten Beinen im Schlafzimmer auf seinem Bett. Das war lächerlich.

Evelyn streckte ihm den Korb entgegen.

«Ich habe heute Morgen Brot gebacken und ein paar extra gemacht. Ich wollte Ihnen einfach für gestern danken. Ich habe albern reagiert, und es war nett von Ihnen, sich um mich zu kümmern.» Ihre Blicke trafen sich. «Oh, und nach dem, was ich von Abigail gehört habe, war sie gestern anscheinend nicht besonders freundlich zu Ihnen, als Sie noch mal vorbeigekommen sind. Tut mir leid.»

«Sie hat einfach als große Schwester reagiert, machen Sie sich keine Gedanken.»

«Was wollten Sie eigentlich von mir?»

Eine Sekunde lang konnte sich PJ nicht daran erinnern, dann fiel es ihm wieder ein. Er platzte heraus: «Brid Riordan.» Schon wenn er ihren Namen aussprach, kam er sich vor, als hätte er ein Sexvideo gedreht, das rasend schnell bekannt wurde.

«Ich wollte Sie nur wissenlassen, dass ich sie noch nicht richtig befragt habe. Ich meine, das kommt noch, aber ich weiß nicht genau, wann. Aber Sie sollten wissen, dass ich das ernst nehme, was Sie mir gesagt haben.» Sie lächelten sich kurz an.

«Möchten Sie hereinkommen?» PJ trat einen Schritt von der Tür zurück.

«Nein. Nein, ich sollte los.» Sie wandte sich zum Gehen und fügte als Nachsatz hinzu: «Meine Schwestern und ich gehen am Dienstagabend zu diesem Konzert oben in der Kirche, *Musik bei Kerzenlicht*. Wenn Sie uns begleiten wollen, würden wir uns sehr freuen.» Sie redete schnell, jedoch ohne zu erröten. Es gelang ihr sogar, PJ ein oder zwei Mal in die Augen zu sehen.

Der Sergeant wusste nicht, was er davon halten sollte. Hatten die Schwestern Mitleid mit ihm und deshalb beschlossen, ihn mitzunehmen? Er suchte in Evelyns Gesicht nach Hinweisen, aber ihre unbewegte Miene verriet nichts. Er entschied, sich nicht gleich zu entscheiden.

«Das klingt sehr nett, aber ich muss erst mit den Oberbonzen in Cork abklären, ob sie mich brauchen. Kann ich Ihnen noch Bescheid geben?» Er war zufrieden mit sich. Er hatte ganz ruhig und gelassen geklungen.

«Natürlich. Tja also, ich drücke uns die Daumen.» Sie trat zurück und hob zum Abschied die Hand. «Auf Wiedersehen ... Oh, das Brot!» Sie lachte. «Ich bin zu schusselig!» Sie streckte ihm die beiden Laibe entgegen, und PJ nahm sie.

«Noch warm», stellte er fest, in jeder Hand ein Brot haltend. Gott, dachte er, hatte sich das gerade ein bisschen sexuell angehört? Evelyn lächelte immer noch, also hatte sie es vermutlich nicht so aufgefasst. «Vielen Dank. Die schmecken bestimmt ganz großartig.»

«Ach wo», gab Evelyn zurück und ging Richtung Straße. «Und geben Sie uns wegen Dienstag Bescheid», rief sie über die Schulter.

«Mach ich!», rief PJ zurück.

Nachdem er die Tür zugedrückt hatte, senkte er den Blick auf die knusprigen Brote. War es möglich, dass sich für ihn, PJ Collins – im Alter von dreiundfünfzig und zum ersten Mal im Leben –, nicht nur eine, sondern gleich zwei Frauen interessierten? Sanft drückte er das Brot zusammen. Noch warm.

13

Die Kirche war kein schönes Gebäude. Plump und behäbig hockte sie auf einer Hügelkuppe. Keine Kirchturmspitze reckte sich Gott entgegen, es gab nur einen etwas höheren Anbau auf der westlichen Giebelseite, in dem die Glocke hing. Graue Steinmauern stiegen bis zu einem grauen Schieferdach an, das seinerseits an diesem Vormittag von einer schweren grauen Wolkendecke überspannt war, die baldigen Regen verhieß. Eine langgestreckte Anhöhe, auf der eine Reihe übergroßer Zypressen standen, trennte das Pfarrhaus von dem Friedhof, und auf der anderen Seite der Kirche wuchs ein einsamer Schlangenbaum. Den einzigen Farbakzent setzte das leuchtende Gelb des kleinen Baggers, der auf dem Friedhof eingesetzt wurde.

Daneben stand der Pfarrer zusammen mit Linus Dunne sowie einer Frau und einem Mann von der Spurensicherung in weißen Overalls. PJ hatte sich oben auf der Treppe postiert, damit niemand aus dem Dorf zu dicht herankam und auch keiner von den Journalisten, die vor dem Laden der O'Driscolls die Leute ausgefragt hatten, womöglich mit einem Fotografen den Friedhof betrat. Wie sich herausstellte, hatte keiner Lust, zu kommen und mitzuerleben, wie die Burkes wieder ans Tageslicht geholt wurden. Susan Hickey war zwar im Schneckentempo gefahren, als sie am Friedhof vorbeigekommen war, doch selbst sie wollte sich das nicht genauer ansehen.

Eine unvermittelte Stille brachte PJ dazu, sich zu dem Grab umzudrehen. Der Motor des Baggers war abgestellt worden, und die kleine Gruppe hatte sich dichter um den Erdhügel geschart. PJ wollte seinen Posten nicht verlassen, trotzdem hatte er das Gefühl, er sollte näher am Geschehen sein. Dunne hatte angefangen, ihn wie einen Kollegen zu behandeln, und PJ wollte an dieser Ermittlung unbedingt direkt beteiligt sein. Er schob sich ein paar Schritte weiter vor, aber das verbesserte seine Sicht kaum. Waren die Spurensicherer in dem Grab? Er warf einen Blick über die Schulter, um sich zu versichern, dass niemand die Treppe heraufkam, und ging dann noch ein paar Schritte weiter Richtung Grab. Schon besser. Er sah, wie sich die Frau im weißen Overall hinkniete und sich an etwas zu schaffen machte. Es musste der Sargdeckel sein. Nein, der war sicher schon verrottet. Zog sie einfach an einem Knochen? Lag die Ehefrau dichter unter der Erdoberfläche, oder waren die beiden nebeneinander bestattet worden? Bei diesen Gedanken verzog sich unwillkürlich sein Gesicht, und er kehrte auf seinen Posten zurück.

Was war das? Etwas hatte sich bewegt. Er glaubte, am anderen Ende der Kirche das Aufschimmern von Farbe gesehen zu haben – war es Grün? Er zögerte. Möglicherweise hatte er sich getäuscht, aber nein, er hatte etwas gesehen, etwas Grünes, und es hatte sich bewegt. PJ vollführte seine Version eines Spurts, was eher eine Art langsames, schnelles Ausschreiten war. Als er die Kirche erreichte, erhaschte er einen weiteren Blick auf den grünen

Mantel, der an dem Schlangenbaum vorbei auf den Pfad zum Pfarrhaus eilte. Außerdem sah er das graue Haar und die rot-weiß gestreifte Einkaufstasche. Es gab keinen Zweifel. Die Gestalt in dem grünen Mantel, die sich da hastig entfernte, war seine eigene Mrs. Meany.

Im Innersten wusste sie, dass der Sergeant sie gesehen hatte. Sie ging so schnell wie möglich den Pfad hinunter, die Schultern hochgezogen, den Kopf vorgebeugt, und wäre am liebsten unsichtbar geworden. Sie hätte natürlich nicht kommen sollen. Es war ein dummer Einfall gewesen, aber als der Sergeant ihr erzählt hatte, was geschehen würde, hatte es ihr so leidgetan um ... nun, um Mrs. Burke eigentlich, aber sie hatten ihr beide auf ihre Art Gutes getan. Vielleicht würde er sie ja nicht darauf ansprechen. Doch, das würde er. Sie musste sich etwas einfallen lassen. Eine Sache in der Kirchengemeinde? Sie würde sagen, dass sie den Pfarrer hatte sprechen wollen. Das würde ihn abschrecken. Der Sergeant befürchtete immer, sie wollte ihn in irgendeine Gemeindeangelegenheit hineinziehen.

Den Blick gesenkt, sah Mrs. Meany den Pfad mit seinem dünnen Teppich aus abgefallenen Kiefernnadeln und Moos. Sie wollte rennen, doch ihre Füße setzten ihre Schritte vorsichtig, fürchteten sich vor einem Sturz. Als sie die Bäume hinter sich hatte, blieb sie stehen, um durchzuatmen, und dachte an die Jugendliche, die vierzig Jahre zuvor diesen Pfad hinauf- und hinuntergeeilt war. Damals war sie die Pfarrhaushälterin gewesen, nachdem ihr die Burkes eine zweite Chance im Leben gegeben hatten. Wie konnte es sein, dass sie all diese Jahre später nun wieder hier stand, immer noch ängstlich, wie konnte es sein, dass sie immer noch Verstecken spielte? Wenn sie die Teenagerinnen heutzutage sah, verblüfften sie die vielen Wahlmöglichkeiten, die ihnen offenstanden. Sie konnten überall hingehen und tun, was immer sie wollten. Manchmal nagte die Eifersucht an ihr, doch an anderen Tagen, wenn sie die Mädchen mit ihren langen Haaren und kurzen Röcken an der Haltestelle des Schulbusses nach Ballytorne herumalbern sah, überlegte sie, ob ihr jüngeres Ich selbst in dieser Zeit überhaupt den Mut hätte, aus Duneen fortzugehen.

Einen Mr. Meany hatte es nie gegeben. Nachdem Father Mulcahy weggegangen war, hatte ein älterer Jesuit namens Father Carter die Pfarrstelle übernommen. Als sie einmal nachmittags den Fliesenboden hinter der Treppe schrubbte, hatte sie die Klingel gehört, mit der er sie rief. Sie stand hastig auf und trocknete sich die Hände an der Schürze ab. Als sie an der Tür zum Arbeitszimmer des Pfarrers klopfte, erklang eine Stimme wie aus einer riesigen, mit Samt ausgekleideten Schachtel. «Komm rein.» Father Carter saß hinter seinem Schreibtisch, das Licht der Lampe spiegelte sich in seinen kleinen, runden Brillengläsern. In diesem Zimmer hatte man sich immer gefühlt, als wäre Abend. Sie ging zu dem Schreibtisch, und weil der Pfarrer ihr keinen Stuhl angeboten hatte, blieb sie einfach vor ihm stehen und legte die Hände auf den Rücken.

Nach einigem Geräusper erklärte Father Carter bedächtig, dass er nachgedacht habe. Er hatte das Gefühl, es sei unpassend, dass eine so junge, unverheiratete Frau bei ihm im Haus arbeitete, daher würde sie künftig

Mrs. Meany genannt werden. Sie hatte in stillschweigender Hinnahme den Kopf gesenkt und war in die Küche gegangen, aber insgeheim hielt sie diesen Einfall für vollkommen absurd. Schließlich wusste jeder, dass sie nicht verheiratet war. Was sollte es da bringen, sich Mrs. zu nennen? Doch die Macht der Suggestion war zusammen mit dem offenbar päpstlichen Segen so groß, dass es nach ein paar Monaten keine gehobenen Augenbrauen oder Fragen mehr gab. Sie war zur Frau eines mysteriösen Mr. Meany geworden, und dann, als die Jahre vergingen, seine Witwe, doch die wichtigste Tatsache bestand darin, dass sie eine verheiratete Frau gewesen war. Manchmal vergaß sie aus einer Art Verantwortungsgefühl ihrem erfundenen toten Ehemann gegenüber sogar selbst, dass sie alleinstehend war. Sie hatte gelernt, sich die Erfindung zu eigen zu machen, und befasste sich nicht gern näher mit dem Gedanken, dass sie in Wahrheit immer allein gewesen war.

Sie schlich am Pfarrhaus vorbei, und dann strich sich Mrs. Meany glättend über das Haar und den Mantel, bevor sie auf die Straße trat, um zum Dorf weiterzugehen.

Wenn es dunkel war, sah die Kirche etwas besser aus, hauptsächlich, weil man weniger von ihr erkennen konnte. In den frühen Neunzigern hatte Susan Hickey eine große Spendensammlung für eine Beleuchtung mit Flutlicht organisiert. Zu Beginn war der Effekt ein wenig stark und vermittelte dem ortsunkundigen abendlichen Besucher den Eindruck, Duneen sei nun der Standort eines Atommeilers, doch zwanzig Jahre später hatte mangelhafte Instandhaltung dafür gesorgt, dass nur noch ein unregelmäßiger orangefarbener Schimmer übrig geblieben war, der beliebige Bereiche des Gebäudes hervorhob.

Eine große Gruppe von Schattengestalten hatte sich bei der Tür versammelt, zwanzig Leute oder mehr unterhielten sich leise im Dunkeln, ihr Atem sichtbar in dem Licht, das von der breiten gemauerten Vorhalle herunterfiel. Evelyn stieg vorsichtig die Treppe hinauf, flankiert von ihren Schwestern. Sie gingen selten aus, und diese Gelegenheit war noch seltener, weil es Evelyn gewesen war, die vorgeschlagen hatte, den Abend mit Musik bei Kerzenlicht zu besuchen. Weder Florence noch Abigail hatten sonderlich viel Lust darauf gehabt, als Evelyn die Ankündigung herausgezogen hatte, die auf mintgrünem Papier gedruckt und mit der hingehauchten Zeichnung einer brennenden Kerze unter einigen Noten verziert war, doch sie hatten auf unterschiedliche Art beide gewisse Schuldgefühle ihrer Schwester gegenüber, und deshalb waren sie nun dort.

Die drei Frauen waren halb die Treppe hinauf, als sie hinter sich ein seltsam fiependes Keuchen hörten. Florence warf einen Blick über die Schulter und rief: «Sergeant Collins!»

Evelyn stimmte mit einem «Sie haben uns gefunden!» ein, und Abigail, wenn auch mit einem Lächeln, beschränkte sich auf: «So sieht man sich wieder.»

Alle drei Frauen bemühten sich vergebens, ihr Erstaunen beim Anblick des Sergeants in seiner «Freizeitkleidung» zu verbergen. An den Füßen trug er braune Leinenschuhe mit dicken Sohlen, die sich irgendwo zwischen Sportschuh und orthopädischem Knöchelstiefel einordnen ließen. Die Jeans in makellosem Marineblau wiesen eine strenge Mrs.-Meany-Bügelfalte pro Bein auf. Der Schritt hing irgendwo zwischen den Knien. Ein grün und beige gestreiftes Poloshirt spannte sich über seinen Bauch, und darüber trug er einen marineblauen Anorak, der enthüllte, dass PJs Schultern im Grunde nur eine Illusion waren, die von seiner Uniform geschaffen wurde.

Die Kleidung hatte er sich im Internet gekauft. Beim Verlassen der Polizeiwache hatte PJ einen Blick in den Spiegel geworfen und beschlossen, dass er locker und entspannt wirkte, doch nun zeigten ihm die Mienen der Ross-Schwestern, dass er aussah wie ein bis zum Platzen aufgepumpter Schuljunge. Er schluckte, setzte ein Lächeln auf und hob halbherzig die rechte Hand zu so etwas wie einem Winken.

Augenblicklich erfüllten ihn lähmende Zweifel. Warum um alles in der Welt hatte er diese seltsame Einladung angenommen? Er hatte sich bei O'Driscolls erkundigt, und der Abend war ihm als eine Zusammenstellung von Opernarien und Harfenmusik beschrieben worden. Organisiert hatte ihn Mairead Gallagher, die an der Musikhochschule von Cork studierte. Warum die Veranstaltung bei Kerzenlicht abgehalten wurde, schien niemand so recht zu wissen, schließlich war ja noch nicht Weihnachten. PJ aber fand den Gedanken tröstlich, dass so wenigstens die Musiker nicht mitbekommen würden, wenn er einschlief.

Das Wochenende war ruhig gewesen, zu ruhig. Er hatte viel zu viel Zeit zum Nachdenken und erneuten Überdenken gehabt. Und er war schlecht eingeschlafen, selbst nachdem er am Samstag ziemlich viel intus gehabt hatte. Wenigstens hatte ihn sein Kater am Sonntagmorgen von dem abgelenkt, was in seinem Privatleben vor sich ging.

Sein Privatleben! Schon die Vorstellung schreckte ihn. Seit wann hatte er denn so etwas? Es war ihm gelungen, Jahrzehnte des Erwachsenenlebens ohne emotionale Bindungen hinter sich zu bringen, und jetzt, ohne dass er es wollte, fühlte er sich verwickelt in ... er wusste selbst nicht, was. Wenn er ruhig nachdachte, sagte er sich, dass Evelyn nur höflich war und ihr ein einsamer Mann leidtat, und Brid war einfach eine betrunkene, unglückliche Frau, die einen Fehler begangen hatte. Doch irgendwie, ganz gleich, wie oft er sich diese Tatsachen vorhielt, änderten sie nichts an seinen Gefühlen. Daran, wie sehr ihn diese beiden Frauen auf ihre je eigene Art anzogen. Er war nervös und unruhig. Er erkannte sich selbst nicht mehr.

«Es freut mich sehr, dass Sie sich entschieden haben zu kommen», sagte Evelyn, während das merkwürdige Quartett weiter die Treppe hinaufging. «Mairead hat letzte Weihnachten ein Solo gesungen, und sie hat eine wundervolle Stimme.»

«Sie war in meiner Klasse, und sie war schon immer eine begabte Sängerin. Phantastisch, dass sie etwas daraus macht», fügte Florence hinzu.

«Ja, ja», pflichteten ihr die anderen bei. Darauf folgte unbehagliches Schweigen.

«Kühl heute.» Das war PJs Versuch, das Eis zu brechen, doch die Atmosphäre blieb frostig. Sie durchquerten schweigend die erleuchtete Vorhalle.

Evelyn wusste, dass sie etwas sagen sollte, aber ihr fiel nichts ein. Dieser Mann war ein Trampeltier. Hätte ihr jemand ein Foto von ihm gezeigt, wäre sie zurückgeschreckt, aber in natura strahlte er eine Art Wärme aus. Es war verwirrend. Sie stellte fest, dass sie gern seine Haut berührt, seine Wange gestreichelt, vielleicht ihre Lippen auf seine gedrückt hätte. Es war verrückt. Seit ihr Tommy das Herz gebrochen hatte und verschwunden war, hatte sie mit diesem Aspekt ihres Lebens abgeschlossen. Ein Vierteljahrhundert hatte sie sich keine Gefühle für einen Mann gestattet; im Grunde war sie sogar ziemlich selten einem begegnet. Nun aber war es, als wäre zusammen mit diesen Knochen ihr Herz freigelegt worden. Lag das einfach daran, dass Sergeant Collins der erste Mann war, den sie nach ihrer langen Weltflucht wahrnahm? War sie wie eine von diesen verblendeten Jungfrauen im Märchen, denen man einen Liebestrank eingeflößt hatte? Sie wusste nicht, was sie denken sollte, aber die Gefühle, die all das in ihr hervorriefen, waren nicht unangenehm.

Während die Ross-Schwestern ihre Plätze in einer Bank etwa in der Mitte der Kirche einnahmen, hielt unten an der Straße ein weiteres Auto. Die Riordans trugen Variationen ihrer Weihnachtsmessen-Kleidung, Anthony einen schwarzen Anzug mit einem weißen Hemd, jedoch keine Krawatte und Brid ihren besten Mantel, bis oben zugeknöpft, die Bernsteinbrosche, die ihr Anthony zum zehnten Hochzeitstag geschenkt hatte, an den Kragen gesteckt, und ihr Lippenstift hatte einen Rotton, mit dem sich keine Frau schminken würde, wenn sie zur Beichte ging. Sie machte ein paar Schritte vom Auto weg, wartete dann aber, während sich Anthony umdrehte und die Zentralverriegelung betätigte. Die Scheinwerfer blinkten auf, und es ertönte ein leises Piepen. Die beiden lächelten sich schwach an und machten sich auf den Weg zu der Steintreppe.

Nachdem PJ am Samstagmorgen diskret verschwunden war, hatte sich Brid an den Küchentisch gesetzt und versucht herauszufinden, was sie nun tun sollte. Die Situation war erdrückend. In ihrem Leben gab es anscheinend keine einzige Sache, die sie nicht ändern wollte. Das Ausmaß dieser Aufgabe ragte so gewaltig vor ihr auf, dass es sich kaum zu lohnen schien, überhaupt damit anzufangen. Doch dann dachte sie an Carmel und Cathal. Sie wollte ihre Kinder zurück. Sie wollte ihr Gesicht in ihren Haaren vergraben und sie an sich drücken. Wenn es ihr gelang, sie zurückzuholen, würde es ihr vielleicht auch gelingen, sich selbst zu retten. Dann war sie aufgestanden und hatte angefangen, die Küche zu putzen.

Am Nachmittag war sie frisch geduscht und mit nicht einmal einem halben Glas Ermutigungswein im Körper zum Bungalow ihrer Schwiegermutter gefahren. Sie war zur Hintertür gegangen und hatte nach einem kurzen Klopfen das Haus betreten. Sie wollte nicht an der Vordertür klingeln wie irgendein Besucher. Das hier war ihre Familie.

Beim Anblick der Kinder breitete sie die Arme aus, als wäre sie einfach nur über Nacht weg gewesen. Carmel kam sofort zu ihr, doch sie sah, dass Cathal einen verstohlenen Blick zu seinem Vater warf, um ein Nicken einzuholen, bevor er durch den Raum kam und sie auf die Wange küsste. Ihr Herz flatterte wie ein kleiner Vogel, aber sie bot ihnen die beste Version ihrer selbst, zu der sie imstande war. Sie fragte die Kinder, ob sie bei ihrer Granny brav gewesen waren. Hatten sie gegessen, was auf den Tisch kam? Hatten sie gut geschlafen? Anthony und seine Mutter hatten nach anfänglicher Befangenheit bei dieser gezwungenen Simulation einer glücklichen Familie mitgespielt.

«Sie haben überhaupt keine Mühe gemacht.»

«Na klar, Cathal weiß gar nicht, wie das geht, stimmt's, Cathal?»

Tee wurde gekocht, und ohne dazu aufgefordert worden zu sein, hatte Brid ihren Mantel ausgezogen und über ihre Stuhllehne gehängt statt an einen der Garderobenhaken im Flur. Winzige Schrittchen. Sie betrachtete Anthony, der mit seinem Becher in der Hand am Küchentresen lehnte. Er hatte sich seit dem Tag, an dem sie sich kennengelernt hatten, kaum verändert. Er hatte praktisch nicht zugenommen, und ohne die Geheimratsecken und die Falten um seine Augen hätte man ihn zwanzig Jahre jünger schätzen können. Er war kein eitler Mann, aber er sah sie trotzdem mit einem Ausdruck an, der sie denken ließ, er glaube, etwas Besseres zu verdienen.

Ihre Hände lagen flach auf dem Tisch. Sie hatte das Gefühl, sich irgendwo verankern zu müssen, weil sie sonst womöglich aufgestanden und ihren Schmerz herausschreiend durch den Raum geirrlichtert wäre. Sie atmete tief ein, setzte einen unbesorgten Gesichtsausdruck auf und verkündete: «Kinder, ich muss mich kurz mit eurem Vater unterhalten.» Sie versuchte, die erschrockenen Mienen zu übersehen. Was glaubten sie, würde als Nächstes passieren? Dachten die Kinder wirklich, sie könnte sie jemals verlassen? Sie sah ihre Schwiegermutter an. «Ist es in Ordnung, wenn wir einen Moment das Wohnzimmer benutzen?»

Die ältere Frau stand auf und wandte sich an Brid, als sei sie ein ausländischer Würdenträger mit beschränkten

Sprachkenntnissen. «Du kannst selbstverständlich gerne jeden beliebigen Raum in diesem Haus benutzen.»

Als sie allein waren, herrschte einen Moment lang Schweigen.

«Ich habe Mist gebaut.» Bevor Anthony etwas sagen konnte, fuhr sie fort. «Ich habe Mist gebaut. Es tut mir leid.»

Er öffnete den Mund, doch Brid hob die Hand. «Nein, Anthony. Lass mich ... Ich weiß, dass ich mich schon früher entschuldigt habe, aber dieses Mal ist es anders. Ich war keine gute Mutter. Oder eine gute Ehefrau. Das weiß ich, aber dieses Mal werde ich mich ändern. Ich verspreche dir, mit dem Wein aufzuhören. Ich weiß, dass du mir nicht glaubst, und es dauert seine Zeit, um Vertrauen aufzubauen, aber ich habe noch nie im Leben irgendetwas so ernst gemeint.»

Sie beugte sich vor, nahm seine Hände, sah ihm direkt in die Augen und hielt den Atem an. Wie würde das ausgehen? In ihren Ohren klang es ziemlich überzeugend. Sie wusste, dass sie die ganze Schuld auf sich nehmen musste, damit er ihr einen Waffenstillstand zugestand. Es hatte keinen Sinn, sich verteidigen zu wollen. Seine Gleichgültigkeit ihr gegenüber würde nicht erwähnt werden und auch nicht die langen Phasen, in denen er sie nur anschwieg. Sie war das erbärmliche, unwürdige Weib, und er war der leidgeprüfte Heilige. Sie meinte es todernst damit, nicht mehr zu trinken, aber das tat sie für sich selbst und die Kinder, nicht für diesen scheinheiligen Gockel. Sie drückte seine Hände und ... ja, ihre Augen füllten sich mit Tränen. Wenn das nicht ausreichte, wusste sie nicht, was sie sonst noch versuchen konnte.

Anthony seufzte. «Es ist einfach nicht fair. Was meinst du, wie sich die Kinder gefühlt haben, als sie gestern vor der Schule standen? Die Leute reden schon. Man zieht über uns her. Die Kinder möchten dich lieben. Wir alle möchten dich lieben, aber du machst dich zur Witzfigur. Und dieser Witz ist alt und überhaupt nicht mehr komisch.» Er schob ihre Hände weg.

Jetzt waren ihre Tränen echt. Sie hatten angefangen zu fließen, als er darüber geredet hatte, dass sie alle sie lieben wollten. Wollte er sie lieben? Hatte er sie jemals geliebt? Das wäre ihr neu.

Sie setzte sich auf das niedrige, harte Sofa und starrte auf den Boden. «Ich weiß, Anthony. Ich war ein Scheusal, aber ich schwöre dir, dass es dieses Mal anders sein wird. Was kann ich tun, damit du mir glaubst?» Sie sah auf, ihr gerötetes Gesicht tränenüberströmt. «Ich werde nicht mehr trinken. Nie mehr. Keinen Tropfen!»

«Mein Gott, Brid, bist du womöglich jetzt gerade betrunken?»

«Nein!», schrie sie heraus und sprang auf. Sie wollte ihn anflehen, ihr zu glauben, aber ihr fehlten einfach die Worte.

Er rieb sich über den Nasenrücken und schnürte auf dem kurzen Stück zwischen der Tür und der Porzellanvitrine auf und ab. Seine Atmung bestand beinahe nur noch aus leisem Seufzen und Stöhnen. Schließlich blieb er stehen und sah sie an. Wie sie einander so mit vorgeschobenen Schultern gegenüberstanden, sahen sie aus wie Boxer im Ring, die auf die letzte Runde warteten.

«Es geht um die Kinder, Brid.»

«Sie wollen nicht hier sein.»

«Das weiß ich, aber sie können nicht zusehen, wenn du ...»

«Ich werde es nicht sein.»

«Oh Brid. Ich will dir ja glauben, schon um der Kinder willen, wirklich, aber wie kann ich das?»

«Gib mir eine Woche. Nur eine Woche. Siehst du nicht, dass es dieses Mal anders ist? Wenn ich es dieses Mal versaue, gehe ich. Ich packe einfach meine Sachen und gehe. Bitte!»

Und in diesem Moment hatte sie wirklich das Gefühl, auch Anthony ernsthaft um seine Rückkehr zu bitten. Vielleicht wollte sie ja gar kein neues Leben. Sie wollte nur, dass ihr altes besser wurde, so als würde man ein eingelaufenes Paar Schuhe polieren.

Anthony fuhr mit dem Zeigefinger an dem facettierten Schliff in der Glasscheibe der Porzellanvitrine entlang. Ohne aufzusehen, flüsterte er: «Eine Woche. Du hast eine Woche.»

Sie wollte ihn umarmen, spürte aber, dass es falsch wäre. Dies war ihr Sieg, aber ihr war bewusst, dass sie nicht den kleinsten Hauch von Triumphgefühl zeigen durfte. Nur ein schlichtes Nicken und ein zurückhaltendes «Danke, Anthony».

Noch besser, als ihre eigenen Kinder aus dem Haus der Großmutter zu führen, war das Gesicht, das die alte Frau gemacht hatte, als Anthony verkündete, sie würden alle nach Hause gehen. Es war ein Akt unglaublicher Selbstaufopferung von Brids Seite, ihr kein breites, überhebliches Siegerlächeln zuzuwerfen.

Die *Musik bei Kerzenlicht* war der Beginn ihres neuen gemeinsamen Lebens. Alle beide gaben sich Mühe. Als sie die Treppe hinaufgingen, nahm Anthony Brids Arm. Jeder Außenstehende hätte denken können, was sie für ein entzückendes Paar waren, die meisten Einwohner von Duneen jedoch nahmen einfach nur an, Brid sei ein bisschen unsicher auf den Füßen.

Das Konzert stand kurz vor dem Beginn, als sie in die Kirche kamen, also schoben sie sich in eine Bank ganz hinten.

Mairead Gallagher trat in einem Kleid vor den Altar, das besser zu einer Oscarverleihung gepasst hätte als zu einem Hobbymusiker-Konzert in Duneen. Vermutlich sollte es sexy wirken, so viel Haut wie möglich zu zeigen, doch in dem kühlen Gemäuer von St. Michael führte es nur dazu, dass sowohl Männer als auch Frauen daran dachten, wie sehr sie frieren musste.

Die Hände fest gefaltet, damit sie nicht zitterten, stellte sie einen Harfenisten und einen Pianisten von der Musikhochschule in Cork vor. Die beiden jungen Männer verbeugten sich unter schwächlichem Applaus und nahmen dann ihre Plätze bei ihren Instrumenten ein. Das Programm begann mit der Bestätigung der schlimmsten Befürchtungen, als Mairead zwei Arien von einem obskuren polnischen Komponisten sang. PJ wurde sich jeder seiner Bewegungen peinlich bewusst und versuchte, nicht unruhig herumzurutschen. Evelyn saß vollkommen still und sah geradeaus, während Abigail ihre Fingernägel in Augenschein nahm. Florence ließ eine ganze Emotionspalette über ihr Gesicht spielen, um die schlichten Bürger von Duneen erkennen zu lassen, dass sie diese schrillen Dissonanzen in vollen Zügen genoss.

Als Mairead ankündigte, nun ein Potpourri mit Liedern aus *Oklahoma!* vorzutragen, wurde es etwas besser. Alle entspannten sich bei den bekannten Melodien, und selbst den muffeligsten Ehemännern begann es zu gefallen. Dann folgte noch etwas mehr Oper, aber von Mozart und Puccini – Publikumserfolge –, dann trug der Harfenist ein Solostück vor, und wenn auch niemand hätte behaupten können, dass es ihm gefallen hatte, so konnte man zumindest die technische Perfektion des Spiels bewundern. Mairead beendete den Abend mit einer so stimmgewaltigen Darbietung von *«You'll Never Walk Alone»*, dass es mehr nach einer Drohung als nach einem Versprechen klang. Applaus brandete auf, einige riefen: «Zugabe!» Das Trio hatte sich offenkundig nicht darauf eingestellt, dass eine Zugabe gewünscht werden konnte, und behalf sich mit einer merkwürdigen Mitsing-Version von John Denvers *«Take Me Home, Country Roads»*.

Wie sich herausstellte, beherrschten tatsächlich alle den vollständigen Text. Evelyn wurde von dem weichen Bariton PJs überrascht: «West Virginia, mountain mamma!»

Der Sergeant genoss das Lied. Er hatte vergessen, wie gern er sang. Seine Karriere im Schulchor war vorzeitig zu Ende gegangen, als er zu viele Hemmungen entwickelt hatte, um vor einem Publikum zu stehen, und deshalb hatte er aufgehört. Er musste sich konzentrieren, um Evelyns Stimme zu hören, denn ihr Gesang war kaum mehr als ein Wispern. Florence war die Musikalische und warf ihren Kopf zurück, als wolle sie mit den *Country Roads* irgendwo jenseits von Ballythorne Verbindung aufnehmen.

Nach dem Konzert drängelten sich die Leute Richtung Tür, nickten Nachbarn zu und bestätigten sich gegenseitig, wie schön es war. «War das nicht schön?» – «Das war es. Sogar sehr schön.»

Brid und Anthony gingen beinahe als Erste, während PJ und die Ross-Schwestern in der Menge stecken geblieben waren, die sich zum Ausgang schob. Evelyn berührte PJs Ärmel. Er sah zu ihr hinunter und nahm unvermittelt wahr, wie glatt ihre Haut war, und da war auch die Andeutung eines Lächelns. «Es ist noch früh, Sergeant. Möchten Sie auf einen Tee oder etwas anderes zu trinken mit zu uns kommen? Ich habe ein paar Sandwiches gemacht, bevor wir aus dem Haus gegangen sind.»

Der Gedanke an Smalltalk mit Abigail und Florence, während er in einen niedrigen, unbequemen Sessel gequetscht dasaß, war eigentlich nicht verlockend, aber diese Einladung war eine solche Seltenheit, dass er das Gefühl hatte, nicht ablehnen zu können. Und davon abgesehen, war er ziemlich hungrig.

Unten an der Treppe blieben sie einen Moment stehen und besprachen, dass PJ seinen eigenen Wagen nehmen und den Schwestern nach Ard Carraig nachfahren würde. Er wollte sich gerade umdrehen, als sich ein Auto langsam durch die sich zerstreuende Menge schob. PJ sah Brid auf dem Beifahrersitz. Sie bemerkte ihn und lächelte, doch dann musste sie Evelyn an seiner Seite wahrgenommen haben, und ihr Gesichtsausdruck wechselte. PJ warf einen Blick auf Evelyn, die Brid ebenfalls gesehen hatte. Ihre Miene war schwer zu deuten, aber ein Lächeln lag ganz bestimmt nicht darauf. Mit einem Mal war ihm der Appetit vergangen.

14

Es regnete nicht, aber das war auch nicht notwendig. Dichter, feuchter Nebel hing in der Luft, und der Horizont verlor sich in unterschiedlichen Grautönen, die den Himmel und das Meer zu einer einzigen, marmorierten Leinwand verschwimmen ließen. Der rote Kleinwagen auf der Klippe sah in dieser gewaltigen Trübnis aus wie eine Wunde.

Brid starrte auf die weißen Wellenkämme und die kleinen, kahlen Bäume, die der Wind gekrümmt hatte. Das Fenster auf der Fahrerseite war offen, und Brid sog die feuchte Seeluft in tiefen Atemzügen ein. Sie hatte nicht unbedingt dort hinauffahren wollen, aber sie wusste, dass sie nicht zu Hause bleiben konnte, wenn sie sich so fühlte. Ein Glas Wein war derart verlockend, dass sie aus der Küche mit der schweren Kühlschranktür hatte fliehen müssen. Sie hoffte, die frische Luft auf der Klippe würde ihr beim Nachdenken über das helfen, was sie jetzt anfangen sollte.

Den größten Teil ihres Erwachsenenlebens hatte Brid es vermieden, ihr Leben genauer zu überdenken oder in Frage zu stellen. Sie brachte einfach einen Tag nach dem anderen hinter sich, und wenn es nötig war, scheuchte sie ihre Gefühle mit Wein in die verborgenen Winkel ihres Herzens. Als sie PJ am Abend zuvor neben dieser Ross hatte stehen sehen, hatte das eine Art Schock bei ihr ausgelöst. Sie konnte ihre Gefühle sofort benennen. Es war hemmungslose, irrationale Eifersucht. Schwerer fiel es ihr, Klarheit darüber zu gewinnen, ob sie eifersüchtig war, weil sie diesen Mann, den sie kaum kannte, mit jemand anderem sah, oder ob es einfach daran lag, dass es sich um Evelyn Ross handelte. All das war so beschämend pubertär.

Irgendwann hatte Anthony gefragt, was los sei, denn ohne es zu registrieren, hatte sie während der Fahrt kein einziges Wort gesagt. Armer Anthony. Ja, er war selbstgefällig und anstrengend, aber trotzdem kein Mann, der diese Behandlung verdiente. Er hatte es nicht leicht gehabt, und Brid fragte sich oft, warum er blieb. War ihm der Bauernhof tatsächlich so wichtig? Wichtiger als sein Lebensglück? Wichtiger, als mit einer Frau zusammen zu sein, die er wirklich liebte?

Vielleicht würden ihr ja die Kinder genügen. Sie hatten die Kinder ja ohnehin nur ihretwegen bekommen, oder?

Eifersucht. Sie hatte nach jener alkoholseligen Nacht keinerlei Recht darauf, doch selbst am nächsten Tag hatte sie noch gewusst, dass sie mehr empfunden hatte. Vielleicht lag es einfach nur an der körperlichen Vereinigung. Sie schlief zwar gelegentlich noch mit Anthony, doch das war nicht mit dem gierigen Klammern und Beißen zu vergleichen, das sie mit dem Polizisten erlebt hatte. In Wahrheit hatte sie sich noch nie in ihrem Leben so begehrt gefühlt, und diese Erfahrung war überwältigend. Aber das machte es noch nicht zu einer Beziehung, und wenn er mit irgendeiner anderen Frau als diesem Biest von Ross dagestanden hätte, das war Brid bewusst, hätte sie nicht auf die gleiche Art reagiert.

Sie stieg aus, schlug den Mantelkragen hoch und ging bis zum Rand der Klippe. Trotz all der dunklen Stunden hatte sie sich nie das Leben nehmen wollen. Und doch, als sie nun auf die Gischt hinuntersah, die um die Felsen kochte, konnte sie sich vorstellen, einfach loszulassen. Zuerst mit wundervoller Leichtigkeit und Freiheit durch die Luft zu fliegen und dann die kalte Schwärze des Wassers, die allen Kummer und jede Sorge wegspülte. Sie lächelte vor sich hin. Natürlich würde sie es niemals tun. Nicht nur wegen der Kinder, sondern weil sie trotz allem glaubte, das Leben müsse ihr noch mehr zu geben haben. Und das musste es auch, denn bisher hatte es ihr ziemlich wenig geboten.

Sie überlegte, ob sie mit PJ reden sollte. Würde ihr eine Affäre helfen oder alles nur noch schlimmer machen? Und wie seltsam, dass sie sich vorstellen konnte, wieder mit ihm ins Bett zu gehen, aber nicht, ihm in die Augen zu sehen und ihn nach seinen eigenen Gefühlen zu fragen.

Ihre Gedanken wurden von dem Geräusch eines Autos unterbrochen, das auf der Straße näher kam, und sie sah das deutlich erkennbare Blau und Gelb des Polizeiwagens. Es war zu spät, um sich zu verstecken, doch der Wagen fuhr glücklicherweise vorbei und verschwand hinter einer dichten Hecke. Brid seufzte vor Erleichterung. Sie war im Moment nicht bereit, sich über was auch immer zu unterhalten. Doch dann hörte sie den Motor höher drehen, und als sie sich umwandte, sah sie den Wagen mit PJ am Steuer, wie er auf der sanft ansteigenden Straße langsam rückwärtsfuhr. Etwa zehn oder fünfzehn Meter entfernt hielt er an und stellte den Motor ab.

Brid nahm sich zusammen, fuhr sich mit der rechten Hand durchs Haar, wusste, dass sie ... nun ja, manch einer mochte windzerzaust sagen, aber ihr war klar, dass ungepflegt es eher treffen würde. PJ kam auf sie zu, beugte sich im Gegenwind vor. Er lächelte.

«Ich wusste doch, dass du es bist.»

«Ja.»

«Was für ein Mistwetter.»

«Ja.»

Er schaute aufs Meer hinaus, als stünde das, was er sagen wollte, in den Wolken geschrieben.

«Ich habe mich gefragt, ob du mit den Kindern alles in Ordnung bringen konntest.»

«Ja. Es ist okay ... schon okay.»

Es trat eine Pause ein, dann sah Brid, wie sich PJs Lippen bewegten, doch die Geräusche von Wellen und Wind schluckten seine Worte.

«Ich kann dich nicht hören», rief sie über das Tosen hinweg.

PJ kam ein paar Schritte näher zu ihr.

«Ich habe gefragt, ob mit uns alles klar ist.»

«Alles klar?»

«Na ja, du weißt schon, nach dieser Nacht neulich.»

Er sah sie so ernst und besorgt an, dass sie ihn unwillkürlich anlächeln musste.

«Es war ein Irrsinn, dass das passiert ist, aber ich bereue es nicht. Mir hat es gefallen. Und mit dir, auch alles klar?»

PJ errötete. «Ja. Mir hat es auch gefallen.»

Sie grinsten sich an, und PJ bemerkte erschrocken, dass er steif wurde. Wie um sich selbst daran zu erinnern, stieß er heraus: «Es war sehr unprofessionell von mir. Sollte das irgendjemand herausfinden ...»

«Oh, keine Sorge – dein Geheimnis ist bei mir sicher.» Dann fügte sie mit einem schiefen Lächeln hinzu: «Es würde mir sehr leidtun, wenn der Sergeant seine Arbeit verlieren würde.»

«Dem Sergeant würde das auch sehr leidtun», gab er zurück und lachte in sich hinein. Beide fragten sich, ob das Flirten war.

«Warum bist du hier oben, Brid?»

«Ich musste einfach mal eine Weile weg.»

«Weg?»

«Du weißt schon. Anthony, der Kühlschrank.»

«Anthony ist ein Kühlschrank?»

Brid lächelte. «Allerdings, aber nein, ich meinte den Wein. Ich versuche, nicht zu trinken, und das ist schwer, bei allem, was gerade passiert. Erzähl mir nicht, du wärst der einzige Mensch in Duneen, der meinen Ruf nicht kennt!»

«Ich habe die eine oder andere Bemerkung mitbekommen.» In diesem Augenblick wollte er sie umarmen. Wollte sich mit ihr auf den Boden sinken lassen und irgendwo mit ihr vor dem Wind Zuflucht suchen, der vom Meer heranfegte, doch er wusste, dass er das nicht geschehen lassen durfte. Er hatte Pflichten zu erfüllen. Er räusperte sich. «Brid. Das ist mir jetzt unangenehm, aber ich muss dir trotzdem ein paar Fragen zu Tommy Burkes Verschwinden stellen. Es tut mir leid. Ich möchte dich nicht durcheinanderbringen.»

151

Es war immer noch ein Schock für Brid, nach all den Jahren Tommys Namen wieder zu hören, und sie brauchte einen Augenblick, bevor sie antworten konnte.

«Ich versteh schon. Willst du dich ins Auto setzen?»

PJ warf einen Blick auf den kleinen Honda.

«Ich glaube, wir sitzen bequemer in dem Einsatzwagen, wenn es dir nichts ausmacht.»

Brid ließ ihren Blick zwischen den Autos hin- und herwandern und sah dann wieder PJ an. «Überhaupt nicht.»

Sie gingen die paar Schritte zu dem Polizeiauto und stiegen ein. PJ ließ den Motor an und drehte an den Reglern neben dem Radio herum.

«Jetzt tauen wir gleich auf.»

«Wunderbar», sagte Brid und meinte es auch so.

PJ beugte sich zum Handschuhfach hinüber und nahm sein Notizbuch und seinen Stift heraus.

«Sehr förmlich», bemerkte Brid.

«Das liegt an dem Oberboss in Cork. Er will, dass alles genau nach Vorschrift gemacht wird», gab PJ entschuldigend zurück. «So. Du warst also mit Tommy Burke verlobt?»

«Ja.»

«Und wann hast du ihn zum letzten Mal gesehen?»

«An dem Abend, bevor er verschwunden ist. Er kam zum Abendessen zu uns.» Brid wandte sich PJ zu und legte ihm die Hand auf den Arm. «Ich kann dir gar nicht sagen, wie merkwürdig das alles ist.»

«Merkwürdig? Was meinst du damit?»

«Na ja, einfach dass ... Ich war so naiv. Ich habe in Tommy Burke immer meine große Liebe gesehen. Ich habe ihn für alles verantwortlich gemacht – mein ganzes

Leben lang, verstehst du? Lächerlich. Er hat mich nie geliebt. Das wusste ich damals schon. Meine Güte, es war eher, als hätte ich einen Abend mit meinem Teenie-Idol gewonnen, als dass ich eine richtige Verlobte gewesen wäre. Ich dachte, ich würde verrückt werden, als es hieß, dass seine Leiche gefunden wurde, und jetzt sitze ich hier ein paar Tage später und lache schon bei dem bloßen Gedanken daran, Tommy Burke zu lieben. Beinahe die Kinder zu verlieren, Anthony, du – das ist die Realität. Das ist das Leben, mit dem ich klarkommen muss.» Sie warf PJ einen Blick zu. Er machte keine Notizen. «Ergibt irgendwas davon Sinn?»

«Oh, ja, ja natürlich. Ich verstehe das, aber ...» Er zögerte, «aber ich muss trotzdem die Frau befragen, die mit dem Mann verlobt war, der verschwunden ist. Weißt du, dass Evelyn Ross glaubt, du hättest ihn umgebracht?»

Brid lachte laut auf. «Evelyn Ross! Ich war davon überzeugt, dass sie ihn vertrieben hatte, und als ich dann von der Leiche hörte, habe ich mich gefragt, ob sie womöglich etwas Wahnsinniges getan hat. Du kennst diese Frau nicht. Ich habe sie erlebt, als sie wie eine Besessene getobt hat. Sie wirkt so ausgeglichen, wenn sie durchs Dorf schwebt, aber glaub mir, sie ist ernsthaft gestört. Ich würde sagen, das sind sie alle. Ich meine, also wirklich, drei alte Jungfern, die ganz allein da oben wohnen, da stimmt doch was nicht.»

PJ wusste nicht, wie er darauf reagieren sollte. Er stellte fest, dass er derselben Meinung war wie Brid, aber er hätte es Evelyn gegenüber irgendwie illoyal gefunden, das auszusprechen. Er entschied sich für eine andere Frage.

«Entschuldige, wenn ich mich danach erkundige, aber hast du mit Tommy Burke geschlafen?»

Ein leises Schnauben. «Nein. Nein, habe ich nicht.»

«Und glaubst du, dass er mit Evelyn Ross so etwas wie eine Affäre hatte?»

«Ist das dein Ernst?» Brid hatte die Stimme gehoben. «Dieser Tusse sieht man die Jungfrau doch auf hundert Meter an! Ich bezweifle, dass sie überhaupt schon mal geküsst worden ist, von allem anderen zu schweigen.»

PJ bewegte sich unbehaglich auf seinem Sitz. «Okay.» Er beschloss, zunächst nicht in dieser Richtung weiterzufragen.

Brid hob eine Augenbraue und warf ihm einen Seitenblick zu, als sie daran dachte, wie die beiden zusammen vor der Kirche gestanden hatten. Vielleicht ... Nein. Nein, das war unmöglich.

«Hast du jemals wieder von Tommy gehört?»

«Nein.»

«Oder von irgendjemandem gehört, der ihn gesehen hat?»

«Nein. Na ja, meine Mutter hat sich erzählen lassen, dass er den Bus nach Cork genommen hat. Das haben eine ganze Reihe Leute gesagt.»

«Wer hat es deiner Mutter erzählt?»

«Wenn ich mich richtig erinnere, hatte sie es von Cormac Byrne im Pub.» PJ machte sich eine Notiz.

«Haben sich die Leute nicht darüber gewundert, dass er einfach so verschwunden ist?»

«Soweit ich mich erinnere, nicht. Ich schätze, die Leute konnten bestens nachvollziehen, dass er sich nach dieser Prügelei auf der Straße verzogen hat.»

PJ entschied sich dafür, den Unwissenden zu spielen. Er wollte wissen, ob sich Brids Version von Evelyns Bericht unterscheiden würde.

«Welche Prügelei?»

Brid unterdrückte ein Stöhnen. Er wusste nichts von der Prügelei. Es war ihr unglaublich peinlich, erzählen zu müssen, was an diesem Vormittag vor dem Laden der O'Driscolls passiert war.

In diesem Moment ertönte ein elektronischer Klingelton, und PJ begann auf der Suche nach seinem Handy seine Tasche abzuklopfen. Brid war insgeheim froh über die Unterbrechung.

«Hallo?» PJs ganzes Gesicht schien sich zusammenzuziehen, als er konzentriert zuhörte. «Ja.»

Erneut schwieg er lange und hielt sich nur das Handy ans Ohr. Sein Gesicht entspannte sich, und er spitzte den Mund zu einem kleinen rosafarbenen Kreis. Schließlich sagte er wieder etwas.

«Gut. Danke, dass Sie mich informiert haben. Natürlich. Natürlich. Ja, das mache ich. Noch mal danke. Bis dann.»

Er drückte auf die rote Taste und starrte vor sich aufs Lenkrad. Brid saß schweigend neben ihm und sah ihn erwartungsvoll an. Einen Moment später wandte PJ sich ihr zu.

«Also, das waren die Ergebnisse der DNA-Analyse. Wer immer dort oben begraben wurde, es war nicht Tommy Burke.»

Am Himmel kämpfte eine einsame Möwe gegen den Wind, verloren im Augenblick.

TEIL ZWEI

1

Vier Monate waren vergangen. Vier lange, dunkle Monate, doch nun waren endlich ein paar feste grüne Knospen zu sehen, und die ersten Narzissenbüschel kündigten die gelben Blumenteppiche an, die noch folgen würden. An manchen Tagen riss die Wolkendecke auf und foppte die guten Leute von Duneen mit einem Streifen Himmelsblau. Die Kinder blieben draußen, wenn sie nach der Schule aus dem Bus stiegen, und man hörte ihre dünnen, hohen Stimmen bis zum Dunkelwerden. Cormac Byrne verbrachte einen ganzen Sonntag damit, die Gartentische abzuschmirgeln und zu ölen, bevor er sie aus dem Schuppen trug und in einer ordentlichen Reihe vor dem Pub aufstellte. Kaffeehaus-Schick konnte man das kaum nennen, doch es verschaffte den Rauchern, die sich sonst an der nackten Hausmauer zusammendrängten wie ein paar äußerst unappetitliche Huren, eine gewisse Respektabilität.

Die Zeit verging für die Dorfbewohner niemals schnell, doch nach den Neuigkeiten über Tommy Burke schien sie vollends stehenzubleiben. Alle hatten es genossen, ihre Theorien darüber vorzutragen, was mit Big Toms Sohn geschehen war, doch als sich herausstellte, dass die Entdeckung nur aus irgendwelchen Knochen bestand, die vermutlich nie identifiziert würden, wurde es schwieriger, sich einzubringen. Die Leute von Duneen hatten das Gefühl, reingelegt worden zu sein. Ihnen war der Wind aus den Segeln genommen, ihrem Leben die Aufregung geraubt worden.

Susan Hickey hatte sich mit der Entscheidung abgelenkt, dass im Dorf nichts dringender gebraucht wurde als ein Aufsitzrasenmäher für den Friedhof. Bisher hatte sie weniger als zweihundert Euro zusammenbekommen. Sie verstand die Botschaft. Auch sie selbst war nicht mit dem Herzen bei der Sache.

Drüben beim Laden mit der Poststelle liefen die Geschäfte wie üblich auf Sparflamme. Wie zuvor sah man nur bekannte Gesichter. Es waren keine Journalisten mehr da, die überall herumschnüffelten, und keine Ermittler aus Cork, die bei ihren Zivilfahrzeugen standen und versuchten, bedeutend auszusehen. Vor kurzem hatte Mrs. O'Driscoll festgestellt, dass ein paar der Bauarbeiter wieder in den Laden kamen, um Zigaretten oder Milch zu kaufen. Also mussten die Arbeiten auf der Baustelle wieder aufgenommen worden sein. Das Leben war restlos zur Normalität zurückgekehrt.

Brid und Anthony führten ein Dasein in künstlicher Einmütigkeit. Es wurde nicht mehr lautstark gestritten, und sie bemühte sich, mehr oder weniger zur selben Zeit schlafen zu gehen wie er. Oft lag sie neben ihm, wach und nüchtern, und dachte nach. Manchmal wanderten ihre Gedanken zu Tommy; in anderen Nächten sah sie sich mit PJ auf dem Treppenabsatz, und ab und zu stellte sie sich vor, wie sie irgendwo in einem Büro saß, schick gekleidet, mit Freunden zum Ausgehen nach der Arbeit und einem breiten, ungezwungenen Lächeln auf den Lippen.

Brid war zu dem Schluss gekommen, dass es momentan am besten war, keine weiteren Aufregungen zu verursachen, doch aufgegeben hatte sie nicht. Nüchtern zu sein verschaffte ihr mehr Zeit zum Nachdenken und zum Entwickeln von Ideen, solchen, an die sie sich am nächsten Tag noch erinnern konnte. Wenn die Kinder älter waren, würde der Augenblick kommen, in dem sie das kenternde Schiff ihres Lebens hinter sich lassen und allein ins Unbekannte aufbrechen würde. Die Vorstellung machte ihr Angst, ließ sie aber auch einen nüchternen, monotonen Tag nach dem anderen durchhalten.

Sie hatte bewusst keine einzige ihrer Weinflaschen weggeworfen. Sie standen immer noch im Kühlschrank, und Brid machte sich ein Vergnügen daraus, ihre glänzenden Etiketten anzuschauen. Jedes Mal, wenn sie den Kühlschrank wieder schloss, ohne ein Glas in der Hand zu halten, fühlte sie sich wie jemand, dem übernatürliche Kräfte verliehen worden waren.

Auch auf Ard Carraig hatte es in den vergangenen vier Monaten Veränderungen gegeben. Eines Abends, etwa eine Woche nachdem sich herausgestellt hatte, dass Tommy Burke weiter vermisst wurde, trug Abigail eine mit Tomatenbildern bedruckte Pappschachtel in die Küche. Evelyn stand an der Spüle und schälte die Papierbanderole von ein paar Konservendosen, um sie in die Wertstoffsammlung geben zu können. Sie warf ihrer Schwester über die Schulter einen Blick zu.

«Was hast du da?»

Abigail trat von dem Tisch zurück. «Das ist für dich. Na

ja, für uns alle, aber hauptsächlich für dich.» Sie vollführte eine kleine Conférenciersgeste in Richtung der Schachtel.

Evelyn wischte sich die Hände an einem Geschirrtuch ab und durchquerte den Raum. Als sie in die Schachtel sah, hatte sie ein altes Handtuch vor sich, das sie vorsichtig wegzog.

«Oh Abigail!», japste sie. «Das gibt's doch nicht.»

In der Schachtel lag tief schlafend ein molliger Welpe mit hellem Fell. Seine Augenlider waren fest zusammengepresst, im leicht geöffneten Maul war die Spitze einer rosa Zunge sichtbar, und sein gesamter übriger Körper schien aus einem seidigen Bäuchlein zu bestehen, das sich unter regelmäßigen Atemzügen hob und senkte.

Evelyn griff in die Schachtel und berührte den warmen, weichen Körper, und damit öffnete der Welpe die Augen und kämpfte sich auf die Pfoten wie ein alter Säufer, der an der Bushaltestelle eingeschlafen war.

«Es ist ein kleiner Junge», sagte Abigail. «Wie wirst du ihn nennen?»

Natürlich war der erste Name, der Evelyn in den Kopf kam, der von Tommy, aber sie verwarf ihn augenblicklich.

«Wie wär's mit … wie wäre es mit Bobby? Er sieht doch aus wie ein kleiner Polizisten-Bobby.»

Abigail sagte nichts.

«Was ist denn?»

«Na ja, so hat Mammy unseren Vater immer genannt.»

«Ich weiß.»

«Findest du das nicht ein bisschen, ich weiß auch nicht … seltsam?»

«Würde es dich stören? Ich finde, es wäre ein hübscher Name.»

«Ja, wahrscheinlich schon.» Abigail lächelte. «Also Bobby.»

«Glaubst du, Florence wird was dagegen haben?»

«Es ist ein Welpe! Ihr wäre es sogar egal, wenn du ihn Adolf nennst. Sie wird ihn vergöttern.»

Die zwei Frauen lachten, und Evelyn nahm den kleinen Bobby hoch.

«Jetzt bekommst du erst mal ein bisschen Wasser.»

Bobby drehte den Kopf von einer Seite zur anderen; anscheinend überrascht von seiner Feststellung, Ohren zu haben.

Es war merkwürdig, welche Auswirkungen etwas so Kleines auf einen Haushalt haben konnte. Als winziges Geschöpf, darauf ausgerichtet, glücklich zu sein, und ohne Bewusstsein für das, was früher einmal war, verwandelte Bobby das triste alte Haus. Sogar die Pipiflecken auf dem abgewetzten Läufer schienen Fröhlichkeit zu verbreiten. Leben, wo keines gewesen war.

Im Lauf der Monate wurde er größer und selbstsicherer. Abigail hatte ihn von einem ihrer Gartenfreunde gekauft, der hinter Bandon an der Straße nach Cork wohnte. Bobbys Mutter war ein reinrassiger Retriever, sein Vater ein übermäßig kontaktfreudiger Collie aus der Nachbarschaft. Bobbys breite Pfoten zeigten schon, dass er ein großer Hund werden würde, und wie zu erwarten, war er nach vier Monaten aus zwei Hundekörben herausgewachsen und trug sein drittes Halsband. Meistens rannte er frei im Garten oder auf dem Feld herum, das dahinter zum Fluss hin abfiel, doch ein paar Mal in der Woche leinte ihn Evelyn an und ging mit ihm ins Dorf. Autofahrer drosselten das Tempo, um zu der immer so gelassenen, ruhigen Evelyn Ross hinüberzuspähen, die einen skurrilen Anblick bot, wie sie am Straßenrand mit einem außerordentlich eigensinnigen Hund rang. Kein Cowboy, der ein buckelndes Wildpferd zuritt, hatte je härter gekämpft als Evelyn, wenn sie entweder in halsbrecherischer Geschwindigkeit in die Richtung ihres Zielorts gezogen wurde, oder einen überraschend schweren, widerspenstigen Hund hinter sich herzerrte, der sich gegen die Richtung stemmte, in die sie gehen wollte.

Nach einigen Monaten fand sie, dass Bobby eine gute Ausrede wäre, um PJ zu besuchen, und so kamen sie und der Hund eines Freitagmorgens vor der Polizeiwache an, Evelyn schweißbedeckt und Bobby aufgeregt herumspringend bei der Vorstellung, ein neues Haus kennenzulernen. Der Sergeant war nicht da, aber Mrs. Meany würde ihm ausrichten, dass sie vorbeigekommen war. Als sie die kurze Einfahrt mehr hinunterjoggten als -gingen, fragte sich Evelyn, weshalb die Haushälterin nicht eine einzige Bemerkung zu Bobby gemacht hatte. Man musste ihn nicht selbst haben wollen, aber er war ein wirklich schöner junger Hund, der bei praktisch jeder Begegnung bewundert wurde. Allerdings, dachte Evelyn, hatte die Frau nicht ausgesehen, als ginge es ihr gut. Eher, als ginge es ihr überhaupt nicht gut.

Wenn man sagen konnte, dass auf Ard Carraig neues Leben eingekehrt war, so verhielt es sich in der Polizeiwache umgekehrt. Mrs. Meany putzte noch immer und kochte weiterhin zu viel für eine Person, doch sie tat dies in beinahe vollkommenem Schweigen. Hatten ihre Monologe aus Geplapper und Getratsche zuvor ein Hintergrundgedudel gebildet wie Kaufhausmusik, so war jetzt nur noch das Brummen des Staubsaugers oder das hohle Klappern zu hören, mit dem Deckel auf Kochtöpfe gelegt wurden.

PJ saß an seinem Schreibtisch, starrte auf den Computerbildschirm und wünschte, alles wäre anders gekommen. Er wünschte, sie hätten diese menschlichen Überreste niemals gefunden. Ein Verbrechen, das nicht aufgeklärt werden konnte, war noch schlimmer als überhaupt kein Verbrechen. Er wünschte, er wäre Brid und Evelyn nie aufgefallen. Die kurze Aufregung und Anspannung dieser Dreieckskonstellation war bald wieder abgeflaut. Er fühlte sich einsamer denn je. Zum ersten Mal in fünfundzwanzig Jahren dachte er daran, den Polizeidienst aufzugeben. Als sich die Nachricht verbreitet hatte, dass es sich bei der Leiche nicht um Tommy Burke handelte, und klarwurde, dass die Mörderjagd in einer Sackgasse geendet war, hatte er mitbekommen, wie ihn die Leute ansahen. Ein paar Wochen lang hatte er in ihren Blicken Respekt und Interesse wahrgenommen, nun aber war es beinahe schon Mitleid. Wenn er in seiner Uniform die Hauptstraße entlangging, wusste er, dass hinter den Vorhängen Leute standen, die dachten: «Jetzt sieh dir dieses Riesenschaf an, geschniegelt und gestriegelt, ohne dass es was zu tun gibt.»

Wenn er sie durch das Ladenfenster der O'Driscolls gesehen hätte, wäre er niemals hineingegangen, doch bis er Evelyn bemerkt hatte, die in ihren schmalen, kühlen Händen einen Brotlaib hielt, war es zu spät.

«Sergeant Collins!»

Er spürte, wie er rot wurde, und er hasste sich dafür. Eine Frau grüßte ihn in einem Laden, mehr war es nicht.

Warum musste er nur immer so unbeholfen sein? Er brachte es zustande, sie anzusehen. Ihre Miene verbarg nichts, da war lediglich das fröhliche Lächeln einer Frau, die sich tatsächlich zu freuen schien, ihm zu begegnen. Er entspannte sich etwas. «Hallo.» Evelyn kam auf ihn zu, und dann standen sie in dem engen Gang zwischen den Warenregalen. PJ fühlte sich sofort wieder unbehaglich. Das war viel zu nahe, um angenehm zu sein.

«Ich dachte, Sie würden vielleicht bei uns vorbeikommen.»

PJ blinzelte sie erstaunt an.

«Hat Ihnen Mrs. Meany nicht ausgerichtet, dass ich mit Bobby, das ist mein Hund, bei Ihnen war?»

«Oh doch. Doch, das hat sie», log PJ. Mrs. Meany hatte diesen Besuch nie erwähnt.

«Er ist so ein Süßer. Mögen Sie Hunde, Sergeant?»

«Ja.»

«Also dann müssen Sie zu uns raufkommen und ihn sich ansehen. Was machen Sie gerade?»

PJ öffnete und schloss den Mund wie ein Fisch.

«Gar nichts.» Wahrhaftig. Er hatte es gesagt.

«Großartig.» Evelyn lächelte. «Kommen Sie doch gleich mit», sagte sie. «Und ein bisschen Eigennutz ist auch dabei, dann kann ich nämlich bei Ihnen mitfahren!» Ein kleines Auflachen.

PJ nickte, fragte sich jedoch zugleich, was aus der gehemmten, distanzierten Evelyn von vor einigen Monaten geworden war. Er überlegte, ob sie vielleicht irgendwelche Medikamente nahm. Ein niedlicher Hund konnte ja wohl kaum einen derartigen Höhenflug auslösen, oder?

Draußen war es immer noch hell, und ein paar Autos

fuhren in unterschiedlichen Einsätzen als Elterntaxi durchs Dorf. PJ ging auf die andere Seite des Wagens, um Evelyn die Beifahrertür zu öffnen. Sie zog ihren Mantel enger zusammen, schob sich auf den Sitz, als würde sie vor einem Fünf-Sterne-Hotel in eine Limousine steigen, und stellte den Korb auf ihren Schoß. PJ quetschte sich auf den Fahrersitz und zog die Tür zu. Er hatte eben den Motor angelassen, als jemand an sein Fenster klopfte. Leicht genervt richtete er seinen Blick zur Seite. Es war kein Irrtum möglich, da stand einer der Arbeiter von der Baustelle.

Nachdem PJ das Fenster heruntergelassen hatte, warf er einen Blick den Gehweg entlang.

«Was gibt's?» Er versuchte beschäftigt zu klingen, aber es war vermutlich offensichtlich, dass hier einfach ein gelangweilter Polizist buchstäblich auf den Hund gekommen war.

Der Bauarbeiter räusperte sich und warf einen Blick auf Evelyn. Auch PJ schaute sie an. Sie saß sehr steif da und sah, beide Hände auf den Griff ihres Einkaufskorbs gelegt, einfach nur geradeaus.

«Spucken Sie's aus.»

«Also, es ist nur ... Na ja, schätzungsweise haben wir da oben noch mehr Knochen gefunden.» Er hielt kurz inne. «Kleine Knochen.»

Evelyn stieß ein leises Fiepen aus, wie ein Welpe, der von Hasen träumt.

2

PJ konnte es nicht fassen. Er hielt sich nicht für religiös, aber das schien die Antwort auf all die Gebete zu sein, die er nicht gesprochen hatte, soweit er sich erinnerte. Nach den DNA-Untersuchungen der alten Knochen hatte er alles getan, damit in dem Fall weiter ermittelt wurde. Sie konnten schließlich weiter nach Tommy Burke suchen, und davon abgesehen – ganz gleich, als wer der Tote vielleicht irgendwann identifiziert wurde, gab es immer noch einen Mörder zu finden. Doch als es bei der DNA-Analyse keine Treffer in der Datenbank gab, verlor man in Cork das Interesse, und die Kollegen aus Ballytorne behandelten ihn auf die gleiche Art, auf die er mit der alten Miss Baxter umging, die jeden Sommer felsenfest davon überzeugt war, dass jemand ihr die Brombeeren von der Hecke vor ihrem Bungalow stahl. Schließlich hatte er die unausgesprochene Aufforderung der Kollegen befolgt und die Sache fallenlassen; jetzt aber würde ihn keiner mehr ignorieren können. Weitere menschliche Überreste!

Bald war das Dorf wieder voller Einsatzwagen und Presseleute. Eine weitere Leiche bedeutete, dass an dieser Geschichte mehr dran war. Es konnte um einen Serienmörder gehen oder einen bizarren Selbstmordpakt.

Polizei-Absperrbänder flatterten im Wind, und die Leute von der Spurensicherung bewegten sich in ihren weißen Overalls achtsam über den morastigen Tatort. Außerdem bedeutete diese Sache die Rückkehr von Superintendent Linus Dunne.

In den vergangenen vier Monaten hatte sich das Leben des Detectives stark verändert. Eines Abends (es war ein Donnerstag, wie er wusste, weil er ein paar uniformierte Kollegen getroffen hatte, die nach ihrem Training auf ein oder zwei Pints im Pub saßen) war er nach Hause gekommen, nicht besonders spät, es war höchstens zehn, und alles war dunkel gewesen. Er wusste noch, dass er vor Erleichterung geseufzt hatte; es war so angenehm, ein stilles Haus zu betreten, ohne Babygeschrei und ohne Ehefrau mit fettigen Haaren, die nur noch in Jogginghosen herumlief und ständig meckerte, weil er nicht genug tat. Auf dem Zettel hatte einfach nur gestanden: *Bin bei Mum. Ruf mich an.*

Er hatte gedacht, das Baby sei krank, also hatte er sich ein Käsebrot gemacht und sich die Nachrichten angesehen, bevor er anrief. Wenn er Glück hatte, war seine Frau vielleicht schon im Bett. Und wie er erwartet hatte, war seine Schwiegermutter ans Telefon gegangen. Sie klang sogar noch feindseliger als gewöhnlich. Linus begann zu ahnen, dass es ernsthaft Probleme gab. Die Stimme am anderen Ende der Leitung erklärte ihm, seine Frau sei zu erschöpft, um ans Telefon zu kommen. Sie habe es satt, eine alleinstehende Mutter zu sein, und war mit dem Baby ausgezogen. Wenn Linus sie sehen wollte, konnte er am nächsten Vormittag vorbeikommen.

Als er auflegte, war er natürlich geschockt. Er hatte

keine Ahnung davon gehabt, dass June so unglücklich war. Aus irgendeinem Grund hatte er angenommen, weil er unter der Situation litt, müsse sie glücklich sein. Denn wenn sie dieses neue Leben mit einem Kind alle beide schrecklich fanden, warum hatten sie es sich dann aufgebürdet?

Als er auf dem Sofa saß und das Licht aus dem Fernseher flackernde Schatten auf die Vorhänge warf, fragte er sich, ob er so etwas wie ein Monster war. Seine Frau hatte ihn verlassen und das Kind mitgenommen, und wenn er wirklich ehrlich war, machte ihm das eigentlich nichts aus.

Anfangs war das Leben mit June großartig. Er hatte sich nach der Arbeit in ein frisches Hemd geworfen und sich irgendwo mit ihr auf einen Cocktail oder zum Essen verabredet und häufig zu beidem. Er hatte es genossen, sie in den Armen zu halten. Sie war schön und sexy, und als sie endlich miteinander schliefen, war für ihn alles so ziemlich perfekt. Das war das Leben, das er zurückwollte. Eine Freundin, wenn er eine haben wollte. Zu heiraten war ein Fehler gewesen, und was um alles in der Welt hatte er sich gedacht, als er dem Plan mit dem Baby zustimmte? Vermutlich hatte er sich vorgestellt, ein Kind würde June ablenken und beschäftigen, sodass er sich wieder etwas von seinem eigenen Leben zurückholen konnte. So war es natürlich nicht gekommen, aber jetzt war ihm die Lösung aller Probleme einfach in den Schoß gefallen. Niemand lief im ersten Stock herum, und der Hausflur war nicht mit einem Kinderwagen von den Ausmaßen eines Kleinwagens blockiert. Er war allein in seinem eigenen Haus, und es gefiel ihm. Wenn er deshalb ein schlechter Mensch war, dann war es eben so.

Als er ein paar Monate später Sergeant Sumos Namen auf dem Display seines Telefons gesehen hatte, war Linus in Versuchung, den Anruf zu ignorieren. Seit sich herausgestellt hatte, dass die Knochen in Duneen nicht identifizierbar waren, wollte er mit anderen Fällen weitermachen, aber Sumo ließ nicht locker. Dafür hatte Linus Verständnis. Duneen konnte man wohl kaum eine Hochburg des Verbrechens nennen, und Linus spürte die Vereinsamung des Sergeants, aber das alles war schließlich nicht sein Problem.

Er war zu diesem Zeitpunkt mit einem furchtbaren Entführungsfall beschäftigt, der kein gutes Ende gefunden hatte. Ein französischer Koch aus einem Restaurant in Cork hatte einen Sorgerechtsstreit selbst in die Hand genommen und war mit seinem sieben Monate alten Sohn im Kofferraum auf die Fähre nach Roscoff gefahren. Linus war derjenige, der zu den Großeltern des Babys hatte gehen müssen, in deren Haus die Mutter des Kindes, immer noch in ihrer Kellnerinnenkluft, auf dem Sofa saß. Sie war beinahe selbst noch ein Kind, dachte er, als er sich ihr gegenüber hinsetzte und erklärte, dass die französische Polizei den Wagen auf der Straße von Morlaix nach Rennes gestoppt hatte. Sie machte sich so große Hoffnungen, dass sie außerstande war, das Offensichtliche aus seiner Miene oder seinem Ton zu schließen. «Haben sie Killian gefunden? Haben sie mein Baby?»

Linus sah sie an, wollte, dass sie ohne Worte verstand, was nun kommen würde. Nichts. Mit Tränen in den Augen blickte sie ihn erwartungsvoll an. «Sie haben die Leiche eines Säuglings geborgen», erklärte er ihr. «Sie glauben, dass er erstickt ist.» Noch als er wieder draußen im Auto saß, konnte er ihre Schreie hören. Dieser verdammte Sergeant Sumo wusste überhaupt nicht, wie gut er es hatte.

Als der silberfarbene Mercedes auf dem zerfurchten, schlammigen Bereich anhielt, der als Parkplatz genutzt wurde, hätten weder PJ noch Linus es zugegeben, aber sie freuten sich beide über das Wiedersehen. Der Sergeant ging zu dem Wagen, und sie begrüßten sich mit dem überschwänglichen Handschlag zweier Männer, die vor Jahren befreundet waren und sich nun bei einem Klassentreffen wiedersahen. PJ ging über den Anstieg zum Randbereich der Baustelle voraus. Über dem Hügelkamm waren die weißen Kapuzen der Spurensicherer zu sehen. Der Sergeant genoss es, derjenige zu sein, der Linus auf den neuesten Stand der Ermittlungen brachte.

«Die Jungs haben gesagt, wenn es nicht in einer Metallkiste begraben worden wäre, dann wäre nach der ganzen Zeit nichts mehr übrig gewesen. Sie schätzen, es liegt hier seit mindestens dreißig Jahren, vielleicht auch länger. Nach der Laboranalyse wissen sie es genauer, das ist klar.»

«Natürlich.» Sie standen nun am Rand der Baugrube, und Linus spähte in das schokoladenbraune Erdreich hinab. Ein paar rostige Fragmente lagen in einem ungefähren Rechteck, und in der Mitte befanden sich die kleinen, fahlen Knochen. Bei flüchtiger Betrachtung hätte man sie für alte Überreste eines Picknicks oder eines Sonntagsbratens halten können, nur dass ein winziger Schädel daneben auf der Seite lag und für alle Ewigkeit in den Graben starrte. Linus dachte an sein eigenes Kind. Wie groß war er inzwischen? Er dachte an die Kellnerin und ihr lautes Schluchzen. Wer hatte um dieses kleine Wesen geweint? Wer hatte den winzigen Körper in diesen Kasten gelegt und ihn weit weg vom Haus hier oben beerdigt?

Etwas weiter rechts lärmten Vögel in einer Schwarzdorn-Akazie. Waren das Buchfinken? Er wünschte, sie würden verdammt noch mal den Schnabel halten. Trotz des blauen Himmels war der Wind noch kühl, und er zog seinen Mantel enger zusammen, als er sich wortlos umdrehte und wieder hinunter zu seinem Auto ging. Hinter sich hörte er PJs keuchenden Atem. «Wissen die von der Spurensicherung genau, dass das die einzige Leiche dort oben ist? Nicht dass wir es mit einem bizarren Friedhof für ungewollte Babys zu tun haben.»

«Sicher können sie noch nicht sein, aber es ist unwahrscheinlich. Der Ort für solche Babys hier in der Gegend ist der alte Hungerfriedhof hinter der Molkerei. Noch vor vier Jahren ist dort eins entdeckt worden. Es hat sich rausgestellt, dass es von dieser Kleinen aus Ballytorne war. Sie...»

«Also», unterbrach Linus PJ und verkündete: «Sobald wir einen Zeitraum haben, möchte ich, dass Sie mit allen sprechen, die alt genug sind, um sich daran zu erinnern. Babys kommen schließlich irgendwoher. Wer war schwanger? Wer hat sein Kind verloren?»

«Wird gemacht. Ich habe schon festgestellt, dass es nicht Mrs. Burke selbst war. Sie war nur einmal schwanger, und zwar mit Tommy.»

Als dieser Name gefallen war, sahen sich die beiden Männer an. Tommy Burke. Wo war er? Lief er womöglich in diesem Moment in einer Warnweste an ihnen vorbei und grinste sich eins, weil er sein Geheimnis so gut gehütet hatte?

«Denken Sie, dass es eine Verbindung zwischen ...»

«Ich denke gar nichts», schnauzte Linus. «Ich weiß gar nichts.» Er öffnete die Fahrertür seines Wagens. Beim Einsteigen wandte er sich zu PJ um. «Aber bald wissen wir mehr.» Er hob die Augenbrauen, als wollte er sich für seine Schroffheit entschuldigen, dann zog er die Tür zu und fuhr langsam über den zerfurchten Boden Richtung Straße.

Als er zur Polizeiwache zurückkam, war alles still. PJ steckte seinen Kopf durch die Küchentür, aber von Mrs. Meany war nichts zu sehen. Er überlegte, ob er im Pub ein Sandwich essen sollte. Die Leute hatten wieder das Bedürfnis, mit ihm zu reden, und er wusste, dass die Lösung dieses Falls im kollektiven Gedächtnis von Duneen zu finden sein musste. Vielleicht musste sich nur eine einzige Person an eine unbedeutende Kleinigkeit erinnern, damit sich alles aufklärte. In seinem Büro lag ein abgerissener Zettel auf dem Schreibtisch, auf dem er Mrs. Meanys Schrift erkannte. *Bin bald zurück* war alles, was daraufstand. Er fragte sich, ob er warten sollte. Nein, er würde in den Pub fahren.

Byrne's war der einzige Pub, in dem man noch etwas anderes als Kartoffelchips oder Erdnüsse essen konnte, also stellte er das Auto davor ab und ging hinein. Es dauerte einen Moment, bis sich seine Augen an das Halbdunkel gewöhnt hatten, und danach stellte er fest, dass er der einzige Gast war. Im Radio lief eine Anrufsendung. Eine Frau wetterte gegen die irischen Mütter, durch deren

Faulheit sich bei den Kindern Fettleibigkeit ausbreitete. PJ verdrehte die Augen. Das war das Letzte, was er hören wollte. Er überlegte, ob er sich an den Tresen setzen sollte, entschied sich dann aber für einen kleinen Tisch unter der Dartscheibe neben der Tür. Selbst nach mehr als zehn Jahren roch es noch nach schalem Zigarettenrauch. Auch hinter der Bar war niemand, also setzte sich PJ einfach und wartete. Er hatte es nicht eilig.

«Wenn man seine Kinder liebt, macht man es. Es kann ja wohl nicht zu anstrengend sein, ein paar Kartoffeln zu schälen.»

«Wenn ich von der Arbeit nach Hause komme, habe ich nur noch die Energie, etwas in die Mikrowelle zu stellen, und etwas anderes essen sie sowieso nicht. Die würden sich bedanken, wenn ich ihnen Kartoffeln vorsetze.»

Durch das bräunliche Mattglas der Fensterscheibe sah PJ geisterhaft ein paar Passanten. Vermutlich waren sie auf dem Weg zu O'Driscoll's. Ein Laster kurvte vorbei, tauchte die Bar kurzzeitig in Dunkelheit.

Er hatte es zwar nicht eilig, aber dieses Warten machte den Sergeant unruhig. Was, wenn er ein Krimineller wäre? Er hätte inzwischen schon die ganze Bar ausräumen können. Er stand auf und stellte sich an den Tresen. Irgendwo hörte er jemanden Flaschen herumräumen. Wenigstens war er nicht allein.

«Hallo?», rief er. Seine Stimme klang hohl und dünn durch die Leere.

«Bin in einer Sekunde bei Ihnen», erklang die gedämpfte Antwort irgendwo hinter der rückwärtigen Tür der Bar. Es war Cormac Byrnes Stimme.

Weitere Minuten verrannen, und dann stürmte Cormac durch die Tür und rieb sich die Hände an einem alten Tuch ab.

«Tut mir leid. Die Lieferung ist später gekommen.»

«Kein Problem, Cormac.»

«Ah, Sie sind's, Sergeant!» Als hätte er ihn erst an der Stimme erkannt und nicht gewusst, wer der sehr umfangreiche Mann in der Polizistenuniform war. «Was kann ich Ihnen bringen?»

«Ich möchte nur ein Schinken-Käse-Sandwich. Schwarzbrot, wenn Sie welches haben, und ein Glas 7Up. Danke.»

Cormac ging zur Tür zurück und rief einer namenlosen Küchenhilfe in einer nicht einsehbaren Küche PJs Bestellung zu. Dann nahm er eine grüne Flasche aus einem der Kühlschränke.

«Eis?»

«Ja, bitte.»

«Ehrlich gesagt, sind Sie genau der Mann, den ich sprechen wollte.»

«Ach.»

«Wussten Sie, dass meine Mutter in dem Pflegeheim drüben bei Schull ist?»

«Das wusste ich nicht. Tut mir leid, das zu hören. Geht es ihr gut?»

«Ja, schon, es geht ihr gut. Ein bisschen wacklig auf den Beinen, und ihr Gedächtnis lässt nach, deswegen wollte ich sie auch nicht so viel allein lassen. Ich habe gesagt, ich hole sie wieder nach Hause, wenn es ihr dort nicht gefällt, aber sie ist sehr zufrieden. Ich besuche sie häufig, gewöhnlich unter der Woche, weil hier am Wochenende ziemlich viel los sein kann.»

«Verstehe.» PJ nickte und trank einen Schluck. Er fragte sich, worauf das hinauslaufen sollte.

«Die Sache ist die, es ist echt schwierig, Gesprächsthemen mit ihr zu finden. Sie erkennt mich, aber das ist es auch schon so ziemlich. Wenn ich allerdings über Sachen von früher rede, kommt sie manchmal noch mit. Deshalb war die ganze Aufregung wegen Tommy Burke so großartig. Sie konnte sich an seine Eltern erinnern und an die Balgerei der Mädchen auf der Straße und all das.»

«Verstehe.» PJs Interesse nahm zu.

«Ja, und Sie waren doch vor ein paar Monaten mal hier und haben sich nach Tommy und seiner Busfahrt nach Cork erkundigt, und ich habe Ihnen gesagt, ich hätte es von meiner Mutter gehört, aber keinen Schimmer, wer es ihr erzählt hat. Und gestern Abend habe ich ihr von den Babyknochen erzählt, und sie hat nach Tommy gefragt. Ich hab ihr erklärt, dass er schon sehr lange weg ist, und dann sagte sie, und das kann stimmen oder nicht, aber was sie gestern sagte, war: ‹Oh, du hast recht. Abigail Ross hat ihn in den Bus steigen sehen.›»

«Abigail?»

«Das hat sie jedenfalls gesagt. Vielleicht ist es ja Unsinn. Ich meine, hier geht es um eine Frau, die glaubt, Maggie Thatcher hätte das Zimmer neben ihr, aber wenn sie über die Vergangenheit spricht, liegt sie eigentlich meistens richtig.»

«Abigail Ross.» PJ dachte an die Gespräche zurück, die er auf Ard Carraig geführt hatte. Er konnte sich nicht erinnern, direkt gefragt zu haben, aber eine der Schwestern hätte doch bestimmt etwas gesagt, wenn Abigail tatsächlich gesehen hätte, wie Tommy Burke den Bus nahm.

Eine kleine, dünne Jugendliche mit fettigem schwarzem Haar, das zu einem Pferdeschwanz zusammengenommen war, tauchte aus dem Hintergrund auf und knallte einen Teller vor PJ auf den Tresen.

«Ihr Sandwich. Salz und Pfeffer stehen auf den Tischen.» Sie drehte sich um und verschwand.

Der Sergeant senkte den Blick auf den Teller. Es war Weißbrot, und wie es aussah, war kein Käse drauf. Er beschloss, sich nicht zu beschweren. Er nahm den Teller und sein Glas und ging zurück zu seinem kleinen Tisch.

«Danke, Cormac. Ich überprüfe das, und falls Ihre Mutter irgendwelche vielversprechenden Einfälle zu der Mutter des toten Babys hat, lassen Sie uns das auf jeden Fall wissen.»

Die beiden Männer lachten, und dann war nur noch die Stimme aus dem Radio zu hören, die über die niedrigen Preise von Chicken-Nuggets lamentierte.

3

Ein dunkler Schatten bewegte sich langsam vor dem schwarzen Umriss der Hecke. Es hätte ein Geist sein können, doch dann verriet das Knirschen eines Absatzes auf losem Straßensplitt, dass es eine lebende Seele war. Jemand ging mit festem Schritt im Dunkeln an der Grundschule vorbei den Hügel hinauf. Einen Fuß vor den anderen setzend und mit beiden Händen den Mantelkragen zusammenhaltend, obwohl es eine milde, windstille Nacht war.

Nichts hatte sich verändert, seit Mrs. Meany als junge Frau beinahe ein Jahr lang täglich hier entlanggegangen war. Sie wusste genau, wo sie war. Kurz blieb sie bei dem alten Tor stehen, das in einem Dschungel von Gestrüpp und Unkraut versunken war, und ging weiter, bis sie die breite Lücke fand, die man als Zufahrt für die Baustelle in die Hecke gerissen hatte. Sie zögerte, wagte sich dann weiter vor. Sie bewegte sich jetzt langsamer, fand sich auf dem Gelände nicht gleich zurecht. Den Fahrspuren folgend, die von den Autos und Lastwagen gebildet worden waren, ging sie den Hang hinauf. Als sie zu dem schlaff herabhängenden Absperrband kam, wusste sie, dass sie die richtige Stelle gefunden hatte. Sie drehte sich um und konnte unterhalb gerade noch die schimmernden Lichter des Dorfes ausmachen. Ja, das war die Stelle.

Mrs. Meany wusste nicht recht, weshalb sie hierhergekommen war, aber es schien ihr trotzdem richtig. Eine Art Wallfahrt. Sie schloss fest die Augen und schlang die Arme um ihren hageren Körper. Jeder kann ein Geheimnis bewahren, wenn niemand etwas ahnt, aber jetzt war es unerträglich. Bis vor ein paar Tagen hatten nur vier Menschen von dem Baby gewusst, das hier oben begraben worden war, und drei von ihnen waren tot. Sie wusste, dass sie es bald jemandem erzählen musste, und dann würde sich das ganze Rätsel lösen. Wie in einer Vision sah sie sich an das große Kreuz hinter dem Kirchenaltar genagelt. Ihr grauhaariger Kopf war zur Seite gesunken, Blut lief von der Dornenkrone herab über ihr Gesicht, ihr Körper war in einen seidigen Morgenmantel gehüllt. Sämtliche Leute aus dem Dorf, die sie je gekannt hatte, Lebende und Tote, saßen auf den Kirchenbänken und starrten sie böse an, den unversöhnlichen Schuldspruch im Blick.

Mrs. Meany öffnete die Augen und starrte in die Dunkelheit. Beinahe fünfzig Jahre waren vergangen, seit sie an dieser Stelle zitternd unter einem Sternenhimmel gestanden und den Rosenkranz aufgesagt hatte. Der alte Tom Burke hatte sie gebeten, ein paar Gebete zu sprechen, aber sie konnte sich an die Beerdigung ihrer Großmutter, der einzigen, bei der sie je war, kaum erinnern, weil sie damals noch so klein war, und deshalb wusste sie nicht so richtig, welches Gebet angemessen war. Anfangs hatte sie nicht geweint. Einfach nur dagestanden und die große, schwere Taschenlampe gehalten, während die Schaufel im Boden unter der Hecke über Steine kratzte. Sie hatte gefragt, warum er nicht eine Stelle in dem hübschen kleinen Küchengarten hinter dem Haus ausgesucht hatte, aber Big Tom hatte erklärt, dass dort zu viel umgegraben wurde und es entdeckt werden könnte. Sie hatte genickt, als würde sie das verstehen, aber ihr Kopf summte vor unbeantworteten Fragen. Warum wurde kein Pfarrer gerufen? Hätte ein Arzt da sein sollen? Wenn es so falsch war, was hier geschah, wo würde dieser kleine Mensch dann enden? Hätte man ihn nicht doch taufen lassen können? Aber irgendwie war ihr bewusst, dass die Antworten auf all diese Fragen etwas damit zu tun hatten, dass sie geschützt werden sollte, und deshalb sagte sie nichts.

Die Tränen kamen erst, als Big Tom den Zinnkasten hochnahm, der noch wenige Stunden zuvor ein Sammelsurium von Werkzeugen enthalten hatte. Der Kasten wirkte so klein und leicht in seinen großen, wettergegerbten Händen. Sie dachte an das leere Kinderbettchen mit den ordentlich gefalteten Decken, und dann sah sie in das kalte, feuchte Loch hinab, in dem dieses winzige Kind für immer schlafen würde. Ihre Schultern bebten unter ihrem Schluchzen.

«Halt die Lampe ruhig, Mädchen!», hatte Big Tom sie angezischt, während sie versuchte, ihr krampfhaftes Weinen unter Kontrolle zu bringen. Der Zinnkasten verschwand aus ihrem Blickfeld, und Erde fiel darauf wie ein starker Regen.

Mrs. Meany sah sich um und versuchte sich zu orientieren. Es war hoffnungslos. Das Haus stand nicht mehr, und viele Bäume waren gefällt worden, sodass sie sich an nichts halten konnte, um einzuordnen, wo die andere Leiche gefunden worden war. Sie hatte Kopfschmerzen von all dem Nachdenken, all den Geheimnissen. Bald, dachte sie, würde alles herauskommen. Wie bei einem aufgestochenen Furunkel musste das Gift der Vergangenheit herausgelassen werden.

Als sie sich vorsichtig ihren Weg zurück zur Straße suchte, dachte sie daran, wie sie das letzte Mal von diesem Bauernhof weggegangen war. Es war sehr ruhig gewesen, nach all dem Lärm und der Aufregung. Sie hatte noch Halsschmerzen vom Schreien gehabt, ihr Körper fühlte sich fremd an, und sie war bei jedem Schritt zusammengezuckt. Danach hatte ihre Mutter ihr bald die Arbeit im Pfarrhaus beschafft. Hatte sie Bescheid gewusst? Sie ging ins Grab, ohne je ein Wort dazu gesagt zu haben. Mrs. Meany hatte sich danach gesehnt, es ihr zu erzählen, aber als sie dann an dem schmalen Bett ihrer Mutter im Pflegeheim stand, war es ihr grausam erschienen, sie aufzuregen.

Es war nicht wichtig. Nichts war noch wichtig. Für den Pfarrer zu arbeiten, war nach Mrs. Meanys Verständnis genauso gut, wie Nonne zu werden, und sie hatte einfach entschieden, sich eigene Lust und Befriedigung zu versagen. Zu der Zeit damals war es ihr schon tröstlich erschienen, einfach nur zu leben. Dann hatte sich der Trost in Kummer verwandelt, und als das Haus allmählich unter seinem Leichentuch aus Geäst und Unkraut verschwand, erging es ihr ebenso. Sie hatte sich für eine Nichtexistenz entschieden. Das war schwach und egoistisch von ihr und hatte zu all diesen Schwierigkeiten geführt. Es hatte zu diesem Moment fünfzig Jahre später geführt, in dem sie durch die menschenleere Nacht heimwärts ging.

Am nächsten Morgen stellte sie überrascht fest, dass

zwei Autos vor der Polizeiwache standen. Wie sich herausstellte, war der Detective schon sehr früh aus Cork gekommen, also bereitete sie ein üppiges Frühstück für zwei vor. Das bedeutete zwar mehr Arbeit, aber es war schön, nach den Monaten der Stille wieder den Klang von Stimmen in der Küche zu haben. Während sie die Arbeitsflächen abwischte und die Pfanne ein paar Minuten einweichen ließ, hörte sie, was besprochen wurde. Sie wollten nochmals Brid Riordan und die eine Ross-Schwester befragen. Nach ihrer Theorie war das Baby von einer der beiden und stand mit Tommys Verschwinden in Zusammenhang. Der andere Tote könnte ein eifersüchtiger Rivale gewesen sein, oder ... An dieser Stelle blieben sie mit ihrem Szenario stecken.

Mrs. Meany fragte sich, ob sie sich verdächtig benahm. Konnte man ihr ansehen, dass sie in der Lage wäre, dieses Geheimnis zu lüften, oder jedenfalls einen Teil davon? Sie hätte sich einen Stuhl am Tisch herausziehen und ihnen alles erzählen können. Stattdessen kochte sie eine frische Kanne Tee und schenkte die Becher der beiden Männer voll. Sie sprachen inzwischen darüber, dass Abigail Ross die letzte Person war, die Tommy gesehen hatte. Mrs. Meany faltete den feuchten Lappen sorgfältig zusammen und hängte ihn über den Wasserhahn. Abigail? Irgendwas daran klang nicht richtig. Dieser Detective erklärte PJ, dass sie DNA-Proben von den Frauen brauchten, um sie bei der Identifizierung des Babys einsetzen zu können. DNA? Mrs. Meany hatte genügend Folgen *CSI* gesehen, um zu wissen, dass einem dieses Zeug alles verriet. Bald würden sie die Wahrheit zutage fördern.

4

Es war Abigail selbst, die ihnen auf Ard Carraig die Tür öffnete. Sie wirkte blass, und PJ überlegte, ob sie krank war. Sie sagte keinen Ton zur Begrüßung und schien sich wohl damit zu fühlen, dass sie einfach zu dritt dastanden und sich anstarrten. Linus brach das Schweigen.

«Guten Morgen. Ich bin Detective Superintendent Dunne, und den Sergeant kennen Sie ja bestimmt.»

Darauf lächelte PJ schwach, und Abigail nickte bloß. Sie war eindeutig nicht in der Stimmung für diesen Überfall. Linus räusperte sich und machte den Versuch, die Regie zu übernehmen.

«Oben auf dem Baugelände haben sich weitere Entwicklungen ergeben, und wir würden Ihnen gern ein paar Fragen stellen.»

«Das ist Abigail Ross», warf PJ ein, «eigentlich wollten wir mit Evelyn sprechen.»

«Meine Schwester ist momentan nicht da, aber ich bin sicher, dass sie gern ... Oh.» Abigail unterbrach sich mitten im Satz, als ein langbeiniger honigfarbener Hund ums Haus gesprungen kam und sich auf Linus und PJ stürzte, als seien sie verschollene Familienmitglieder, die aus dem Krieg heimkehrten.

«Bobby! Aus! Böser Junge!», befahl Abigail ohne rechte Überzeugung. «Er ist ein bisschen wild, fürchte ich. In einer Minute hat er sich wieder beruhigt.»

Positiv ausgedrückt war Linus kein Hundefan, und mit Sicherheit hatte er nichts dafür übrig, mit dieser sich windenden Masse aus Haar und Speichel zu ringen, während er versuchte, eine Ermittlung durchzuführen. PJ amüsierte sich insgeheim über das Unbehagen des Detectives. Er rieb mit den Handflächen über Bobbys Rücken, freute sich an dem glänzenden Fell und der unbändigen Energie des jungen Hundes mit dem warmen, beweglichen Körper, in dem es keinen einzigen Knochen zu geben schien.

«Oh, entschuldigen Sie bitte!» Das war Evelyn, die leicht außer Atem ums Haus geeilt kam. «Er hat Stimmen gehört und ist losgeschossen wie ein Pfeil. Er liebt es, neue Leute kennenzulernen. In einer Minute hat er sich wieder beruhigt.»

«Das haben wir schon mal gehört», grummelte Linus.

Bobby, blind für jedes Bedürfnis nach Ruhe, wirkte dagegen noch aufgeregter, seit Evelyn zu der Gruppe gestoßen war. Das Rudel war vollzählig!

Evelyn breitete die Arme aus, als wollte sie eine Kinderschar vor sich hertreiben. «Sollen wir hineingehen?»

Abigail drehte sich auf dem Absatz um und schritt durch den düsteren Flur, gefolgt von Linus und PJ. Als Evelyn die Tür hinter ihnen schloss, fand Bobby, dass ein Wettrennen begonnen werden sollte, wer zuerst an die Küchentür kam. Er gewann.

Es verblüffte PJ, wie verändert Ard Carraig wirkte. Es brannten keine Lampen, um die Düsternis zu vertreiben, und in der einst makellosen Küche standen kleine Stapel schmutzigen Geschirrs auf den Arbeitsflächen, während der Fußboden mit einem Flickenteppich aus alten Zeitungen bedeckt war, auf denen gelbliche Flecken eindeutig nach Hundepisse aussahen. Ein starker Geruch hing in der Luft, und zwar nicht nach frischgebackenem Kuchen.

«Entschuldigen Sie das Chaos», sagte Evelyn, während sie zur Spüle hinüberging. «Bobby hat noch nicht so richtig drauf, wo er sein Geschäft machen soll. Stimmt's, Bobby?» Sie beugte sich zu dem Hund hinunter und rieb ihm die Ohren. «Du weißt nicht, wo du dein Geschäft machen sollst, oder?» Bobby wedelte wie wild mit dem Schwanz, als glaubte er, «Geschäft» könnte so etwas wie ein Hähnchenschenkel sein.

Die Polizisten sahen sich an, wussten nicht recht, wie sie reagieren sollten. PJ fühlte sich von dieser Vorführung Evelyns ungemein seltsam berührt. Irgendetwas stimmte nicht in diesem Haus. Er wandte den Blick von ihr ab und sah, dass Abigail noch immer schweigend an der Tür stand. Ihre ausdruckslose Miene verriet nicht das Geringste. Es konnte ihr kaum gefallen, dass ihr Haus in eine Hundehütte verwandelt wurde, dachte PJ.

Linus fand, es sei an der Zeit, seine behördliche Autorität zurückzuerobern. «Passt es Ihnen gerade für ein Gespräch? Wir haben ein paar Fragen.»

«Ja. Ja, natürlich», gab Evelyn zurück. «Ich will Bobby nur noch schnell ein bisschen mehr Wasser hinstellen.»

PJ hob eine Augenbraue. Gott verhüte, dass Bobby die Pisse ausging, dachte er.

Abigail zog die Tür ein Stück auf. «Ich gehe raus in den Garten. Kommst du zurecht, Evelyn?»

Evelyn drehte sich von dem laufenden Wasserhahn zu ihr um. «Natürlich. Bis nachher. Vielleicht wird es mit dem Essen ein bisschen später. Florence sagte, sie machen heute Klassenfotos.»

«Gut.»

«Oh, bevor Sie gehen.» Das war PJ. «Ich habe gehört, Sie hätten gesehen, wie Tommy Burke an dem Tag, an dem er verschwand, in den Bus gestiegen ist.»

Im Raum breitete sich Stille aus. Evelyn stand mit dem bis zum Rand gefüllten Hundenapf da, und selbst Bobby schien zu spüren, dass alle Augen auf Abigail gerichtet waren. Langsam drehte sie sich um.

«Ich? Nein. Ich habe unten im Dorf die Leute darüber reden hören, das ist alles.»

«Wissen Sie zufällig noch, wer es Ihnen erzählt hat? Das könnte wichtig sein.»

«Ich bin nicht sicher. Bestimmt war es eine der üblichen Quellen für den Dorftratsch. Es könnte die alte Mrs. Byrne aus dem Pub gewesen sein ... Ja, ich bin ziemlich sicher, dass ich es von ihr gehört habe.» Abigail verzog ihre Lippen zu einem schmalen Lächeln. Das Thema war beendet.

Bedächtig sagte PJ: «Tja, das ist jetzt wirklich seltsam. Das ist nämlich genau die Person, die gesagt hat, dass Sie diejenige waren, die ihn hat wegfahren sehen.»

Wenn es zuvor still im Raum gewesen war, schien er nun wie eingefroren. Drei Augenpaare starrten auf die grauhaarige Statue an der Tür. Ein Moment ging vorüber, dann noch einer. PJ hielt den Atem an.

In Abigails Kiefer zuckte ein Muskel, dann sprach sie. «Ist diese Frau nicht in einem Heim, Sergeant?» Sie funkelte PJ böse an, doch er hatte sich gegen ihren Blick gewappnet.

«Ja. Das ist sie.»

«Nun, ich denke, das erklärt die Sache. Sie muss verwirrt sein.» Kurze Pause. «Und jetzt habe ich zu arbeiten. Entschuldigen Sie mich.» Sie wandte sich ab, um zu gehen, überlegte es sich dann aber anders. Bewusst nicht zu Evelyn hinübersehend, wandte sie sich nur an die beiden Männer. «Aber wenn ich gesehen hätte, wie dieser Junge in den Bus steigt, hätte ich ihm mit Freuden nachgewinkt. Er hatte hier genügend Unheil angerichtet. Was mich betrifft, ist es ein Glück, dass wir ihn los sind. Er war damals einfach weg, er ist immer noch weg, und ich bin froh darüber.» Sie hielt inne, dann sagte sie zu Evelyn. «Wenn du mich brauchst, ich bin unten im hinteren Gewächshaus.»

Evelyn nickte. «Ist gut.»

Mit einem letzten Blick auf PJ und Linus verließ Abigail die Küche und zog behutsam die Tür hinter sich zu.

Das Schweigen, das sie hinterließ, wurde von Bobby gebrochen, der hinter dem Küchentisch aufsprang und zu Evelyn hinüberraste, als hätte ein imaginärer Barkeeper gerade die Glocke zur letzten Runde geläutet.

«Guter Junge!», rief sie und stellte den Wassernapf neben einen anderen, leeren Napf auf den Teppich aus fleckigen Zeitungen.

PJ räusperte sich. «Geht es Ihrer Schwester gut? Sie wirkt etwas angegriffen.»

Evelyn zuckte mit den Schultern. «Ich denke, es geht ihr gut. Sie hat über eine Magenverstimmung geklagt. Vielleicht hat sie nicht gut geschlafen. Soll ich Teewasser aufsetzen?»

Die Männer wechselten einen Blick, und Linus übernahm das Gespräch. «Ja, eine Tasse Tee wäre jetzt schön. Vielen Dank.»

«Bitte, setzen Sie sich doch. Ich kann Ihnen leider nur Tee anbieten. Momentan bleibt ziemlich wenig Zeit zum Backen.» Sie deutete auf Bobby, der inzwischen auf dem Boden lag und sich die Vorderpfoten leckte.

«Sieht so aus, als hätte er den Alltag hier im Haus ganz schön verändert.» PJ dachte, es sei am besten, die Unterhaltung allgemein zu halten, bis sie alle am Tisch saßen. Er wusste nicht genau, warum Linus um Tee gebeten hatte. Vielleicht hatte er einfach Lust auf eine Tasse. Trotzdem war es merkwürdig, er hatte schließlich schon drei Becher in der Polizeiwache getrunken. Versuchte er sich aus irgendeinem Grund bei Evelyn beliebt zu machen?

Ich denke zu viel nach, dachte er und hörte damit auf. Evelyn hatte angefangen, sehr schnell zu sprechen.

«Ich hatte vergessen, wie viel Arbeit sie machen. Ich meine, wir hatten Hunde, als wir Kinder waren, aber ich glaube, es waren Mammy und Daddy oder meine älteren Schwestern, die sich hauptsächlich gekümmert haben. Ich will mich nicht beschweren. Ich bin sehr glücklich, ihn hierzuhaben. Wissen Sie, er bringt ein bisschen Leben ins Haus, statt dass hier nur drei alte Jungfern Staub ansetzen!» Sie lachte.

PJ und Linus, die nicht wussten, wie sie darauf reagieren sollten, dass sie sich selbst als alte Jungfer bezeichnete, lächelten einfach nur.

«Wie alt ist er jetzt?», heuchelte Linus ein wenig Interesse.

Evelyn stellte die Teekanne und Becher auf ein kleines Metalltablett. «Erst sechs Monate. Wir hoffen, dass er bald aufhört zu wachsen.»

«Große Pfoten», redete ihr PJ dazwischen wie ein alter Bauer, der eine Kuh vor dem Verkauf auf dem Viehmarkt einschätzt.

«Nicht? Genau das sagen alle!» Evelyn stellte das Tablett auf den Tisch und setzte sich. Dann begann sie, Tee einzuschenken. «Also, was kann ich für Sie tun?» Plötzlich fiel ihr auf, dass sie nicht genau wusste, warum diese Männer zu ihr gekommen waren. Ein etwas unbehagliches Gefühl stieg in ihr auf.

PJ sah Linus an, der darauf anfing zu sprechen. «Die Entdeckung der sterblichen Überreste des Säuglings lässt den Fund des Toten Ende letzten Jahres in einem neuen Licht erscheinen. Wir möchten Ihnen einfach noch ein paar Fragen stellen. Sie sind ein bisschen persönlich, und ich hoffe, dass ich Sie damit nicht in Verlegenheit bringe.»

Evelyn hob eine Augenbraue und wischte ein paar nichtvorhandene Krümel von ihrem Schoß.

«Bei Ihrer ersten Befragung vor ein paar Monaten sagten Sie, dass Sie keine sexuelle Beziehung mit Tommy Burke hatten.»

«Das stimmt.»

«Und bei dieser Antwort bleiben Sie?»

«Was? Ja. Ich meine, ich habe nicht gelogen, falls es darum geht.»

«Das unterstellt Ihnen niemand, aber es hätte ja sein können, dass sie einfach ein paar Dinge privat halten wollten, die offenbar keine weitere Bedeutung hatten. Aber das tote Baby verändert die Ermittlung vollkommen.»

«Ich verstehe.»

«Wussten Sie, ob Tommy Burke noch eine andere Beziehung geführt hat?» Bevor Evelyn etwas sagen konnte, fügte er hinzu: «... abgesehen von Brid Riordan natürlich.»

Evelyn umschloss ihren Teebecher mit den Händen und starrte in den aufsteigenden Dampf. «Nein. Nein, ich habe nie irgendetwas mitbekommen, und ich war beinahe jeden Tag in seinem Haus. Ehrlich gesagt, kann ich mir nicht vorstellen, dass Brid und er jemals ... Na ja, sie waren kein Liebespaar.»

«Und was war zu der Zeit mit anderen Mädchen? Gab es Gerüchte in der Schule? Ist jemand plötzlich abgegangen oder ein paar Wochen lang nicht da gewesen?»

Sie verdrehte die Augen. «Daran kann ich mich wirklich nicht erinnern. Ich glaube nicht. Bei mir sind auf jeden Fall keine Geschichten über irgendjemanden hängengeblieben.»

Als hätte ihn all dieses Gerede über Sex dazu gebracht, streckte sich Bobby auf dem Boden aus und begann geräuschvoll seine unteren Regionen abzulecken. Alle drei Menschen sahen zu dem Hund hinunter und richteten dann ihren Blick wieder auf ihren Tee.

Linus war frustriert. Normalerweise konnte er Leute sehr gut einschätzen. Er war stolz darauf, bei Befragungen ein Gefühl dafür zu haben, wer die Wahrheit sagte und wer nur auf Zeit spielte. Evelyn aber war nicht zu durchschauen. Sie saß einfach nur mit der Andeutung eines Lächelns um die Lippen da.

«Wie haben Sie erfahren, dass Tommy verschwunden war?»

«Von Abigail. Wahrscheinlich hat auch Florence darüber geredet. Sie hatten es unten im Dorf gehört.»

«Und Sie haben nie versucht, mit ihm Kontakt aufzunehmen?»

«Das alles habe ich Sergeant Collins schon vor Monaten erzählt.»

«Ich weiß. Entschuldigen Sie. Ich will nur sicher sein. Manchmal kann man der Erinnerung auf die Sprünge helfen.»

«Selbst wenn ich gewollt hätte, ich konnte ja nicht. Es war eine andere Welt damals. Ab und zu bin ich an dem Haus vorbeigegangen, um nach einem Lebenszeichen zu schauen, aber da war nie etwas. Und nach ein paar Jahren war sogar das Haus verschwunden.»

«Eingestürzt?»

«Nein, so kann man es nicht sagen. Die Natur hat einfach die Macht übernommen, bis das Haus vollkommen unsichtbar wurde.»

«Es war gruselig», fügte PJ hinzu und versuchte, dabei irgendwie amtlich zu klingen.

Linus und Evelyn wandten ihm den Blick zu, als wären sie überrascht, dass er noch da war.

Linus seufzte. Er klappte sein Notizbuch zu. «Also dann, danke, dass Sie sich Zeit genommen haben. Und für den Tee», fügte er hinzu, nahm seinen Becher und trank ihn aus.

«Ja. Danke», wiederholte PJ und lächelte Evelyn an.

Sie standen alle auf und gingen zur Tür. Als sie den Raum verließen, warf PJ einen Blick zurück und sah Bobby bei der Hintertür hocken, während sich um ihn eine Pissepfütze ausbreitete. PJ überlegte, ob er etwas sagen sollte, doch auf einmal war er unheimlich müde. Scheiß drauf, sie würde es noch früh genug bemerken.

PJ war nicht gern Beifahrer, und um es noch schlimmer zu machen, hatte er kaum den Sicherheitsgurt geschlossen, als ihm klarwurde, dass er besser den Wink von Bobby aufgenommen hätte und auf Ard Carraig zur Toilette gegangen wäre. Jetzt musste er es aushalten, bis sie zum Hof der Riordans kamen.

Er bat Linus, zuerst ins Dorf zurückzufahren, von da werde er ihm den weiteren Weg erklären. Im Wagen herrschte Schweigen. PJ versuchte, die etwas entspanntere Stimmung wiederherzustellen, die am Morgen in der Polizeiwache zwischen ihnen geherrscht hatte.

«Wie geht's dem Baby?»

Eine winzige Pause trat ein, bevor Linus antwortete. «Gut. Gut.»

«Und Ihrer Frau?»

Eine längere Pause. «Ihr geht es auch gut.»

«Ich schätze, inzwischen schläft Ihr Söhnchen durch, oder?»

«Ja. Ja, das tut er.»

Als ihm klarwurde, dass PJ das Thema nicht fallenlassen würde, atmete Linus langsam aus und sagte so lässig wie möglich: «Um die Wahrheit zu sagen, June und ich nehmen gerade eine kleine Auszeit.»

PJ erstarrte. So hatte er sich dieses Gespräch nicht vorgestellt. Wie hatte sein halbherziger Versuch, ein bisschen Smalltalk zu betreiben, diesen Verlauf nehmen können? Er wischte sich seine leicht verschwitzten Handflächen an den Oberschenkeln ab und überlegte, was er jetzt am besten sagen sollte. «Oh, das tut mir leid», erschien ihm passend.

Linus schwieg einen Moment, bevor er leise sagte:

«Ehrlich gesagt, stimmt das nicht ganz. June möchte, dass wir Auszeit sagen, aber es ist vorbei.» Bevor sich PJ dazu äußern konnte, fuhr er fort. «Es ist am besten so. Dieser Beruf ist ... tja, macht es schwierig.»

PJ überlegte fieberhaft, was er sagen könnte, auf keinen Fall konnte er einfach wieder Schweigen einkehren lassen. «Ja, ich schätze, das stimmt.»

Linus warf ihm einen Blick zu. «Waren Sie schon mal verheiratet, Sergeant?»

PJ war entsetzt. Er hasste es, über sich selbst zu reden, aber die Vorstellung, sein Liebesleben mit Dunne zu besprechen, überstieg wirklich alles.

«Nein. Nein, ich bin nie dazu gekommen.» Er lächelte gezwungen und hoffte, das Thema wäre damit erledigt.

«Ist es Ihnen denn nicht zu einsam, ganz allein in diesem Nest?»

Warum stellte Linus all diese Fragen? Er konnte ja wohl kaum ein echtes Interesse für das emotionale Wohlbefinden des Sergeants von Duneen haben.

«Manchmal», brachte er hervor.

«Ich beneide Sie fast. Allein hier draußen. Ich liebe meinen Beruf, aber die Truppe, mit der ich arbeiten muss, geht mir gewaltig auf die Nerven. Wie hieß das noch mal? ‹Die Hölle, das sind die anderen›, oder so ähnlich.»

PJ wusste sofort, was er meinte. «Das kenne ich. Ich war ungefähr zehn Jahre in Thurles, bevor ich hierherkam, und das war die schlimmste Zeit. Duneen ist allerdings vielleicht ein bisschen zu sehr das andere Extrem.» Er lachte auf.

«Wollten Sie schon immer zur Polizei?»

PJ musste einen Moment nachdenken. «Nein. Eigentlich nicht. Ich habe nach der Schule eine Banklehre gemacht und war anschließend bei der AIB. Ich bin ein paar Jahre dabeigeblieben, weil ich dachte, es wird irgendwann besser, aber ich fand es grauenhaft. Zur Polizei zu gehen, hatte ich mir schon früher mal überlegt, aber dann dachte ich, das kommt für mich sowieso nicht in Frage, weil, na ja, Sie wissen schon.» Er klopfte sich auf den Bauch. «Ich hatte schon seit jeher Übergewicht. Auf jeden Fall gab es da einen Polizisten, der immer zu uns in die Bank kam, und der hatte beinahe den gleichen Umfang wie ich, also habe ich wieder darüber nachgedacht. Und eines Abends hatte ich ein paar Glas intus und habe ihn im Pub gesehen, also habe ich ihn einfach angesprochen und direkt gefragt, wie er es geschafft hat.» Er lachte, genau wie Linus. «Ich konnte von Glück sagen, dass er mir keine reingehauen hat.»

«Allerdings.»

«Wie sich herausstellte, waren die Anforderungen an die körperliche Fitness ein ziemlicher Witz. Nicht wie heutzutage. Das wissen Sie ja.»

«Stimmt.»

«Ich war nie ein besonders guter Polizeischüler», PJ dachte an die Selbstverteidigungskurse zurück, die er durchgestanden hatte, mit hochrotem Gesicht und nach Atem ringend, «aber ich habe den Abschluss geschafft. Und wissen Sie was? Die ganze Anstrengung hat sich schon für die Gesichter gelohnt, die meine Eltern an diesem Tag gemacht haben. Ich glaube, sie waren bis dahin noch kein einziges Mal stolz auf mich. Meine Mutter hatte das Bild, auf dem ich in Uniform zwischen ihnen stehe, bis an ihr Lebensende neben dem Hochzeitsfoto meiner Schwester auf der Kommode.»

Plötzlich wurde PJ bewusst, dass er ziemlich lange geredet hatte, also ließ er es dabei bewenden.

Linus nahm den Faden auf und sagte trocken: «Meine Eltern sind nicht zu meinem Abschluss gekommen. Mein Vater war Arzt, und dass ich Polizist geworden bin, haben sie mir nie verziehen.»

PJ warf einen Blick zu Linus hinüber, aber er sah mit undurchdringlicher Miene geradeaus, das akkurat geschnittene Haar zurückgegelt und den Krawattenknoten eng an die Kehle geschoben. Er litt offensichtlich noch immer unter diesem Vorkommnis, aber es gab nichts, was PJ sagen konnte. Er wusste nicht, wie man diese Art von Verletzung heilt. Er wartete ab, ob Linus weitersprechen würde, aber das tat er nicht, und so gingen die Vorhänge vor diesem offenen Gespräch langsam wieder herunter.

Beim Blick aus dem Fenster wurde PJ bewusst, bis wohin sie inzwischen gefahren waren. «Sie nehmen am besten die Nächste rechts, nach diesem hellgelben Bungalow.» Der Blinker begann zu ticken.

Es war die kleine Faust. Brid wurde das Bild nicht los. Sie erinnerte sich so lebhaft daran, wie sie Cathal im Krankenhaus in den Armen gehalten hatte und von seinen winzigen Händchen verzaubert gewesen war. Der Schimmer jedes einzelnen perfekten rosafarbenen Fingernagels, von denen jeder aussah wie eine zarte exotische Muschel. Das war ihre überwältigendste Erinnerung an beide Geburten. Einfach ihre Finger zu riechen und sie zu küssen. Als Anthony ans Bett gekommen war, hatte es Brid geschockt zu sehen, wie seine riesigen, rauen, wettergegerbten Hände das Baby berührten. Wie war es möglich, dass die seidige, glatte Haut ihres kleinen Jungen eines Tages so ledrig und schwielig werden konnte wie die Hand, die da über sein pummeliges Beinchen strich?

Immer wieder musste sie an die Person denken, die diesen winzigen Körper mit seinen Miniaturgliedern und seiner zarten, makellosen Haut in die Erde gelegt hatte. Wie konnte man schmutzige Erde auf etwas so Reines und Unschuldiges schaufeln? Nicht zum ersten Mal kamen ihr die Tränen. Wer war die Mutter dieses Kindes? Wie war es möglich, dass niemand etwas wusste? Und wo war Tommy Burke? Die Vorstellung, er sei tot und oben beim Bauernhof begraben, hatte ihr gefallen. Nun ja, nicht direkt gefallen, aber die Endgültigkeit hatte ihr geholfen. Sie hatte ein Kapitel in ihrem Leben abgeschlossen, dessen offenes Ende ihr selbst nicht recht bewusst gewesen war. Nun aber herrschte eine seltsame Ungewissheit, die sie mit unklaren Gefühlen erfüllte. Was, wenn Tommy von all dem erfuhr, was hier vorging? Könnte er zurückkommen und sich rechtfertigen? Gott, wie würde Anthony auf seine Anwesenheit reagieren?

Sie erinnerte sich lebhaft an ihre Gefühle, als sie mit PJ oben auf der Klippe im Auto gesessen hatte. Ihre Konzentration auf ihr Leben mit Anthony und den Kindern gerichtet. Sie hatte sich von der Vergangenheit befreit gefühlt, aber jetzt war es wieder genauso schlimm wie immer, vielleicht sogar noch schlimmer. Aus irgendeinem Grund verband sie Tommy Burke weiterhin mit einer glücklichen Phase in ihrem Leben, obwohl sie wusste, wie unsinnig das war. Selbst vor all den Jahren war es eine Art Folter gewesen, aber ein paar Monate lang waren die

Leute anders mit ihr umgegangen, hatten sie angesehen, als hätte sie einen Wettbewerb gewonnen, und genau das war die Empfindung, die sie nicht abschütteln konnte. Tommy selbst war einfach ein dummer Junge, und ihre Gefühle waren nichts weiter als Schwärmerei gewesen. Sie hatte sich oft ausgemalt, was passiert wäre, wenn die Hochzeit stattgefunden hätte, und in jedem dieser Szenarien wurde die Ehe eine Katastrophe. Manchmal verließ er sie für Evelyn; in anderen Versionen wurde er zum gewalttätigen Säufer, und gelegentlich verliebte sie sich in einen griechischen Gott, der irgendwie als Erntehelfer auf dem Bauernhof gelandet war, und sie brannten ins Ausland durch und lebten dort glücklich bis in alle Ewigkeit.

Brid war dabei, zu backen. Das gehörte zu ihrem neuen Leben. Sie hatte beschlossen, sich mehr bei den Schulveranstaltungen einzubringen, damit sie von den Lehrern respektiert wurde, und so knackte sie nun Nüsse für ihren Mokka-Walnuss-Kuchen, der bei einer Veranstaltung der Schule verkauft werden sollte. Es hatte etwas Tröstliches, die Zutaten auf der altmodischen Tafelwaage abzuwiegen, die schon ihre Mutter benutzt hatte. Sie mochte die Vertrautheit der angestoßenen cremefarbenen Emaille und die glatten, kalten, altersfleckigen Gewichte.

Trotz all ihrer Anstrengungen, sich in der Schule zu engagieren, fühlte sie sich immer noch wie eine Außenseiterin. Sie stand linkisch hinter dem Buffetttisch mit dem Kaffeegeschirr und beobachtete, wie andere Mütter miteinander plauderten und lachten. Manchmal erkannte sie Frauen, die sie schon an den kleinen Tischchen vor dem Hotel am Marktplatz zusammen hatte Kaffee trinken sehen. Sie waren offenkundig befreundet, und obwohl Brid wusste, was das war, hatte sie keine Ahnung mehr, wie man eine Freundschaft anfing. Sie war nicht schüchtern, aber jedes Mal, wenn sie sich bei einer Schulveranstaltung zu einem der Frauengrüppchen gesellte, schweiften nach einer freundlichen Begrüßung ihre Gedanken ab, während die anderen über die neue Parkzone oder einen Politiker diskutierten, der sich letzten Freitag in der *Late Late Show* zum Affen gemacht hatte. Wenn Einsamkeit bedeutete, dass man sich nicht über solchen Schwachsinn unterhalten musste, dann würde Brid sie jederzeit einer Verabredung zum Kaffee oder einem gemeinsamen Mittagessen vorziehen.

Das Geräusch eines Autos holte ihre Gedanken an den Küchentisch zurück. Sie wischte sich die Hände an einem Geschirrtuch ab und ging zur Hintertür. Anthony hatte nichts davon gesagt, dass er zum Mittagessen nach Hause kommen würde. Ein silberfarbener Mercedes. Sie kannte niemanden, der so einen Wagen fuhr, doch dann wurden beide Türen geöffnet, und PJ manövrierte sich vom Beifahrersitz. Den Fahrer hatte sie noch nie gesehen. Anfang vierzig, sandbrauner Trenchcoat und Haare, die eindeutig vor dem Spiegel frisiert worden waren. Die beiden wandten sich in Richtung der vorderen Haustür. Brids Herzschlag beschleunigte sich, sie zog die Hintertür weiter auf und rief: «PJ! Ich bin hier hinten!»

Der Sergeant drehte sich zu ihr um und lächelte. «Hallo!»

Die beiden Männer gingen auf Brid zu. Linus beugte sich zur Seite und flüsterte: «PJ, ja? Ich wusste nicht, dass Sie so gut befreundet sind, Sergeant.»

PJ wurde rot, und sie betraten das Haus schweigend.

«Immer herein, immer herein.» Brid scheuchte sie in die Küche. Sie atmete schnell und flach. Was wollten die beiden ihr sagen? War Tommy zurück? Wussten Sie, wer die Mutter des Babys war?

«Mrs. Riordan, ich bin Superintendent Detective Dunne, und Sergeant Collins kennen Sie ja.» Linus lächelte und streckte die Hand aus. Brid gab ihm die Hand, während ihr Blick unruhig zwischen den beiden Männern hin- und herwanderte.

«Bitte, setzen Sie sich doch. Möchten Sie eine Tasse Tee oder Kaffee?»

«Für mich nicht, danke», sagte Linus, während er sich setzte und sein Notizbuch aus der Tasche zog.

PJ hatte sagen wollen, «Für mich auch nicht, danke», doch stattdessen überkam ihn ein trockener Husten. Er räusperte sich und versuchte es erneut. «Nein, danke sehr.»

Es war ein seltsames Gefühl, wieder in diesem Raum zu sein. Wo sein Blick auch hinfiel, ließ er äußerst lebensechte Rückblenden aufblitzen: er und Brid, wie sie gegen Möbel stießen und sich auf dem Boden wälzten. Über die Monate hatte er häufig an diese Nacht gedacht. Er hatte sie in eine Art erotische Phantasie verwandelt, doch als er nun wieder hier war, in der hell erleuchteten Realität, fühlte er sich deshalb schmierig und armselig. Der Raum wirkte wärmer, bewohnter. Die Tischwaage, zusammen mit den Mehl- und Zuckertüten, überraschte ihn. Er hätte Brid nicht für eine Frau gehalten, die backt, doch im Grunde kannte er sie schließlich überhaupt nicht. Auf einmal beschlich ihn so etwas wie Traurigkeit, und er ließ sich auf einen Stuhl fallen. Linus starrte konzentriert auf seine Notizen.

Brid konnte das Schweigen nicht ertragen. «Womit kann ich Ihnen helfen?», fragte sie. «Wenn Sie schlechte Neuigkeiten haben, sagen Sie es bitte einfach.» Inzwischen hatte sie ihre Sorgenliste um die Frage ergänzt, ob den Kindern etwas passiert war.

«Oh, nein, Mrs. Riordan. Entschuldigen Sie, wenn wir Sie beunruhigt haben. Es geht um etwas ganz anderes. Wir haben einfach nur noch ein paar Fragen, das ist alles.» Linus lächelte ihr beruhigend zu.

PJ konnte sich nicht länger beherrschen. «Dürfte ich Ihr Badezimmer benutzen?»

Brid war erleichtert, dass alles in Ordnung war, und lächelte ihn an. «Natürlich.»

PJ ging zur Tür, doch bevor er auf die Toilette verschwand, nahm er den Gesichtsausdruck von Linus wahr. Shit. Er hätte nicht so eindeutig zeigen müssen, dass er dieses Haus kannte. Tja. Nun war es zu spät, und davon abgesehen, gab es momentan nichts Wichtigeres als seine volle Blase.

Nachdem er zurück war, begann die Befragung, die mehr oder weniger genauso verlief wie die auf Ard Carraig. Brid wusste nichts über ein Baby und hatte keine Ahnung, wer die Mutter gewesen sein könnte. Und Tommy hatte sich einfach in Luft aufgelöst.

Dieses Mal war Linus sicher, dass die Frau, die vor ihm saß, die Wahrheit sagte. Er stellte fest, dass er Brid mochte. Sie hatte etwas Aufgeschlossenes und Warmes an sich. Das war eine Frau, die mit ihrem Leben weitergemacht hatte, oder vielleicht war es auch einfach nur ein Leben, das er kannte. Das seltsame häusliche Arrangement der Ross-Schwestern vermittelte ihm Unbehagen. Möglicherweise, weil sie ihn an Nonnen erinnerten. Linus hasste Nonnen.

5

What a difference a day made. Vierundzwanzig Stunden
zuvor hatte PJ an Zeugenbefragungen in einem Mordfall
teilgenommen, und nun stand er da und regelte den Ver-
kehr.

Das Fest der Church of Ireland fand jeden Frühling
statt, doch dieses Mal hatte PJ es durch all die Ablen-
kungen nach den Knochenfunden glatt vergessen. Seine
Aufgabe war es zu verhindern, dass in der schmalen Allee
geparkt wurde, die an der Kirche vorbei zum Eingang des
alten Pfarrhauses führte, in dessen weitläufigem Garten
die Stände aufgebaut worden waren. Stattdessen sollten
die Leute ihre Autos auf dem Gelände der Gaelic Athletic
Association oder irgendwo im Dorf abstellen und zu Fuß
zu dem Fest gehen.

Bei den Massen von Besuchern, die jedes Jahr kamen,
hatte PJ gedacht, dieses Fest müsse wirklich etwas ganz
Besonderes sein, doch dann war es einfach genauso wie ir-
gendeins der anderen Dorffeste, die er schon besucht hatte. Kleine weiße Zelte standen mehr oder weniger schief
auf der Rasenfläche, und die Leute schlenderten herum,
um überladene Tapeziertische mit selbstgemachter Marmelade, Bergen von Taschenbüchern und verstaubtem,

angestoßenem Nippes in Augenschein zu nehmen. Vor dem Pfarrhaus luden mehrere Plastikgartentische diejenigen ein, die eine Stärkung mit Tee und Kuchen nötig hatten. Lose für die Tombola wurden gekauft, Kinder standen ungeduldig vor der kleinen Hüpfburg Schlange. Die Menge schob sich träge über das Gelände.

Diese Abläufe hinter den hohen Hecken zu kennen, machte PJ seine Aufgabe noch schwerer. Es gab wichtige Polizeiarbeit zu tun, aber nein, er musste in einer Signalweste auf der Straße stehen, die sogar ihm zu groß war. Gott, hatte er gedacht, als er sie aus dem Kofferraum zog, die hätte man als Festzelt nehmen können. Was alles noch schlimmer machte – sofern das bei diesem Lakaiendienst überhaupt ging –, war die Tatsache, dass die Protestanten in diesem Jahr nicht vom Wetter begünstigt waren. Ostern hatte kein bisschen Frühlingssonnenschein gebracht, und feiner Sprühregen hing in der Luft, während kalte Windböen in die Zeltbahnen fuhren. PJ hätte die Aufgabe nur zu gern den paar Freiwilligen von der Kirchengemeinde überlassen, aber das konnte er nicht. Die Organisatoren hatten einen Antrag auf Verkehrsregelung gestellt und die Gebühren dafür bezahlt. Er gehörte bis siebzehn Uhr ihnen.

Den größten Teil des Vormittags hatte er damit zugebracht, den Lieferverkehr zum Gelände zu regeln und Privatwagen bis zum Tor durchfahren zu lassen, wo die wertvolle Fracht aus ungeliebtem Plunder ausgeladen wurde. Um zwölf Uhr erfolgte über die reichlich improvisierte Lautsprecheranlage unter schrillem Jaulen die Durchsage, dass das Fest nun offiziell eröffnet war. Auf zu Spaß und Spendensammlung!

Stetig kamen Autos oder fuhren wieder weg, doch PJ überließ den Freiwilligen den größten Teil der Verkehrslenkung. Er trat ein wenig von der Straße zurück und stellte sich zum Schutz vor dem Regen unter eine alte Rosskastanie, deren Krone schwer und verwittert über die Mauer hing. Gelegentlich überprüfte er auf seinem Handy, ob eine Nachricht von Linus gekommen war, doch er hatte keinen Empfang. Dieses verdammte Duneen! Er schaltete das Gerät aus und wieder an und starrte hoffnungsvoll auf das kleine Display – nichts. Ärgerlich schob er den Apparat in die riesenhaften Aufsatztaschen seiner Warnweste. Die Regentropfen landeten mit lautem, dumpfem Ploppen auf seiner Uniformmütze. PJ stieß einen langen Seufzer aus.

Dann segelte ein orangefarbener Schirm in sein Blickfeld und wurde etwas höher gehoben.

«Hallo, Sergeant!»

PJ unterdrückte ein Stöhnen. Es waren Susan Hickey und eine andere Frau, die er nicht kannte. Sie trugen beide eine merkwürdige Zusammenstellung aus sturmfester Regenkleidung und bunt gemusterten Kopftüchern, als wollten sie ins Gebirge, um ein bisschen zu gärtnern.

«Freut mich, Sie zu sehen. Schade, das mit dem Wetter», sagte er und hoffte, dass er sich sowohl höflich als auch abschreckend anhörte.

Susan Hickey hatte kein Ohr für Zwischentöne.

«Das ist meine jüngere Schwester, Vera. Sie ist aus dem Moloch zu Besuch da.»

«London», sagte die andere Frau. «Na ja, ein bisschen außerhalb. Kennen Sie England überhaupt?»

PJ fragte sich, warum sie dachte, ein triefnasser

Polizist an einer Straße in Duneen könnte sich darum scheren, wo sie wohnte, doch es gelang ihm, durch zusammengebissene Zähne zu sagen: «Ich weiß, wo es liegt, das reicht mir. Tja, einen schönen Aufenthalt noch.»

Der Schirm bewegte sich nicht.

«Sind ja gerade aufregende Zeiten in Duneen! Als ich klein war, gab's so was nie.»

«Jetzt hör mal, Vera, es war immer eine Menge los im Dorf. Irgendwelche Neuigkeiten, Sergeant, über das ...» Susan unterbrach sich, überlegte, wie sie es ausdrücken sollte. Sie senkte die Stimme, und ihr Mund formte die Worte, als würde sie über eine Geschlechtskrankheit sprechen. «... tote Baby?»

Darauf antwortete PJ in amtlichem Ton: «Die Ermittlungen laufen. Die Gerichtsmedizin wird sicher bald erste Erkenntnisse haben.»

«Ja. Ja, natürlich. Schrecklich, an so ein kleines ...»

«Susan», unterbrach Vera sie. «Der Sergeant hat vermutlich ziemlich viel zu tun. Wir sollten weiter.» Sie lächelte PJ an und schob ihre Schwester in Richtung des Tors.

«Auf Wiedersehen, Sergeant!», tönten ihre Stimmen unter dem orangefarbenen Schirm heraus, der sich wieder gesenkt hatte, sodass die Frauen nicht mehr zu sehen waren.

PJ zog sein Handy aus der Tasche. Immer noch nichts.

Auf der anderen Straßenseite erschienen drei vertraute Gestalten mit kleinen Kartons voller Topfpflanzen. Sie gingen hintereinander wie die drei Weisen aus dem Morgenland mit den Geschenken. PJ wusste trotz der großen Regenkapuzen, die ihre Köpfe verbargen, sofort, dass es die drei Ross-Schwestern waren. Während die beiden anderen zum Pfarrhaus weitergingen, überquerte die Schwester, die das Schlusslicht gebildet hatte, die Straße und kam zu ihm. Es war Evelyn.

«Sergeant Collins.» Sie sah ihn unter dem tropfenden Rand ihrer Kapuze hervor an und lächelte. «PJ. Ich wollte mich nur für gestern entschuldigen.»

«Entschuldigen? Wofür?» Der Duft, den sie trug, frappierte PJ. Sie roch nach Sommer. Eine dünne, feuchte Haarsträhne klebte an ihrer Wange. Sie war wirklich eine sehr attraktive Frau.

«Ich will nicht, dass Sie denken, ich war gestern unfreundlich. Ich fand nur den anderen Polizisten ein bisschen abschreckend, das ist alles.»

PJ grinste leicht. «Ich weiß, was Sie meinen, aber so schlimm ist er gar nicht. Und er versteht sein Handwerk, glaube ich.»

«Ja, aber Sie betrachte ich als Freund, PJ.»

Ihre Blicke trafen sich für einen Moment, und keiner von ihnen wusste, was als Nächstes passieren würde. PJs Herzschlag hatte sich ein wenig beschleunigt.

«Kann ich Ihnen mit dem Karton behilflich sein?», fragte er.

«Danke, es geht schon. Er ist leicht. Es sind nur ein paar Ableger, die Abigail für den Pflanzenstand gezogen hat. Wir hätten viel früher hier sein sollen, aber Abigail hat sich nicht wohlgefühlt. Ich gehe jetzt besser los, um sie einzuholen. Kommen Sie später noch auf einen Sprung zu dem Fest?»

Zu seinem eigenen Erstaunen sagte PJ nicht nur ja, sondern freute sich sogar darauf.

6

Es war zu viel. Die absurd hohen Absätze, das gefärbte, zu einem losen Knoten hochgesteckte Haar, der Lippenstift, die weiße Bluse mit dem großzügigen Dekolleté. Linus war klar, dass sie versuchte, ein Statement abzugeben – das war eine Männerwelt, und sie war eine Frau –, aber hätte es ein einfaches Paar Ohrringe nicht auch getan?

Norma Casey war in der Tat die einzige Frau bei der Kriminaltechnik, und mit neunundvierzig Jahren war sie inzwischen das älteste Teammitglied. Sie hatte sich während ihrer beruflichen Laufbahn früh entschlossen, ihre Weiblichkeit zu zeigen. Mit den Absätzen und dem hochgesteckten Haar fühlte sie sich stark. Sie überragte ihre Kollegen, und wenn sie mit flatterndem weißem Kittel durch die Gänge schritt, wie ein Fahnenträger in die Schlacht, wusste sie irgendwie, dass sie zu Höherem berufen war.

Linus und Norma waren sich erst ein paar Mal begegnet, und zwischen ihnen herrschte gegenseitiges Misstrauen. An diesem Tag allerdings lag zusätzlich eine gewisse Gereiztheit in der Luft. Linus hatte darauf bestanden, dass Norma zu ihm ins Büro kam, damit sie die Untersuchungsergebnisse der DNA-Proben aus Duneen durchsprechen konnten.

«Ich dachte, so ist es einfacher», sagte er, «als sich aus all dem hier», er wedelte mit ihrem akribisch abgefassten Bericht, «einen Reim zu machen.»

Norma biss sich auf die Unterlippe. Einfacher für wen? War es etwa ihre Schuld, wenn er zu blöd war, die Werte zu interpretieren? Sie seufzte.

«Die DNA des Babys passt also zu den Burke-Eltern?»

«Ja.» Das stand ausführlich im ersten Abschnitt ihres Berichts, aber Norma hatte beschlossen, den Superintendent nicht anzublaffen.

«Und bedeutet das, dass Tommy Burke der Vater des Kindes gewesen sein könnte?»

«Der Burke-Sohn?»

«Ja.»

«Nein. Er ist nicht der Vater.»

«Wie können Sie da so sicher sein?»

«Weil die DNA exakt zu einer der Leichen passt, die wir exhumiert haben. Wenn dieser Tommy der Vater wäre, würde nur die Hälfte der Struktur passen. Der Säugling wurde viel früher vergraben als der junge Mann. Das ist Tommy Burkes Bruder. Wir können es nicht genau sagen, aber sie liegen bestimmt nur ein, zwei Jahre auseinander. Er hätte sogar sein Zwilling sein können.»

«Sein Zwilling? Gibt es irgendeine Möglichkeit, das eindeutig nachzuweisen?»

«Nur wenn Sie mir Tommys DNA beschaffen, und selbst dann wäre es nicht eindeutig, falls sie zweieiig und nicht eineiig sind.»

«Okay. Nur damit wir uns genau verstehen: Mrs. Burke hatte zwei Kinder?»

«Ja!» Nun hatte ihn Norma doch angeblafft. Sie stand

auf. «Also, wenn das alles war, ich habe noch einiges zu tun.»

«Natürlich. Danke, dass Sie zu mir rübergekommen sind. Ich bin nicht gerade der Hellste, wenn es um diese Sachen geht.»

«Keine Ursache.» Sie lächelte. Ihm war vergeben worden.

Als Norma gegangen war, ließ er seine Bürotür offen stehen, damit der Geruch ihres Parfüms abziehen konnte, und hängte sich ans Telefon.

Sergeant Sumo ging nicht ran. Er hinterließ eine Nachricht auf der Mailbox. «Hallo, Dunne hier. Ich hätte gern, dass sie feststellen, wie weit die Krankenakten von Mrs. Burke zurückreichen. Versuchen Sie es im Krankenhaus von Ballytorne, bei den Arztpraxen in der Gegend, so was. Lassen Sie mich wissen, wie sie vorankommen.»

Er legte auf und beugte den Kopf tief über den Schreibtisch. Er drehte seinen Ehering am Finger. Ich sollte das Ding wirklich abziehen, dachte er. Aber er mochte es, wie sich der Ring anfühlte.

Er zwang sich, wieder über den Fall nachzudenken. Ein totgeborener Zwilling. Womöglich war es wirklich so einfach. Aber warum war das Baby dann auf einem Feld begraben worden? Bestimmt wäre der Pfarrer gekommen, und das Kind hätte auf dem Friedhof beerdigt werden können. Die Burkes waren ein verheiratetes Paar. Es gab keinen Anlass für Heimlichkeiten oder einen Skandal. Das ergab keinen Sinn.

Er drehte weiter an dem Ehering.

7

Sie hatte noch niemals solche Schmerzen gehabt. Eine kleine Menschenmenge hatte sich um sie gesammelt, als sie zusammengebrochen war, das Gesicht ins nasse Gras gedrückt. Die feuchte Erde an ihrer Wange fühlte sich gut an, und doch krallte sich dieser starke, stechende Schmerz weiter in ihren Rücken.

Sie hörte die Stimmen der Leute.

«Alles in Ordnung, Miss Ross?»

«Möchten Sie ein Glas Wasser?»

«Sollen wir den Krankenwagen rufen?»

Plötzlich nahm sie wahr, dass Florence neben ihr kniete.

«Oh Abigail? Was ist mit dir?» Ihre Stimme schien von weit weg zu kommen, leise und verängstigt.

Abigail wollte antworten, doch die nächste Schmerzwelle sorgte dafür, dass sie nur stöhnen konnte.

Florence stand auf. «Evelyn! Hat irgendjemand meine Schwester Evelyn gesehen? Evelyn!» Sie kreischte jetzt geradezu.

«Sie hat da hinten mit dem Sergeant Tee getrunken.»

«Können Sie sie bitte holen? Bitte gehen Sie und holen Sie sie her!»

Eine junge Frau in Gummistiefeln rannte unbeholfen in Richtung der Plastiktische, während Florence ihrer Schwester über den Rücken rieb und beruhigende Geräusche machte, als würde sie sich um ein verletztes Tier am Straßenrand kümmern.

Evelyn und PJ hatten ihren Tee ausgetrunken, und sie zeigte ihm Handyfotos von Bobby. Über den niedlichen Hund musste man einfach lächeln, und PJ gefiel es zudem, wie sich ihre Finger berührten, als sie das kleine Handy hin- und herreichten.

Evelyn sah die aufgeregte Frau beim Pfarrhaus um die Ecke kommen und fragte sich, was los war. Dann begriff sie, dass die Frau direkt auf ihren Tisch zurannte. Sie konnte gerade noch «PJ ...» sagen, weil sie annahm, der Notfall hätte etwas mit dem Polizisten zu tun, als die Frau ausrief: «Evelyn Ross! Ihrer Schwester geht es sehr schlecht. Sie braucht Hilfe.»

«Oh Gott, oh Gott.» Evelyn sprang auf und sah nach rechts und links, als würde sie nach einer Erklärung für das suchen, was diese Frau gesagt hatte.

Die junge Botin hatte schon wieder kehrtgemacht. «Sie ist vor dem Haus.» Evelyn und PJ rannten ihr nach.

Als sie zu der Gruppe kamen, die sich vor dem Limonadenstand gesammelt hatte, sah Evelyn ihre beiden Schwestern auf dem Boden. Ihr wurde flau. PJ hielt sich etwas zurück, er versuchte sein Keuchen zu verbergen. Diese Sache gefiel ihm nicht.

Florence sprang auf die Füße. «Oh Evelyn. Abigail ..., sie hat schreckliche Schmerzen. Wir brauchen einen Krankenwagen.» Evelyn drehte sich zu PJ um. Sie war überzeugt, dass er wissen würde, was zu tun war.

So, wie sie ihn jetzt ansah, das hatte er früher gedacht, wäre es im Leben eines Polizisten ständig. Er setzte seine Uniformmütze wieder auf, er war einsatzbereit.

«Wollen Sie wirklich auf einen Krankenwagen warten? Das könnte lange dauern. Der Einsatzwagen steht direkt unten an der Brücke, und mit der Sirene könnten wir in ungefähr zwanzig Minuten mit ihr im Krankenhaus sein.»

Evelyn schaute Florence fragend an. «Oh Sergeant, das wäre großartig», sagte diese. «Vielen, vielen Dank.»

«Danke, PJ», fügte Evelyn hinzu. Er fühlte sich, als hätte sie ihm gerade «Mein Held!» ins Ohr gegurrt.

Er betrachtete Abigail. Sie versuchte, in langen, langsamen Zügen zu atmen. «Miss Ross, möchten Sie lieber auf den Krankenwagen warten?»

Abigail hob ihren Arm und winkte mit der Hand, als würde eine unsichtbare Sockenpuppe «Nein» sagen.

«Also dann.» Er wandte sich an ihre Schwestern. «Sorgen Sie dafür, dass sie nicht friert. Ich bin in fünf Minuten zurück.»

Die Fahrt verlief rasant, doch wie versprochen, brachte PJ sie in weniger als zwanzig Minuten zum Krankenhaus. Nun saß er mit Evelyn und Florence auf orangefarbenen Kunststoffstühlen, die in einer Reihe vor der kleinen Notaufnahme standen, in der Abigail untersucht wurde. Drei Styroporbecher mit milchigem Tee waren geholt worden. Evelyn und ihre Schwester machten sich Vorwürfe, weil sie es nicht ernst genommen hatten, als Abigail gesagt hatte, sie fühle sich nicht gut; wenn sie nur zum Arzt gegangen wäre, sagten sie. Ihr sorgenvolles Gespräch drehte sich immer wieder im Kreis, und PJ ließ seinen Blick umherschweifen.

Der Flur, in dem sie saßen, wurde von einer grünen Schwing-Doppeltür unterteilt, die keinen ersichtlichen Zweck erfüllte. Die zartgelben Wände waren zum größten Teil kahl, abgesehen von ein paar Gemälden, die von dankbaren Patienten gespendet worden waren, wie PJ annahm. Zweisprachige Hinweisschilder aus Kunststoff verwiesen auf die unterschiedlichen Abteilungen des Krankenhauses. Gelegentlich ging eine Krankenschwester vorbei, deren Schuhe auf dem hellgrünen Linoleum quietschten. Die einzigen Stimmen, die zu hören waren, kamen gedämpft von irgendwo aus der Entfernung. Das gesamte Gebäude schien auf die nächste Hiobsbotschaft zu warten.

Abrupt unterbrach ein lautes, elektronisches Piepen die angespannte Atmosphäre. PJ wurde bewusst, dass es von seinem Handy kam, und fragte sich, ob es im Krankenhaus so war wie im Flugzeug. Konnte sein Handy die Funktion lebensrettender Geräte stören? Auf dem Display wurde eine neue Nachricht gemeldet. Während er die Mailbox abhörte, ruhte sein Blick auf den beiden Schwestern. Sie unterhielten sich nicht mehr. Evelyn starrte auf ihre Schuhe, während Florence die Tür der Notaufnahme fixierte. Sie sah aus wie ein Hund, der vor einem Laden angebunden worden war.

Als PJ hörte, was Linus wollte, konnte er es kaum glauben. Also gab es doch einen Plan für seine kleine Existenz; er glaubte nicht an solche wundersamen Zufälle. Er brauchte Krankenakten, und er saß im Krankenhaus. Er beugte sich zu Evelyn und flüsterte: «Ich habe ein bisschen was zu tun. Es dauert vermutlich nicht lange. Danach komme ich wieder her.» Sie nickte, und er ging zurück zum Empfang, begleitet von dem Quietschen seiner Schuhe.

Er wurde in den ersten Stock geschickt, wo sich ein paar Büroräume befanden. Etwas außer Atem vom Treppensteigen öffnete er behutsam die Tür. Eine Frau Anfang sechzig, deren Brille den größten Teil ihres Gesichtes verdeckte, saß an einem Schreibtisch und tippte rasend schnell auf ihrer Computertastatur. PJ räusperte sich, und sie sah mit einem knappen Lächeln auf.

«Was kann ich für Sie tun?»

«Ich suche im Zusammenhang mit einer Ermittlung nach Krankenakten. Könnten Sie mir da helfen?»

«Verstehe. Das sollte möglich sein, aber alles hängt davon ab, nach welchen Jahren sie suchen. Manches haben wir im Computer, dann gibt es die Mikrofiches dadrüben», sie deutete auf zwei große Aktenschränke, «und was älter ist, wird im Keller aufbewahrt.»

«Also, es geht um …» PJ tastete nach seinem Notizbuch. «Könnte ich mich vielleicht setzen?»

«Natürlich. Bitte.» Die Frau wies auf einen klobigen Stuhl mit hölzernen Armlehnen neben ihrem Schreibtisch.

«Danke.» Er setzte sich und blätterte, vor sich hin murmelnd, durch die vollgeschriebenen Seiten. «Neunundzwanzig, als er verschwand. Geboren wurde er … 1966.» Er wandte sich an die Frau. «Ich suche nach dem Jahr 1966. Es geht um eine Frau, die draußen in Duneen gewohnt hat. Eine Mrs. Burke.» Er blätterte weiter. «Patricia Burke.»

Die Frau stand auf. «Also, wenn wir überhaupt etwas haben, ist es im Keller.»

«Es tut mir leid, Ihnen Umstände zu machen.»

«Keine Ursache.» Sie nahm einen großen Schlüsselbund von dem Fensterbrett hinter dem Schreibtisch und beugte sich durch die Verbindungstür zum nächsten Büro. «Ich bin auf einen Sprung im Archiv, Trish. Kannst du ans Telefon gehen?»

«Ja!», rief eine Frauenstimme.

PJ folgte der Verwaltungsangestellten in den Flur und dann über die Treppe zwei Stockwerke nach unten. Sie ging schnell, ihre Absätze klopften ein hastiges Stakkato auf die Stufen. PJ versuchte so schwerfällig wie vergeblich, mit ihr Schritt zu halten.

Das Archiv war größer, als er erwartet hatte, an allen vier Wänden standen Regale mit Aktenkästen. Eine weitere Regaleinheit unterteilte den Raum in der Mitte. Weil er fürchtete, nicht in den schmalen Zwischenraum zu passen, blieb PJ an der Tür stehen. Er wünschte, er hätte nach dem Namen der Frau gefragt, aber jetzt war es zu spät für eine Vorstellungsrunde. Sie war ohne Zögern in die rechte hintere Ecke gegangen und hielt ihre Brille fest, während sie auf das Etikett vor ihrer Nase spähte.

«Wenn wir sie haben, ist sie hier drin.»

Sie zog den Kasten aus dem Regal und ließ ihn schwer auf den Boden fallen. Dann kniete sie sich daneben und schnippte durch die Krankenakten. PJ wartete verlegen, es war ihm peinlich, dass diese Frau nun auf Händen und Knien seine Bitte erfüllte. Nach ein paar Minuten zog sie schwungvoll eine Krankenakte aus dem Kasten.

«Da ist sie!»

«Verblüffend!», und PJ war wirklich verblüfft. Dieser Fall bestand nur noch aus Sackgassen, also war es ein echtes Novum, tatsächlich einmal etwas zu finden.

«Ich kann sie Ihnen nicht mitgeben, aber Sie können oben Kopien machen, wenn Sie welche brauchen.»

«Danke», sagte er und nahm die Akte, die sie ihm entgegenstreckte. Während er sie aufschlug, räumte die Frau den Kasten zurück in das Regal.

Er wusste nicht, wonach er eigentlich suchte, also sah er sich zuerst die letzten Seiten der Akte an. Dort standen mehrere Zahlenkolonnen, die PJ für Blutdruckwerte oder Gewichtsangaben hielt. Die Schrift war vollkommen unleserlich. Unten auf der Seite prangte ein großer roter Stempelabdruck. *Kopien verschickt*, stand da.

«Was bedeutet das?», fragte er und hielt den Hefter hoch.

«Zeigen Sie mal.» Sie nahm die Krankenakte und stellte sich damit unter eine der nackten Glühbirnen, die von der Decke herabhingen.

«Das bedeutet einfach, dass die originale Krankenakte kopiert wurde. Aber warum?» Sie hielt die Seite hoch, damit mehr Licht darauffiel. «Sie wurde hier von Dr. Murphy behandelt, war schwanger, aber es scheint so, als hätte sie sich zu einem Arzt oben in Cork überweisen lassen. Einem Dr. Phelan, so entziffere ich es jedenfalls, aus dem Bons in der College Road.»

PJ nahm seinen Stift und begann, sich Notizen zu machen.

«Dr. Phelan vom Bon Secours Hospital?»

«Ja, von der Geburtshilfestation.»

«Großartig. Vielen Dank, dass Sie mir so geholfen haben.» Er wollte ihr die Hand geben, doch dann überlegte er es sich anders. Leider hatte sie seine Bewegung mitbekommen und streckte nun selbst die Hand aus. Aus dem verunglückten Handschlag wurde ein seltsames Winken in Hüfthöhe.

«Verzeihung.»

«Verzeihung.»

«Ich muss jetzt...»

«Ja, natürlich.»

PJ öffnete die Tür und schloss sie mit einem letzten «Danke noch mal» hinter sich.

Als er wieder in den Flur vor der Notaufnahme kam, warteten die Ross-Schwestern auf ihn. Abigail war auf eine Station gebracht worden. Der Arzt meinte, ihre Beschwerden würden vermutlich von Nierensteinen verursacht, also würden sie Abigail dabehalten, bis feststand, ob ihr Körper sie von allein ausschied. Abigails Schwestern waren erleichtert, dass es nichts Schlimmeres war. Sie lächelten PJ an und flachsten darüber, welche von ihnen nun die Gartenarbeit übernehmen musste.

Zu dritt schlenderten sie durch das Krankenhaus zurück zu dem Parkplatz. Die Situation erinnerte PJ an seine Schulzeit. Sie verließen das Gebäude durch eine Seitentür, eine Abkürzung zum Einsatzwagen. Schön konnte man diesen Weg ganz und gar nicht nennen; es ging vorbei an Öltanks und so etwas wie einer Abfallpresse.

Weiter vorn, kurz vor der Gebäudeecke, küsste sich an der hellen Kieselputzmauer ein junges Paar. Sie war eindeutig eine Krankenschwester, ihr langes, dunkles Haar hatte sich aus ihrer Frisur gelöst. Der Mann schob sie an die Mauer und ließ seine Hände über ihren Rücken gleiten. Als PJ näher kam, fiel ihm auf, dass der Mann in Wirklichkeit gar nicht so jung war. Er hatte Geheimratsecken und Falten um die Augen. Das Liebespaar schien nichts von dem Trio mitzubekommen, das vorbeilief.

Als er die Autoschlüssel aus der Tasche zog, drehte sich PJ noch einmal zu dem küssenden Paar um. Dieser Mann. Er kam ihm bekannt vor. Wer war das? Das musste ihm doch einfallen ... und dann, mit einem Schlag, erinnerte er sich. Er wusste genau, wer diese junge Krankenschwester hinter dem Krankenhaus von Ballytorne an die Wand drückte. Es war Anthony Riordan.

8

Das Fest war schon seit Stunden zu Ende. Die Autos und die Menschenmenge waren längst verschwunden, und durch die verlassenen Zelte sah es in der Dämmerung aus, als wäre der Pfarrhausgarten mit Tüchern verhängt worden, damit er nicht verstaubte. Die niedrige graue Bewölkung des Nachmittags hatte einem klaren, sternenübersäten Abendhimmel Platz gemacht. Der beinahe volle Mond schien so hell und wirkte so nah, dass es aussah, als wäre er mit Zucker bestreut worden. PJ machte Evelyn und Florence darauf aufmerksam, als er sie den Hügel hinunter nach Duneen fuhr.

Er parkte vor dem O'Driscoll's, wo die Schwestern ihr Auto abgestellt hatten. Sobald der Motor ausgeschaltet und die Türen geöffnet worden waren, umhüllte sie die Abendstille. Einen Moment lang rührte sich niemand, dann sagte Florence leise: «Ich danke Ihnen wirklich sehr, Sergeant Collins. Sie waren ein Lebensretter.» Sie lachte kurz. «Wirklich, das waren Sie.» Dann stieg sie aus und warf die Tür zu.

Evelyn saß immer noch auf dem Beifahrersitz.

«Wir wissen das wirklich alles sehr zu schätzen.» Sie legte ihm die Hand auf den Arm. «Danke.»

PJ senkte den Blick zu ihrer blassen Hand auf dem dunklen Ärmel seiner Uniform. Als er wieder aufsah, neigte ihm Evelyn ihr Gesicht zu. Sie küsste ihn schnell auf die Wange. Er spürte es mit jeder Faser. Die leichte Klebrigkeit ihres inzwischen verblassten Lippenstifts, die zarte Haut ihrer Nase an seiner Wange, die feine Berührung ihres Haares neben seinem Auge. Sie zog sich zurück und lächelte. «Gute Nacht, PJ.» Rasch schlüpfte sie aus dem Auto und folgte ihrer Schwester in die Dunkelheit.

PJ saß einen Moment da und wusste nicht recht, was er von der Situation halten sollte. War sie einfach nur freundlich zu ihm, oder hätte er sie an sich ziehen und ihr die Zunge in den Mund schieben sollen wie dieser Riordan bei der Krankenschwester? Nein. Ganz gleich, was er hätte tun sollen, es wäre falsch gewesen. Sie war zu empfindlich, zu zart für so ein Verhalten. Hätte er vielleicht die Hand ausstrecken und ihr übers Gesicht oder das Haar streichen sollen? Er seufzte schwer. Ein anderer Mann hätte das tun können. Er nicht.

Das Steuer als Hebel nutzend, manövrierte er sich aus dem Wagen und richtete sich auf. Er brauchte Milch, und auf Mrs. Meany konnte er sich nicht mehr verlassen. Sie bekam es wirklich nicht mehr auf die Reihe. Ganz gleich, was mit ihr nicht stimmte, er hoffte, sie würde in den Ruhestand gehen, bevor er sie kündigen musste.

Der Laden der O'Driscolls war hell erleuchtet, Kundschaft war keine da. Er nickte der jungen Frau hinter der Theke – wieso konnte er sich ihren Namen einfach nicht merken? – zu und ging zu den Kühlregalen hinten im Laden. Er begutachtete die gelbrötlichen Käsestücke und den eingeschweißten blassrosa Schinken. Nein, nur Milch. Wenn Mrs. Meany kein Abendessen vorbereitet hatte, waren noch Eier und Brot da. Er würde schon nicht verhungern. Eine Literpackung Milch in der Hand, ging er zurück zu ... Petra! Das war es!

Als er an der Theke ankam, bezahlte gerade eine Kundin zwei Packungen Kekse. Zu spät, um sich wieder zurückziehen zu können, erkannte er, dass es Brid Riordan war. Sie lächelte ihn herzlich an, aber er vermutete, sie hätte sich womöglich hinter den Regalen mit den Reinigungsmitteln und dem Toilettenpapier versteckt, wenn sie ihn zuerst gesehen hätte.

«PJ.»

«Brid.»

«Alles klar? Irgendwelche Fortschritte?», fragte sie, während sie ihre Hand ausstreckte, um das Wechselgeld von Petra zu nehmen.

PJ konnte nur an ihren Ehemann denken, der seine Hüften an dieser jungen Krankenschwester gerieben hatte. Sollte er etwas sagen? Sie hatte doch wohl ein Recht darauf, es zu wissen. Er öffnete den Mund. «Nein. Nein.» Er hielt inne. «Wie geht es Anthony?»

Die Worte hingen in der Luft, und er wusste, dass diese Frage ein Fehler gewesen war. Was hatte er sich nur dabei gedacht? Sie starrte ihn an, offenkundig vollkommen perplex. Warum fragte er sie nach ihrem Ehemann?

«Es ... geht ihm gut.»

«Und die Kinder?» PJ hatte gedacht, damit könnte er diese missglückte Unterhaltung ein wenig aufbessern, doch das funktionierte nicht. Brid schnappte sich ihre Kekse und trat von der Ladentheke zurück.

«Denen geht es auch gut.» Hatte sie gerade die Augen verdreht?

PJ stellte die Milchpackung auf die Theke. «Das ist schön. Sehr schön.»

Brid wandte sich zum Gehen und sah ihn kühl an. «Übrigens, du hast da ein bisschen Lippenstift im Gesicht.»

Wie bei einem übergewichtigen Chamäleon in einer Polizeiuniform verfärbte sich sein Gesicht in den Ton der roten Phantomlippen auf seiner Wange.

Zurück bei der Polizeiwache, hatte er den Eindruck, es sei niemand da, doch als er die Haustür öffnete, sah er einen Lichtschimmer aus der Küche. Seltsam. Mrs. Meany hatte wohl eine Lampe brennen lassen. So konnte das wirklich nicht mehr lange weitergehen. Er durchquerte den Flur und schob die Küchentür auf.

«Du liebe Güte!»

Eine schmale Gestalt saß gebeugt am Tisch, das einzige Licht kam von der kleinen Lampe über dem Herd.

«Entschuldigen Sie, Sergeant. Ich bin's nur.»

«Mein Gott, Mrs. Meany, sie haben mir einen richtigen Schrecken eingejagt!»

«Tut mir leid. Ich habe auf Sie gewartet. Ich muss mit Ihnen sprechen.» Ihr Ton war leise und ernst.

«Verstehe. Natürlich.» PJ zog einen der Holzstühle vom Tisch zurück und setzte sich. Ganz gleich, worüber sie reden wollte, es war bestimmt nichts Gutes. Krebs vielleicht? Demenz?

«Was gibt's?»

Mrs. Meany blickte auf. Sogar in dem schwachen Licht der Lampe über dem Herd sah er, dass sie geweint hatte.

«Ich hätte Ihnen das schon längst erzählen sollen, aber ich ... ich konnte es einfach nicht.»

«Also.» PJ legte seine Hände auf den Tisch und wappnete sich für das, was auch immer sie zu sagen hatte.

Und Mrs. Meany war bereit, ihre Geschichte zu erzählen.

Ihr Taufname war Elizabeth, aber schon seit sie ein paar Stunden alt gewesen war, hatte sie jeder nur Lizzie genannt.

«Sieh sie dir an. Lizzie, die hat uns der Himmel geschickt.» Die Meanys hatten nicht geglaubt, dass sie noch mit einem Kind gesegnet werden würden, und als Lizzie klein war, hatte es ein paar Mal so ausgesehen, als wollte sich Gott sein Geschenk wieder zurückholen. Sie konnte kaum Nahrung bei sich behalten und war klein und kränklich. Sie war ein Einzelkind und wohnte mit ihren Eltern in einem gemieteten Bungalow im Westen des Dorfes. Ihr Vater war Brunnengräber wie sein Vater vor ihm. Ihre Mutter kümmerte sich um alles andere.

Lizzie schloss nicht leicht Freundschaften, doch als sie im Internat in Ballytorne war, hatte sie zwei beste Freundinnen: Fiona und Angela. Fiona war die Hübscheste in ihrem Trio, Angela die Pummelige und Lizzie der Kümmerling, eins dieser Mädchen, deren Nasenflügel von der Erkältung, die gerade kam oder gerade vorbei war, immer rot und aufgescheuert waren.

Die drei Mädchen saßen in der Schule nebeneinander, aßen zusammen auf einer Bank unter der Überdachung der Fahrradständer ihre Pausenbrote und teilten all ihre Geheimnisse. Sie machten sich gegenseitig Frisuren und klebten ihre Sammelalben mit Pferdebildern voll. Als die Pubertät kam und sie langsam zu Frauen wurden, verglichen sie ihre knospenden Brüste, zeigten sich die BHs, die ihre Mütter ihnen gekauft hatten, und als die gefürchtete Periode einsetzte, halfen sie einander mit Binden aus. Sie waren sich näher als Schwestern und schworen sich ewige Freundschaft.

Doch so sollte es nicht kommen. Fiona, wer auch sonst, hatte bald einen Freund. Angela und Lizzie waren entsetzt. Es war ein großer, magerer Junge vom Christian Brothers College, der mit seiner pickligen Haut und dem fettigen Haar nicht die geringste Ähnlichkeit mit Paul Newman hatte, in den Fiona vorher unsterblich verliebt gewesen war. Das Ende ihres Dreigestirns war besiegelt, als Fiona die anderen beiden als Babys beschimpfte und zu einer Verabredung mit ihrem geliebten «Ger» und den anderen Pärchen stürmte, die sich in der kurzen Gasse hinter der Bücherei trafen. Jeder wusste, dass man sich dort verabredete, um zu «knutschen». Schon bei dem Wort grinste Lizzie verächtlich, aber in Wahrheit hatte sie keine Ahnung, was es bedeutete.

Die sechziger Jahre waren eine sonderbare und verwirrende Zeit für pubertierende Mädchen in Ballytorne: Zeitschriften und Filme führten ihnen eine Welt voll langhaariger Jungs in engen Jeans vor, die den Rock 'n' Roll lebten, doch weder das eine noch das andere war in ihrer Stadt zu finden. Es gab zwar den Stella Ballrooom auf der anderen Seite von Ballytorne, aber dorthin gingen nur alte Bauern, die mit ihren Fahrrädern von den Hügeln kamen, um Country-and-Western-Bands mit Namen wie The Haymakers oder The Country Cousins zu hören.

Angela und Lizzie mussten sich mit neuen Sammelalben behelfen, die Pferdebilder wurden durch Ausschnitte von den Beatles und Cliff Richard ersetzt. Lizzie fand, dass Cliff wirklich toll aussah. Ab und zu malte sie sich aus, wie sich seine weichen, vollen Lippen auf ihre drückten.

Brian Bello and the Diamond Dust Band war Angelas Entdeckung. Ihre ältere Schwester, Alison, arbeitete bei einer Bank oben in Cork und ging an einem Samstagabend zu einem ihrer Konzerte ins Majestic. Danach hatte sie eine LP von ihnen mit nach Hause gebracht, und Angela bettelte darum, die Platte ausleihen zu dürfen, um sie auch Lizzie zeigen zu können. Beim ersten Blick auf das Album-Cover mit Brians Foto waren sie in ihn verliebt. Es war eine Nahaufnahme seines Gesichts, das von seinen dunklen Locken umrahmt wurde, und seine blauen Augen sahen sie direkt an. «Ich wünschte, ich hätte solche Wimpern!», kreischten sie, und dann deutete Angela auf das kleine Büschel Brusthaar, das gerade noch in seinem weit aufgeknöpften Hemdenausschnitt zu sehen war. Abwechselnd küssten sie seinen wunderschönen Mund und kugelten sich anschließend mit schrillem Gelächter auf Lizzies Bett, weil das alles so lächerlich war. Die Musik war vollkommen unwichtig, denn ganz egal, wie sie sich anhörte, die Mädchen würden sie auf jeden Fall unheimlich gut finden.

Es war Lizzie, die über die wahnsinnig aufregende Neuigkeit stolperte, dass Brian Bello zusammen mit seiner Diamond Dust Band im Stella Ballroom auftreten würde. Als sie das Plakat sah, von dem herunter der schöne Brian sie anschaute, blieb sie wie erstarrt stehen. Sie musste die Ankündigung wenigstens zwei Mal lesen, bevor sie ganz begriffen hatte, was da stand. Brian Bello, der leibhaftige Brian Bello, kam nach Ballytorne!

Lizzie rannte, so schnell sie konnte, zurück ins Internat. Sie entdeckte Angela in den Waschräumen, wo sie sich zum Camogie-Hurling umzog.

«Doch! Es stimmt. Nicht nächsten Samstag, sondern übernächsten!»

«Da müssen wir hin. Wir müssen einfach!» Kreischend fielen sie sich in die Arme. Sie würden die gleiche Luft atmen wie Brian Bello!

Dies war jedoch einfacher gesagt als getan. Sie brauchten Eintrittskarten, und dafür brauchten sie Geld, außerdem mussten sie irgendwie zum Stella Ballroom kommen, also würden sie jemanden finden müssen, der sie fuhr, und natürlich hing das Ganze davon ab, ob sie die Erlaubnis ihrer Eltern bekamen.

Lizzies Mutter und Vater sahen eine völlig neue Seite an ihrem kleinen Mädchen. Ihre Tochter war so aufgeregt und begeistert und wollte so unheimlich gern etwas mit ihrer Freundin Angela unternehmen. Dieser Brian-Bello-Typ sah stockschwul aus, aber die Mädchen waren ja noch halbe Kinder. Die Eintrittskarten wurden als vorgezogenes Geschenk zum sechzehnten Geburtstag gekauft, und es wurde vereinbart, dass Lizzie bei Angela, die näher an Ballytorne wohnte, übernachten sollte und dass Angelas Vater die beiden zu dem Konzert fahren und danach wieder abholen würde.

Zwei Wochen lang konnten die Mädchen über nichts anderes mehr reden. Blusen wurden begutachtet und abgelehnt, Röcke anprobiert und aussortiert. Bilder mit Frisuren wurden geprüft, und bei der Vorstellung, dass sie sich schminken würden, fingen sie an zu kichern. Es wurde immer schwerer, einzuschlafen, und am Freitag war es schließlich beinahe unmöglich.

Als endlich Samstag war, kam Lizzie fertig zum Treffen mit ihrem Idol bei Angela an. Sie trug einen schwarzen Rock, eine neue, zitronengelbe Bluse mit kurzen Ärmeln, und über ihren Schultern lag eine weiße Mohair-Strickjacke, die sie sich von einem Mädchen aus ihrer Klassenstufe geliehen hatte. Im letzten Moment hatte ihre Mutter nachgegeben und sie ihre hochhackigen schwarzen Pumps anziehen lassen. Als Angelas Mutter ihr die Haustür öffnete, lächelte sie beim Anblick der kleinen Frau, die vor ihr stand. Ihre eigene Tochter trug ein Kleid, das sie am Nachmittag gekauft hatten. Es war ein marineblaues Tellerrock-Gebilde mit einem abstrakten Muster aus roten und weißen Dreiecken. Es war heruntergesetzt gewesen, und Angela fand es hinreißend. Ihre Mutter sagte lieber nichts von ihrem Verdacht, der niedrige Preis könnte etwas damit zu tun haben, dass es aussah wie aus einer zerschnittenen Union-Jack-Flagge genäht. Vor dem Aufbruch erbarmte sich Angelas Mutter und ließ Lizzie ihren roten Lippenstift benutzen und sich mit einem kleinen Spritzer aus ihrem Shalimar-Flakon besprühen. Dann wurden mit dem großen, schweren Fotoapparat, der seinen Platz unten in der Anrichte hatte, ein paar Bilder gemacht, und anschließend brachen sie auf.

Vor dem Stella drängte sich schon eine ziemlich große Menge, als sie ankamen. Angelas Vater drehte sich zu den beiden Mädchen auf dem Rücksitz um. Lizzie mochte den Geruch seines Haaröls.

«Also, die Damen. Hier ist ein Pfund, damit ihr euch

einen Saft und Kartoffelchips kaufen könnt oder was auch immer. Achtet darauf, dass sie euch richtig herausgeben. Redet nicht mit fremden Leuten, hier treibt sich wer weiß wer rum, und ab halb zehn warte ich hier draußen auf euch.»

«Oh Dad...», bettelte Angela.

«Halb elf. Ich weiß, dass es dann noch nicht vorbei ist, aber bis dahin haben eine Menge Jungs eine Menge getrunken, und ich will nicht, dass ihr länger bleibt. Haben wir uns verstanden?»

Die Mädchen nickten.

«Was würden Mr. und Mrs. Meany sagen, wenn sie denken müssten, ich passe nicht auf ihre wertvolle Tochter auf?» Er lächelte übers ganze Gesicht. «Amüsiert euch, Mädchen. Ihr seht alle beide umwerfend aus!»

Angela und Lizzie grinsten vor Stolz und stiegen aus. Einen Moment blieben sie stehen und sahen der letzten Verbindung zu ihrer vertrauten Welt beim Wegfahren nach.

Jungs in dunklen Anzügen standen in Grüppchen zusammen und rauchten. Gelegentlich gab es eine kleine Rempelei, oder sie veralberten sich gegenseitig. Die Mädchen, die schon da waren, wirkten sehr erwachsen. Sie rauchten ebenfalls und unterhielten sich ernsthaft, wenn auch gelegentlich ein Blick auf die Jungs geworfen wurde, um festzustellen, ob die Jungs zu ihnen herübersahen. Das taten sie nicht. Aus dem Gebäude schallte Musik heraus.

«Das müssen die Marker's sein», verkündete Angela wissend. «Sie treten zuerst auf. Sollen wir reingehen?»

Lizzie nickte nur. Ihre Aufregung hatte sich in Ängstlichkeit verwandelt. Von den Leuten, die hier herumstanden, gefiel ihr überhaupt niemand. Sie hielt ihre Mohair-Strickjacke am Hals zusammen und folgte Angela in die große Vorhalle aus Holz, die nachträglich an den langen, niedrigen Festsaal angebaut worden war. Eine Frau mit streng zurückgenommenem Haar, die Lizzie aus der Bäckerei kannte, riss ohne jedes Lächeln ihre Eintrittskarten durch, und dann gingen sie auf die großen hölzernen Doppeltüren zu. Durch die Milchglasscheiben waren farbige Lichtreflexe zu sehen.

Als sie die Türflügel aufdrückten, wurden die Mädchen vollkommen von dem überwältigt, was sie erwartete. Dichter Zigarettenrauch hing über der überschaubaren Menge, die in Gruppen auf der Tanzfläche zusammenstand. Die Leute wiegten sich ein bisschen von einer Seite zur anderen, aber bis jetzt tanzte noch niemand richtig. Die Musik war lauter, als es eine von ihnen je gehört hatte, und sie konnten nicht einmal erkennen, wer am anderen Ende des Saals auf der Bühne stand, weil sich die zuckenden blauen und roten Lichter mit dem dichten Rauch mischten. Die größte Gruppe stand rechts von ihnen. Dort war die Bar. Angela deutete hin und ging los. Lizzie folgte ihr.

Dann standen sie mit je einer kleinen Flasche Deasy's roter Limo, aus denen Trinkhalme ragten, etwa in der Mitte des Saals zusammen an der Wand. Mit großen Augen starrten sie einfach die Leute an, die vorbeikamen, waren viel zu überwältigt zum Sprechen. Es war erst zwanzig nach acht, und die Barfrau hatte ihnen erklärt, dass Brian Bello und nicht zu vergessen der Diamond Dust nicht vor halb zehn auftreten würden. Den Marker's waren inzwischen die neuen Songs ausgegangen, und sie spielten eine Auswahl populärer Hits von englischen und amerikanischen Bands. Als sie die vertrauten Melodien hörten, entspannten sich die Mädchen, und sie begannen, sich ein bisschen hin- und herzuwiegen, und lächelten sich an. Lizzie fühlte sich unheimlich mutig, als sie ganz allein wieder an die Bar ging, um noch zwei Limos zu kaufen.

Als die Marker's ihren Auftritt beendet hatten, kam ein sehr großer, dünner Mann mit einem länglichen Gesicht, das durch seine langen, buschigen Koteletten noch länger wirkte, auf die Bühne, um die Gewinner der Tombola auszurufen. Die Preise bestanden aus einem Trockenblumen-Arrangement, das Ballytorne Blooms gestiftet hatte, und einem gekochten Schinken von O'Keefe's. Was davon der erste Preis war, wurde nicht bekanntgegeben. Eine Frau, die in Lizzies und Angelas Nähe stand, gewann den großen Korb, in dem sich anscheinend hauptsächlich getrocknete Gräser befanden. Als sie damit zurückkam und den Korb hinter sich auf eine der hohen Fensterbänke schob, schubsten sich die Mädchen kichernd an. Lizzie ließ mit ihrem Trinkhalm die Limonade blubbern.

Bis halb zehn hatte sich das Publikum verdreifacht, und es herrschte Gedränge. Der Geruch von Schweiß und billigem Parfum, gemischt mit Zigarettenrauch, stand in der Luft. Als ihnen klarwurde, dass Brian bald auftreten würde, sie aber die Bühne überhaupt nicht sehen konnten, nahm Angela Lizzie an der Hand und zog sie durch die Menge in Richtung der Bühne. Etwa in der dritten Reihe blieben sie stehen. Die Bühne wurde von einer Gruppe junger Frauen belagert, die eindeutig nicht aus Ballytorne kamen. Ihre Haare waren zurückgekämmt und gelackt, sie trugen ärmellose Kleider und klangen, als wären sie aus der Großstadt. Angela und Lizzie kamen wortlos überein, dass sie weit genug vorn waren.

Nach wenigen Minuten wurden die größten Scheinwerfer abgeschaltet, und blaue und rote Lichtblitze pulsten durch den Rauch. Die Frauen ganz vorn begannen zu kreischen wie die Mädchen, die Lizzie schon in Filmen gesehen hatte. In dem dichten Rauch auf der Bühne konnten sie Gestalten ausmachen, die ihre Plätze hinter dem Schlagzeug und den Mikrophonen rechts und links einnahmen. Die Diamond Dusts waren eingetroffen. Mit dumpfem Hämmern setzte das Schlagzeug ein, dicht gefolgt von dem ohrenbetäubenden Klang der elektrischen Gitarren. Lizzie spürte, wie die Musik durch ihre Knochen vibrierte. Das Kreischen der jungen Frauen war lauter und höher geworden. Angela drückte Lizzies Hand. Das war es!

Ein weißer Scheinwerfer tauchte die Bühne in Helligkeit, und dann war er da, stand nur ein paar Meter vor ihnen. Sie schnappten nach Luft, und auf einmal stimmten sie in das Gekreische ein. Es war die einzige Art, auf die sie ihre Begeisterung ausdrücken konnten. Er sah sogar noch besser aus als auf den Bildern. Ja, er war kleiner, als sie gedacht hatten, aber unheimlich schlank. Er trug einen hellgrauen Anzug mit Röhrenhosen. Sein Hemd war weiß, und seine schmale Krawatte war rot. Er strich sich die Haare aus der schon verschwitzten Stirn, und dann knöpfte er mit einer einzigen, fließenden Bewegung sein Jackett auf, sodass man einen dünnen Ledergürtel in Farbe seiner Krawatte sah. Die Schar seiner weiblichen Fans begann vor Euphorie herumzuhüpfen, und Angela und Lizzie machten mit. Es war ein großartiges Gefühl. So wild und aufregend. Keine von ihnen hatte jemals so etwas erlebt.

Nach drei Songs war Lizzie ein bisschen heiser, aber das war ihr egal. Sie trank den letzten Schluck von ihrer Limo, zögerte nur einen winzigen Moment ... und ließ die Flasche auf den Boden fallen. Das war verrückt und toll, und sie war noch nie im Leben so glücklich.

Inzwischen tanzte die ganze Menge, und sie bekam mit, dass sie näher an die Bühne geschoben wurde. Sie wurde geradezu in die Gruppe der jungen Frauen hineingedrückt, und ihr war sehr warm. Zu warm. Ihr Blick verschwamm ein bisschen, und sie fühlte sich ... sie wusste es selbst nicht. War ihr schwindelig? Wurde ihr schlecht? Zu spät wurde ihr klar, dass sie hinfallen würde. Sie streckte den Arm nach Angelas Hand aus, aber sie war nicht da. Die Scheinwerfer und die Musik wurden von einem kleinen weißen Punkt eingesogen, und dann verschwanden sie ganz.

Als sie wieder zu sich kam, saß sie mit dem Kopf zwischen den Knien auf einem Holzstuhl. Eine große Hand strich ihr über den Rücken, und sie hörte eine Frauenstimme.

«Alles ist gut. Alles ist gut. Tief atmen, Liebes. Genau. Braves Mädchen.»

Sie warf einen Blick zur Seite und erkannte die Frau aus der Bäckerei, die ihre Eintrittskarten kontrolliert hatte. Sie hörte, wie eine Tür geöffnet wurde, ein Schwall Musik drang herein, dann ertönte die Stimme eines Mannes.

«Wie geht es ihr?»

«Sie ist gleich wieder in Ordnung. Stimmt's, Herz-chen?»

«Es geht schon», brachte Lizzie heraus.

Das von roten Äderchen durchzogene Gesicht der Frau tauchte vor ihrem auf.

«Da bist du ja. Willkommen zurück.»

«Wo bin ich?»

«Du bist in Ohnmacht gefallen, Liebes. Wir haben dich hier ins Dienstzimmer gebracht, bis du dich besser fühlst.»

Lizzie nickte. «Danke.» Ihre Kehle fühlte sich rau und trocken an. «Könnte ich bitte etwas zu trinken haben?»

«Natürlich. Ich habe dir schon einen kleinen Brandy hingestellt. Danach geht es dir besser.»

Das hatte Lizzie entweder nicht richtig gehört oder nicht verstanden, denn sie nahm das Glas und stürzte sei-nen goldgelben Inhalt mit einem Schluck hinunter. Jetzt brannte ihre Kehle wie Feuer, und ihr Magen hob sich. Sie würgte und hustete und spuckte auf den Betonboden.

Der Mann lachte. «Meine Güte, die hat ja einen Zug!»

«Ach, es wird ihr schon nicht schaden», gab die Frau zurück, und dann sagte sie zu Lizzie: «Bleib sitzen, bis du dich sicher genug zum Aufstehen fühlst.»

Nach dem Brandy glaubte Lizzie nicht, dass sie je wie-der aufstehen wollte. Sie lehnte sich an das harte Bugholz der Stuhllehne. Neben sich auf dem Schreibtisch sah sie ihre Strickjacke über ein paar unordentlichen Papiersta-peln liegen. Als sie danach griff, entdeckte sie, dass das milchweiße Mohair jetzt mit Zigarettenasche und Fle-cken verschmiert war. Das war vermutlich passiert, als sie hinfiel. Sie wollte nur noch nach Hause. Wo war Angela?

Die Tür wurde geöffnet, und erneut drang Musik herein. Die Frau aus der Bäckerei trug eine Tasse Tee samt Untertasse herein. Sie reichte Lizzie die dampfende Tasse.

«Hier, Liebes.»

«Danke.» Sie hielt die Untertasse mit beiden Händen und blies in den Dampf. «Wie spät ist es?»

Die Frau warf einen Blick auf ihre winzige goldene Uhr, deren enges Armband ihr ins Handgelenk einschnitt.

«Beinahe elf. Kurz vor.»

Lizzie sprang auf, der Tee schwappte auf die Untertasse. Sie stellte sie auf den Schreibtisch und stützte sich dann auf die Stuhllehne, um sicher zu stehen.

«Ich muss gehen. Meine Freundin wartet bestimmt schon ewig. Ihr Vater holt uns ab.»

«Oh, verstehe. Du kannst einfach dort raus.» Die Frau deutete auf eine zweite Tür mit einem Sicherheitsschloss und zwei kleinen Fensterscheiben. «Zieh deine Strickjacke an.»

«Die ist total dreckig», sagte Lizzie und hörte selbst, wie jämmerlich sie klang.

«Das wäscht sich raus. Morgen sieht alles gleich wieder besser aus. Aber erst einmal gehst du nach Hause und schläfst dich aus.»

Die kühle Windböe, die Lizzie beim Öffnen der Tür empfing, war erfrischend. Sie trat hinaus in die Dunkelheit.

«Danke, dass Sie sich um mich gekümmert haben.»

«Keine Ursache. Komm gut nach Hause, Liebes.»

Lizzie ging seitlich an dem Gebäude entlang und fand zu dem großen Kiesplatz vorn, auf dem Angelas Vater sie abgesetzt hatte. Ein paar Autos standen mit angeschalteten Scheinwerfern da. Sie ging näher hin, aber keines davon war das richtige. Vielleicht kam Angelas Vater zu spät. Sie sah sich unter den Leuten um, die rauchend und lachend beieinanderstanden. In dunklen Ecken küssten sich ein paar Pärchen. Wo war Angela? Konnte sie jemanden kennengelernt haben? Lizzie versuchte, sich locker zu geben, während sich ihr Herzschlag beschleunigte, und ging, den Blick auf die Kleider der Mädchen gerichtet, auf und ab. Keine Angela. Allerdings wurde ihr beinahe schlecht, als sie feststellte, dass eines der Pärchen Fiona und Ger waren. Fiona sollte sie auf keinen Fall so sehen. Einsam und verloren, genau wie das Baby, das Fiona sie genannt hatte. Sie verzog sich an die Seite der Vorhalle. Sie würde das Auto auch von dort aus sehen.

Die willkommene Kühle war zu kalter Nachtluft geworden. Was war in diesem Glas gewesen? Sie legte den Hinterkopf an die Mauer und fühlte sich ein bisschen besser. Sie sah zu den Sternen auf und beobachtete, wie sich ihr Atem in kleinen Wolken nach oben zog.

Mit der Zeit fuhren einige Autos vor und wieder ab. Jedes Mal sah sie hoffnungsvoll hin, nur um erneut enttäuscht zu werden. Er musste sich wirklich sehr verspätet haben. Sie fing an, sich Sorgen zu machen. Was, wenn er überhaupt nicht kam? Was sollte sie dann machen? Plötzlich fiel ihr ein, dass hinter dem Stella Ballroom eine Telefonzelle auf der anderen Straßenseite stand. Sie hatte kein Kleingeld, weil sie Angela das ganze Wechselgeld gegeben hatte, aber sie konnte bestimmt ein R-Gespräch führen. Das war schließlich ein Notfall.

Als sie zu der Telefonzelle kam, wehte der Uringestank sie schon an, bevor sie die Tür geöffnet hatte. Sie hielt sich die Strickjacke vor die Nase und ging hinein. Das Kabel hing schlaff neben dem Apparat herunter. Irgendwer hatte den Hörer abgerissen. Sie spürte, dass sie kurz davor war, zu weinen. Sie stolperte aus der Telefonzelle und ging zurück zum Stella. Irgendetwas musste passiert sein, aber sie war sicher, dass er sie abholen würde. Sie würden sie nicht einfach am Straßenrand stehen lassen.

Als sie wieder bei dem Festsaal ankam, strömten ihr die Leute entgegen und stiegen in wartende Autos. Das Konzert war zu Ende. Die letzten Meter rannte Lizzie erwartungsvoll zurück. Bei all den Autos saßen bestimmt in einem Angela und ihr Vater. War er das? Nein. Da drüben? Falsche Farbe. Ein Auto nach dem anderen war nicht ihre Märchenkutsche. Bald war der Vorplatz des Festsaals verlassen. Sogar der Pommes-Wagen hatte dichtgemacht und war weggefahren. Lizzie schlang die Arme um ihren Körper und wimmerte. Sie hatte keine Ahnung, was sie jetzt tun sollte. Ihr wurde klar, wie dumm sie gewesen war. Warum hatte sie all die Autos wegfahren lassen? Irgendjemand hätte sie bestimmt mit zurück in die Stadt genommen. Aber was wäre, wenn Angelas Vater doch noch kam? Dann würde er nach ihr suchen, und sie würde Ärger bekommen, weil sie zu Fremden ins Auto gestiegen war.

Das Licht in der Vorhalle war ausgeschaltet worden, aber hinter dem Gebäude fiel noch ein heller Schimmer heraus. Er konnte unmöglich da hinten sein, sagte sie sich, aber da es nichts schaden konnte, beschloss sie, nachschauen zu gehen. Als sie hinter dem Stella war, sah sie einen Transporter, dessen hintere Türen offen standen. Bevor sie den Wagen näher erkunden konnte, kam ein Mann mit einer großen Lautsprecherbox aus dem Gebäude. Nachdem er ihn in dem Transporter verstaut hatte, bemerkte er Lizzie.

«Hallo, Missy.» Seine Stimme war tief und klang, als käme er aus dem Norden. Vielleicht aus Dublin.

«Ich finde meine Begleitung nicht mehr.»

«Ein Mädchen, oder?»

«Ja. Angela.»

«Tja, ist doch klar, wo deine Angela ist.»

«Wirklich?» Lizzie riss die Augen auf. «Wo?»

«Sie hat sich von irgendwem auflesen lassen.»

«Ja aber ihr Vater sollte uns doch abholen.»

«Ich meine nicht diese Art...» Er lachte, bis er husten musste. «Wohin willst du denn, Missy?»

«Zurück nach Ballytorne.»

«Also, wenn du noch zehn Minuten wartest, kann ich dich unterwegs mit dem Transporter absetzen. Ich bringe die Tonanlage nach Cork zurück.»

«Wirklich? Vielen Dank.» Eine Welle der Erleichterung schien sie emporzuheben. War Gott nicht großartig? Behütete er sie nicht an diesem Abend?

«Setz dich schon mal rein.» Er deutete auf den Beifahrersitz. «Ich brauche nicht mehr lange.»

Lizzie öffnete die quietschende und knackende Tür. Sie hob ihren Rock ein bisschen und stieg in den Transporter. Es stank nach Zigaretten, und der Aschenbecher im Armaturenbrett quoll über. Sie schlug die Tür zu und wartete im Dunkeln.

Wenig später wurde die andere Tür geöffnet, und der Mann glitt hinters Steuer. Im Licht der Innenbeleuchtung konnte sie ihn das erste Mal richtig ansehen. Er war nicht so alt, wie sie zuerst gedacht hatte. Sein Haar war dunkel und lockig und reichte bis zum Kragen seiner Lederjacke.

«Ich bin Barry», sagte er und lächelte sie an. Seine Zähne hoben sich weiß gegen seine dunklen Bartstoppeln ab.

«Ich bin Lizzie.»

«Dizzy Miss Lizzie.»

«Was?»

«Die Beatles, Süße. Schon mal von ihnen gehört?» Er gluckste vor sich hin und ließ den Motor an.

«Natürlich. Ich kenne diesen Song. Ich hatte nur nicht ...» Ihr Satz blieb unbeendet. Sie musste auch kichern. In ihrem Körper schien Wärme aufzusteigen. Vielleicht lag das an dem Brandy. «Spielst du in der Band mit?»

«Ich? Um Himmels willen. Die sind alle mit dem Tourbus gefahren. Ich bin der Roadie. Ich fahre ihnen einfach mit dem ganzen Equipment hinterher. Gefallen sie dir, Dizzie Miss Lizzie?»

Lizzie spürte, dass sie rot wurde. «Ich mag Brian Bello. Seinetwegen sind wir zu dem Konzert gegangen.»

«Tja, schätzungsweise hat Angela einen Typen entdeckt, der ihr noch besser gefallen hat.»

«Nein. Angela würde nie...» Lizzie war nicht ganz klar, was Angela nicht tun würde, aber dass sie es nicht tun würde, wusste sie genau.

«Pass auf, wir sehen Angelas Hintern noch hier irgendwo im Gebüsch.» Barry lachte.

Lizzie war geschockt. Sie hatte schon mitbekommen, dass Jungs solche Sachen sagten, aber mit ihr selbst hatte noch niemand so gesprochen.

«Der Witz ist, dass ihr Küken alle in Brian verliebt seid, dabei ist er ganz klar eine Tunte.»

«Eine Tunte?» Lizzie hatte gedacht, sie wüsste, was das bedeutet, aber es hatte anscheinend noch eine andere Bedeutung, denn es war unmöglich, dass Brian Bello einer von diesen Männern sein konnte. «Bist du sicher?»

«Tja, ich hab ihn zwar nie jemandem den Schwanz lutschen gesehen, aber er hat keine Freundin! Jetzt komm. Sämtliche Mädchen werfen sich ihm an den Hals, und was ist? Nichts! Nicht ein einziges Mädchen in den drei Jahren, die ich mit ihnen arbeite. Wenn der keine Tunte ist, dann weiß ich auch nicht.»

Lizzie fand, dass er nicht dauernd eine andere Freundin hatte, klang eher danach, als sei Brian Bello ein sehr netter Mann, aber sie vermutete, dass Barry da anderer Meinung war, und sagte deshalb nichts.

Bald kamen die Lichter von Ballytorne in Sicht. Lizzie hätte nie gedacht, dass sie sich so über ein paar Straßenlampen vor dem Elektrizitätswerk freuen könnte.

«Beinahe zu Hause», sagte sie.

«Sag mir einfach, wo es langgeht.»

Sie fuhren am Kino vorbei und hinunter zum Marktplatz. Lizzie wollte sich von Barry an der Ecke bei O'Keefe's Metzgerei absetzen lassen und dann den Hügel bis zu dem Haus von Angelas Familie hinaufgehen. Sie hoffte, dass noch nicht alle im Bett waren.

«Halte einfach hier an, bitte. Hier ist es gut.»

Barry hielt mit dem Transporter an dem verlassenen Fußweg an und schaltete den Motor aus.

«Da wären wir.»

«Echt, vielen Dank.» Lizzie kämpfte mit dem Türgriff.

«Sorry. Manchmal klemmt er. Ich komme rum und lasse dich raus.»

Barry sprang aus dem Transporter und ging um den Wagen, um Lizzies Tür zu öffnen. Als sie sich zum Aussteigen umwandte, umfasste er ihre Taille und hob sie schwungvoll hoch, bevor er sie auf den Gehweg stellte. Er schlug die Tür des Transporters hinter ihr zu und sah sie erwartungsvoll an. Lizzie schob sich eine Haarsträhne hinters Ohr, aber sie rutschte sofort wieder nach vorn.

«Danke noch mal. Wirklich, vielen Dank.»

Barry legte den Kopf schräg und grinste. «Gibt es kein Dankeschön-Küsschen für mich?»

Lizzie erstarrte. Sie wusste nicht, was sie sagen sollte. Natürlich sollte sie diesen Mann auf keinen Fall küssen, aber er war so nett zu ihr gewesen, also wusste sie, dass er kein schlechter Mensch war.

Barry beugte sich vor. «Nur ein Kuss», flüsterte er. Seine linke Hand lag wieder an ihrer Taille. Lizzie spürte, wie ihr Herz raste.

«Ich ... ich weiß nicht.»

Er fasste ihr mit der anderen Hand sanft unters Kinn, sodass sie zu ihm aufblicken musste. Er beugte sich noch dichter zu ihr und murmelte leise. «Nur ein kleiner Gutenachtkuss.» Und dann lagen seine Lippen auf ihren, und er zog sie an sich.

Lizzie wusste, dass all das ganz falsch war, aber sie mochte das Gefühl seines starken Arms um ihren Rücken und den Druck seiner Lippen. Dann fuhr er ihr durchs Haar, und sie spürte seine rauen Bartstoppeln an ihrer Wange. Sie zuckte zusammen, gab aber kein Geräusch von sich. Sie spürte, wie sie von seinem Körpergewicht nach hinten geschoben wurde. Sie machte ein paar Schritte rückwärts, doch er hielt sie weiter fest und steuerte sie gemeinsam in den tiefen Eingang von O'Keefe's Metzgerei. Sie wand sich und versuchte zu sprechen, aber sein Mund lag wieder auf ihrem. Sie spürte seine feuchte Zunge, die tastend über ihre Lippen fuhr, und dieses Küssen mochte sie nicht. Sein Atem hatte einen starken, bitteren Geruch, und er machte leise, grunzende Geräusche. Seine linke Hand glitt tiefer und umfasste ihren Po. Sie hob beide Hände und drückte gegen seine Brust, aber er lehnte zu schwer über ihr.

«Schsch.» Sie spürte seinen warmen Atem im Ohr. «Braves Mädchen.» Er senkte seinen Mund auf ihren Hals und begann ihn zu küssen.

Lizzie fühlte sich schrecklich. Das hier war so schlimm, so schlecht, aber sie konnte es nicht aufhalten. Sein Bein spreizte ihre Schenkel, und sie wurde gegen die Ladentür gedrückt. Seine Hand glitt an der Rückseite ihres Oberschenkels hinunter und dann unter ihrem Rock auf der nackten Haut wieder aufwärts.

«Bitte ... bitte. Ich muss nach Hause.» Doch sogar während sie die Worte aussprach, wusste sie, dass er sie nicht gehen lassen würde.

Er legte seine rechte Hand um ihre Kehle. «Gutes Mädchen. Braves Mädchen.» Dann schmiegte er sein Gesicht an ihres, seine große, heiße, feuchte Zunge wanderte überallhin, und er schob seine beiden Hände unter ihren Rock, packte ihren Slip und begann ihn nach unten zu ziehen. Lizzie bog ihren Kopf so weit wie möglich zurück und wand ihren Körper von einer Seite zur anderen, aber es war sinnlos.

«Bitte, Gott, nein. Bitte lass mich heimgehen. Lieber Gott. Bitte lass es aufhören.» Sie flüsterte ihre Gebete immer wieder, während Barry anfing, sich an ihr zu reiben.

«Braves Mädchen. Braves Mädchen.»

Sie hatte angefangen zu weinen. Sie spürte seine Finger zwischen ihren Beinen, die dort Sachen machten, schreckliche Sachen machten. Das Glas der Ladentür fühlte sich kalt an ihren Pobacken an, dann hörte sie, wie ein Reißverschluss aufgezogen wurde, und fühlte sein Ding an der Innenseite ihres Oberschenkels. Es war feucht und warm. Sie erschauerte, machte aber kein Geräusch. Es wurde schwieriger mitzubekommen, was er tat. Sie spürte, wie die Fingerknöchel der Hand, die seinen Penis hielten, an ihrer Haut vor- und zurückstreiften. Dann richtete er sich auf die Mitte aus und bewegte ihn zwischen ihre Beine, mit der Hand weiter wie rasend vor- und zurückgleitend. Sein Atem ging schnell. «Keine Sorge, Süße. Ich werde ihn dir nicht ...» Er drückte sein Gesicht sehr fest an die Seite ihres Kopfs und stieß ein paar kurze Japslaute aus, denen ein Stöhnen folgte. Lizzie spürte etwas Warmes, Klebriges zwischen ihren Beinen. Barry hatte aufgehört, sich zu bewegen. Er lehnte mit seinem ganzen Gewicht auf ihr und atmete schwer. Sie begann heftig zu zittern.

Barry trat zurück und wandte sich ab. Dann beugte er sich vor, um an seinem Hosenschlitz herumzufummeln. Sie starrte ihn an, doch er sah sie nicht an. Ohne den Blick zu heben, sagte er einfach: «Du hast mich ganz schön heiß gemacht, was?»

Lizzie antwortete nicht. Ihre Beine fühlten sich schwach an, und sie rutschte an der Tür herunter, bis sie auf dem Boden saß. Nach einem oder zwei Augenblicken ging Barry einfach zum Transporter, stieg ein und fuhr weg.

Als das Motorengeräusch verklungen war, dachte Lizzie an Gott, der auf sie herabblickte. Schwebte er hoch über dem verlassenen Marktplatz, der von den Lichtern aus den Geschäften beleuchtet war? Konnte er das zarte junge Mädchen mit dem zerzausten Haar und dem quer übers Gesicht verschmierten Lippenstift sehen, das dort in dem Eingang zusammengesunken war? Lizzies Rock war bis zur Taille hochgeschoben, und ihr Slip spannte sich zwischen ihren Knien. Sie presste die Augen zu. Sie wusste nicht genau, was gerade passiert war, aber es war bestimmt eine ganz schlimme Sünde.

Sie stand auf. Sie musste zurück zum Haus von Angelas Familie. Sie zog ihren Slip aus und wischte sich damit ab, so gut es ging, aber sie spürte die feuchte Klebrigkeit zwischen ihren Beinen trotzdem noch, als sie den Hügel hinaufging. Sie steckte ihre Unterhose so tief in einen Mülleimer, dass die hellblaue Baumwolle vollständig unter einer alten Zeitung verschwand.

Im Haus brannte Licht. Gott sei Dank. Sie blieb stehen, wischte sich übers Gesicht und fuhr sich durch die Haare, um ein bisschen präsentabler auszusehen, bevor sie klingelte, aber als ihr Angelas Mutter öffnete, konnte sie ihr am Gesicht ablesen, dass dieser Versuch vergeblich gewesen war.

«Lizzie! Wir waren krank vor Sorge. Was ist denn passiert?» Sie fühlte sich in eine Umarmung gezogen, ihr Gesicht lag an den umfangreichen Busen von Angelas Mutter geschmiegt, und die Erleichterung, dieses warme

Beschütztsein, löste einen weiteren Ausbruch unterdrückten Schluchzens aus.

«Na, na. Jetzt bist du ja wieder bei uns. John, stell Teewasser auf!»

«Lizzie!» Angela war in einem rosa und weiß gemusterten Nachthemd oben an der Treppe aufgetaucht. So schnell sie konnte, rannte sie die Stufen hinunter und versuchte ihre Freundin von der anderen Seite zu umarmen. Noch während sie schluchzte, fragte sich Lizzie, ob sie Barry an ihr riechen konnten. Konnten sie erraten, was passiert war?

Zu viert setzten sie sich ins Wohnzimmer, und Lizzie trank eine Tasse Tee mit Zucker. Wie sich herausstellte, hatte irgendjemand Angela im Stella erzählt, Lizzie wäre gegangen, also hatten sie und ihr Vater damit gerechnet, dass Lizzie zu Hause auf sie wartete, wenn sie zurückkamen. Als sie nicht da war, beschlossen sie, erst einmal zu warten, ob sie sich meldete. Es war sinnlos, die halbe Nacht mit dem Auto durch die Gegend zu fahren. Lizzie war vernünftig und würde anrufen. Als sie das nicht tat, hatten sie angefangen, sich sehr große Sorgen zu machen, und Angelas Vater war kurz davor gewesen, sich auf die Suche nach ihr zu machen, als sie geklingelt hatte.

Lizzie erzählte ihre Geschichte, ohne den Eingang von O'Keefe's zu erwähnen, und alle gingen froh und erleichtert zu Bett. Alle außer Lizzie. Sie lag unter der Bettdecke und betastete ihre Haut, wo seine Hände sie berührt hatten. Sie hatte noch immer den metallischen Geschmack seiner Zunge im Mund. Sie spuckte in den Candlewick-Bettüberwurf.

Die folgenden Wochen waren schwierig. Das Leben kehrte wieder in seine normalen Bahnen zurück, und doch wusste Lizzie, dass es für sie nie mehr so sein würde wie zuvor. Sie dachte ständig an die Nacht. Das Kratzen seiner Bartstoppeln, die Wärme seiner Hände, die animalischen Geräusche, die er ihr ins Ohr gekeucht hatte. Was hätte sie anders machen können? Hätte sie schreien sollen, ihn beißen, weglaufen? Sie wünschte sich sehnlich, dieser Abend läge noch vor ihr, sodass nichts von alledem passiert wäre. Sie konnte sich auf nichts konzentrieren; ihre Hausaufgaben litten, und natürlich gingen die Nonnen einfach davon aus, dass sie sich verliebt hatte. Das hatten sie schließlich schon tausend Mal erlebt.

Etwa einen Monat später begannen die Übelkeitsanfälle. Mehr als ein Mal hatte sie aus dem Klassenzimmer rennen müssen, und bei einer Gelegenheit hatte sie es nicht mehr bis zu den Toiletten geschafft und sich einfach in einen Abfalleimer auf dem Korridor erbrochen. Ihre Mutter hatte es natürlich mitbekommen und sie zum Arzt schicken wollen, aber Lizzie weigerte sich. Sie wusste nicht genau, wie, aber irgendwie musste diese Krankheit mit dem zu tun haben, was an dem Abend mit Brian Bello und dem Diamond Dust passiert war.

Einige Wochen danach stellte sie fest, dass sie den Reißverschluss am Rock ihrer Schuluniform nicht mehr zubekam, und als sie bis zu ihrer letzten Periode zurückrechnete, ging ihr auf, dass eine ausgefallen war. Sie war nicht sicher, aber sie hatte grauenhafte Angst davor, irgendwie schwanger geworden zu sein. Sie wusste, dass sie mit jemandem darüber reden sollte, aber mit wem? Angela würde vermutlich bloß panisch werden und es im ganzen Internat herumerzählen, also kam sie nicht in Frage. Ihre Mutter würde sie umbringen, weil sie so dumm gewesen war. Der Arzt würde es ihrer Mutter erzählen, und das würde nur dazu führen, dass sie ein bisschen später umgebracht wurde. Schließlich kam Lizzie zu dem Schluss, dass der einzige Mensch, der ihr helfen konnte, der Pfarrer war.

Sie setzte sich in den Beichtstuhl und atmete den vertrauten Geruch nach staubigem Holz und Bohnerwachs ein. Father Mulcahy hörte ihr hinter dem Trenngitter geduldig zu. Sie hielt sich lange mit ein paar kleinen Sünden auf, während sie verzweifelt versuchte, den Mut zu dem aufzubringen, was sie sagen musste. Schließlich platzte sie mit ihrer Beichte heraus.

«Ein Mann hat Sachen mit mir gemacht.»

Es war eine unglaubliche Erleichterung, endlich einem anderen Menschen zu erzählen, was ihr passiert war, es laut auszusprechen. Sie beschrieb es ihm so, wie es ihr für einen Pfarrer passend erschien, und endete mit der Erklärung, warum sie gekommen war. «Ich glaube, ich kriege ein Kind, Father.» Die Worte hingen in der Luft, und sie senkte den Kopf in der Dunkelheit des Beichtstuhls und begann zu weinen. «Was soll ich jetzt bloß machen?», fragte sie zwischen ihren Schluchzern.

Father Mulcahy war ein der Welt zugewandter Mann. Er hatte als Missionar gearbeitet und als junger Diakon sogar ein halbes Jahr in den nördlichen Bezirken Londons. Er hatte schon öfter mit Mädchen wie Lizzie gesprochen. Er versuchte sie zu beruhigen. Er stellte ihr einfache Fragen, ließ sich von ihr durch den genauen Ablauf der Geschehnisse führen, doch selbst nachdem sie ihm so genau, wie sie es vermochte, die Ereignisse dieses Abends in Ballytorne beschrieben hatte, war er noch nicht sicher, dass die Möglichkeit einer Schwangerschaft bestand. Um das festzustellen, machte er für Lizzie einen Termin bei einem Arzt, den er oben in Cork kannte. Der Ruf des Mädchens auf der anderen Seite des Trenngitters sollte nicht durch den Dorfklatsch ruiniert werden.

Lizzies schlimmste Befürchtungen erwiesen sich als wahr, und bald darauf saß sie auf einem harten Lederstuhl im Pfarrhaus Father Mulcahy gegenüber. Ihre Welt war untergegangen, und sie hielt den Kopf gesenkt und verdrehte ein tränenfeuchtes Taschentuch zwischen ihren zitternden Fingern.

Father Mulcahy hatte eine Idee. Kannte sie Mr. und Mrs. Burke? Lizzie kannte sie nicht. Der Pfarrer erklärte, dass Mrs. Burke eine sehr komplizierte Schwangerschaft durchmachte. Man hatte ihr Bettruhe verordnet, und es wurde Hilfe im Haushalt gebraucht. Er würde mit ihnen sprechen, und wenn sie zustimmten, würde Lizzie zu ihnen auf den Bauernhof ziehen. Wenn es so weit war, würde er ihr das Baby abnehmen und ihm ein Zuhause suchen. Lizzie begann an die Möglichkeit zu denken, ihr Leben zurückzubekommen. Der Weltuntergang war verschoben worden.

Father Mulcahy war großartig. Er organisierte alles. Mit seiner Hilfe verließ sie das Internat, wenn auch vereinbart wurde, dass sie nur befristet fehlen würde und zurückkommen konnte. Ihre Eltern waren überrascht, nahmen aber die Erklärung des Pfarrers hin. Lizzie erfüllte ihre christliche Pflicht, indem sie Mrs. Burke ein paar Monate lang aushalf. Hatten sie erraten, worum es tatsächlich ging? Danach hatten sie nie wieder von ihrer Rückkehr ins Internat gesprochen. Es war, als wüssten sie, dass ihr kleines Mädchen jetzt ein Mängelexemplar war. Lizzie dachte nicht gern darüber nach, aber es war allzu wahrscheinlich, dass sie den Plan des Pfarrers durchschaut hatten und einfach nur froh waren, mit alldem nichts zu tun haben zu müssen. Wenige Wochen darauf saß sie mit einem kleinen Koffer auf dem Schoß neben Mr. Burke im Auto und fuhr mit ihm zu dem Bauernhof hinauf, wo sich ihr Leben auf ungeahnte Weise veränderte.

Mrs. Meany hörte auf zu sprechen. Mittlerweile hatte PJ den Arm ausgestreckt und hielt die Hand der alten Dame. Ihre Haut fühlte sich an wie Wachspapier, und ihre Tränen hatten auf dem Tisch eine kleine Pfütze gebildet.

«Also ist es Ihr Baby, das da oben begraben war?», fragte er verhalten.

Die alte Frau sah mit gerunzelter Stirn auf. «Nein. Nein, es ist Mrs. Burkes Baby. Sie haben Patricia Burkes kleinen Jungen gefunden. Er ist nur ein paar Tage alt geworden. Es war eine schreckliche Zeit. Mrs. Burke hat bloß noch geweint, und ich habe darüber nachgedacht, wie es mir ginge, wenn der Pfarrer käme, um mein Baby abzuholen. Ich glaube, das war der Grund, aus dem ich bei dem Plan mitgemacht habe.»

«Dem Plan? Was für ein Plan?»

«Mein Baby sollte ein paar Wochen später auf die Welt kommen, auch wenn natürlich niemand aus dem Dorf etwas davon wusste. An dem Nachmittag, an dem ihr kleiner Junge starb, wollte Mr. Burke mit mir reden, und er hat mir erklärt, dass mein Kind bei ihnen auf dem

Bauernhof bleiben könnte. Kein Mensch würde erfahren, dass es meins war, weil noch niemand wusste, dass sie ihr eigenes Baby verloren hatten. Ich weiß noch, dass ich mir Sorgen darüber gemacht habe, was Father Mulcahy dazu sagen würde, aber gleichzeitig war ich unheimlich glücklich, weil mein Baby dableiben würde. Nicht bei mir, aber in Duneen.»

«Und so wurde es dann gemacht?»

«Ja. Es war eine leichte Geburt, Gott sei Dank, und Mrs. Burke hat meinen kleinen Jungen einfach in ein Tuch gewickelt und in ihr Schlafzimmer getragen.»

«Aber was war mit den Geburtsurkunden? Mit den Routineuntersuchungen? Ist denn niemandem aufgefallen, dass das Baby auffällig klein war?»

«Daran hatte Mr. Burke gedacht. Er hat die Ärzte gewechselt, die neue Hebamme half ihm, die Formulare auszufüllen, und das war's.»

PJs Gedanken überschlugen sich.

«Also ist Ihr Kind…»

«Mein Kind ist Tommy Burke.»

9

Dichter grauer Nebel lag über dem ganzen Tal. Brid konnte kaum die Bäume am anderen Ende des Hofs erkennen. Sie entschied, zeitig loszufahren. Während sie zum Kühlschrank ging, um die vorbereiteten Brotdosen herauszuholen, rief sie den Kindern durch die offene Flurtür zu, sie sollten sich beeilen.

«Viel wirst du heute nicht tun können», sagte sie in Anthonys Richtung, der mit seinem zweiten Becher Tee und seinem iPad am Tisch saß.

«Wird bestimmt aufklaren, und ich will sowieso nur ein bisschen Oberflächendünger ausbringen. Ich schätze, damit komme ich heute komplett durch.»

«Ich dachte, du hast den Oberflächendünger gestern ausgebracht», sagte Brid, während sie ein angetrocknetes Klümpchen Porridge von einem Löffel scheuerte.

Anthony sagte nichts dazu. Als sich Brid nach ihm umdrehte, starrte er angestrengt auf den Bildschirm seines iPads.

«Anthony?»

Er sah auf. «Das wollte ich, aber dann musste ich zu Maher's rausfahren, um noch ein paar Säcke Dünger zu besorgen...»

Schon in ihren Anoraks und die schweren Schulranzen auf dem Rücken, platzten die Kinder herein. Zwischen sich trugen sie eine Sperrholzplatte, auf die Gebäudemodelle und Miniaturfahrzeuge geklebt waren.

«Was habt ihr denn da?», fragte Brid.

«Das ist für meinen Geographie-Kurs», sagte Carmel. «Das Projekt über den Bauernhof. Ich muss heute abgeben.»

«Sieh mal! Der Traktor ist größer als die Scheune!», sagte Cathal und lachte.

«Halt die Klappe.»

«Jetzt ist es aber gut. Wir haben keine Zeit für eure Streitereien. Habt ihr vor, das mitzunehmen? Das passt nämlich ganz bestimmt nicht in mein Auto.»

«Ich muss es mitbringen. Ich muss es heute abgeben, oder ich kriege Punktabzug.»

Brid betrachtete die quadratische Sperrholzplatte, deren eine Seite Cathal und Carmel auf dem Küchentisch abgelegt hatten, während sie die andere Seite im Gleichgewicht hielten.

«Nein. Das passt auf keinen Fall rein. Anthony, brauchst du dein Auto, oder kann ich es haben, um dieses Ding in die Schule zu schaffen?»

Anthony sah auf, als hätte er bei dem ganzen Gespräch überhaupt nicht zugehört. «Das Auto? Klar. Ich kann deins benutzen, und mittags tauschen wir wieder. Die Schlüssel hängen am Brett.»

«Sehr gut. Danke. So, es geht los, ihr zwei.»

«Bye, Dad», riefen die Kinder im Chor.

«Wiedersehen», antwortete er, ohne von dem kleinen Bildschirm aufzusehen, der vor ihm auf dem Tisch lag.

Der Nebel verzog sich nicht, und nachdem Brid die Kinder und ihren nach der Fahrt leicht ramponierten Sperrholzbauernhof in die Schule gebracht hatte, beschloss sie, ein paar Einkäufe zu machen. Sie fuhr die knappe Meile aus der Stadt hinaus zu dem neuen Supermarkt. Es gab ihn schon seit sieben Jahren, aber die Leute sagten immer noch *neuer Supermarkt*. Der Parkplatz war ziemlich leer, also konnte sie den Wagen nah beim Eingang abstellen. Sie wollte gerade aussteigen, als ihr einfiel, dass sie einen Euro für den Einkaufswagen brauchte. Ungeduldig griff sie sich ihre Handtasche vom Beifahrersitz und kramte sich durch die Abteilungen und Reißverschlussfächer, in denen sie normalerweise ein bisschen Kleingeld hatte. Sie fand ein paar Münzen, aber keinen Euro. Sie überlegte, ob Anthony irgendwo im Wagen Kleingeld hatte. In der kleinen Vertiefung neben dem Schalthebel und im Türfach war nichts, vielleicht im Handschuhfach?

Sie beugte sich auf die Beifahrerseite, drückte auf den kleinen Chromknopf, und die Klappe fiel auf. Das Handschuhfach war mit Dutzenden kleiner weißer Papierabschnitte vollgestopft. Sie zog einen heraus und musterte ihn. Es war ein Parkticket vom Krankenhausparkplatz. Sie zog einen weiteren Abschnitt heraus. Krankenhausparkplatz. Sie nahm eine ganze Handvoll. Alle waren vom Krankenhausparkplatz.

Ihr Mund fühlte sich an wie ausgetrocknet. Was hatte er? Welche Krankheit hatte Anthony, die so schrecklich war, dass er es ihr nicht sagen konnte? Sie nahm das Datum des Parkscheins wahr, den sie in der Hand hielt. Gestern. Eine Weile saß sie völlig ruhig da und versuchte zu entscheiden, was sie als Nächstes tun sollte. Sie würde etwas sagen müssen. Sie hatte schließlich nicht hinter ihm hergeschnüffelt, und ganz gleich, worum es ging, es war garantiert besser, wenn sie es wusste. Plötzlich überrollte sie eine Welle der Zuneigung für Anthony. Der arme Mann litt ganz allein, versuchte, ihre Gefühle zu schonen.

Bobbys Gebell klang gedämpft von weit weg durch den Nebel, und Evelyn wurde ungeduldig. Sie konnte an diesem Morgen keine Zeit damit verschwenden, auf der Suche nach ihm über die Felder zu stapfen. Abigail würde um drei in den Operationssaal gebracht werden, und sie wollten vorher nach ihr sehen. Man hatte ihnen gesagt, Abigail wäre nach der Operation wahrscheinlich erschöpft und würde möglicherweise bis zum nächsten Morgen durchschlafen. Evelyn hatte eine Liste mit persönlichen Gegenständen geschrieben, die sie Abigail bringen wollte.

«Bobby! Bobby, bei Fuß! Braver Junge ...» Sie spähte in die milchige Luft. Nichts. Sie seufzte. Sie würde ins Haus gehen und die Schuhe wechseln müssen, wenn sie ihn suchen wollte. Sie überlegte, wie lange sie darauf warten sollte, dass er von allein auftauchte. Sie versuchte es noch einmal mit Rufen. «Bobby, bei Fuß!» Sie glaubte, etwas durchs Gebüsch kommen zu hören, und dann war er da, wie ein freigelassener Schatten bewegte er sich am Zaun entlang aufs Haus zu. «Braver Junge!» Als er näher kam, musste Evelyn jedoch feststellen, dass sie ihn zu früh gelobt hatte. Sein goldbraunes Fell war über und über mit schwarzem Schlamm verkrustet.

Sobald er nahe genug war, packte sie ihn am Halsband und führte ihn Richtung Hof ab. Als sie in die Nähe des Hauses kamen, ging Bobby auf, was gleich passieren würde, und er begann sich zu sträuben und in die andere Richtung zu ziehen. Evelyn kämpfte darum, ihn festzuhalten, während sie gleichzeitig den Wasserhahn im Hof aufdrehte. Ihr grau-weißer Schottenrock war inzwischen beinahe genauso schmutzig wie der Hund, und das Wasser aus dem Schlauch spritzte vom Hofpflaster auf ihre Beine zurück.

Während sie Bobby anflehte, ruhig stehen zu bleiben, überkam sie ein Gefühl tiefer Einsamkeit. Sie gab eine jämmerliche Figur ab. Eine Frau, die sich allein damit abmühte, einen Hund zu waschen, der nicht sauber sein wollte. Sie gestattete sich einen Moment lang die Vorstellung, PJ wäre bei ihr und würde ihr helfen, Bobby ruhig zu halten. Sie würden beide lachen, während sie von dem zuckenden Schlauch durchnässt würden. Wie lächerlich, rügte sie sich selbst. Weder hatte sie den Eindruck, dass PJ ein besonderer Fan von Bobby war, und davon abgesehen, würde er einen Herzinfarkt riskieren, wenn er versuchte, es mit einem großen, nassen Hund aufzunehmen. Sie ließ das Halsband los.

«Blöder Idiot», sagte sie laut. «Du blöder Idiot.» Und sie war nicht einmal selbst ganz sicher, ob sie den Hund meinte, PJ oder sich selbst, aber es hatte etwas Befriedigendes, diese Worte zu sagen. Sie drehte das Wasser ab und sah Bobby bei seiner Siegerrunde um den Hof zu, nach der er bei ihr stehen blieb und sich energisch das Wasser aus dem Fell schüttelte. Evelyn fühlte sich vollkommen geschlagen.

Sie sperrte Bobby zum Trocknen auf den Hof und ging nach oben, um Abigails Sachen zusammenzusuchen. Im

Bad nahm sie ein paar Toilettenartikel, dann durchquerte sie den Flur zum Zimmer ihrer Schwester. Es war seltsam, allein in diesem Raum zu sein. Das Bett war ordentlich gemacht, und ein halb ausgetrunkenes Glas Wasser stand auf dem Nachttisch neben einem bunten Saatgut-Katalog. Sie nahm den Hausmantel vom Haken hinter der Tür und ging dann zur Kommode. Als sie die oberste Schublade aufzog, erinnerte sie der Geruch nach Lavendel und Möbelpolitur daran, wie sie früher in diesem Raum nach ihrer kranken Mutter gesehen hatte. Sie nahm ein paar Garnituren Unterwäsche aus der Schublade und rief sich ihre Liste ins Gedächtnis. Kein BH – das war egal, Abigail konnte den tragen, den sie anhatte –, aber ein frisches Oberteil für ihre Entlassung brauchte sie, etwas Hübsches und Warmes. Sie öffnete die unterste Schublade, doch sie enthielt keine Stricksachen, wie sie vermutet hatte. Auf einer Seite lagen einfache graue Decken und auf der anderen ein Stapel Fotoalben.

Ohne es herauszunehmen, schlug Evelyn das oberste Album auf und hatte eine Schwarzweißaufnahme vor sich, die sie noch nie gesehen hatte, soweit sie sich erinnerte. Von dem Bild aus lächelten sie ihre Mutter und ihr Vater in sehr jungen Jahren an. Die beiden standen auf einer Brücke – war das die Patrick's Bridge in Cork? – und stemmten sich untergehakt gegen eine stürmische Brise, die den Mantel ihrer Mutter zur Seite wehte. Sie schlug die Seite um. Ihr Vater als junger Mann auf einem Traktor. Nächste Seite. Ihre Eltern und ein anderes Paar auf einer Picknickdecke irgendwo in den Dünen. Ihr Vater hatte Schuhe und Socken ausgezogen, und das schienen alle vier unheimlich komisch zu finden. Es war ihr Leben, bevor die drei Töchter auf die Welt kamen, aber warum war es hier oben versteckt? Dachte Abigail, diese Fotos hätten sie selbst und Florence zu traurig gemacht?

Sie klappte das Album zu und wollte die Schublade gerade wieder zuschieben, als etwas anderes ihren Blick einfing. Es war ein kleiner Stoffzipfel, der unter dem Albenstapel herausschaute. Evelyn erstarrte. Dann griff sie langsam nach dem Stoff und zog daran. Es war im Grunde nichts weiter als ein schmutziger Lumpen mit schwarzen Flecken, die nach Öl aussahen. Sie strich ihn auf dem Boden glatt. In einer Ecke, wo die Ölflecken am schwächsten waren, erkannte sie die zarten Umrisse einer rosafarbenen Rose. Ihr Herz raste, und in ihrem Kopf wirbelten unbeantwortete Fragen durcheinander, aber eines war sicher. Sie hielt die Überreste von Tommys Halstuch in Händen.

Brid hatte ein paar Sandwiches mit Käse und Gurken gemacht und sie auf einem Teller mitten auf den Tisch gestellt. Zwei leere Becher standen einander gegenüber. Das Wasser hatte schon gekocht, aber sie wartete mit dem Teemachen auf Anthony. Sie flitzte in der Küche herum wie ein Goldfisch im Glas, wischte einen Fleck von der Arbeitsplatte, zerriss einen alten Briefumschlag, faltete ein Geschirrhandtuch. Schließlich hörte sie ihr eigenes Auto in den Hof fahren. Sie atmete tief ein und aus.

Sie hatte sich vorgenommen, ihn bei seiner Rückkehr sofort zu fragen, was los war. Sie wollte ihm die Last seines Geheimnisses so bald wie möglich von den Schultern nehmen. Sie hatte sich genau überlegt, was sie sagen wollte, doch als er hereinkam und seine Mütze auf die Garderobenablage warf, hatte er irgendetwas an sich. Ein

Funkeln in den Augen? Einen beschwingten Gang? Sie konnte es nicht genau sagen, doch in diesem Augenblick wusste sie mit absoluter Sicherheit, dass dieser Mann nicht krank war. Sie ließ das Teewasser noch einmal kochen.

Das Essen verlief wie üblich. Brid stellte ein paar Fragen über die Arbeit und informierte Anthony über den Elternabend in der Schule. Er äußerte sich meistenteils mit Grunzern und scrollte gleichzeitig auf dem Bildschirm seines iPads hinunter. Etwa eine halbe Stunde nachdem er sich hingesetzt hatte, wischte er sich den Mund mit einem Stück Küchenrolle ab, schob sich vom Tisch weg und verkündete: «Also dann.» Das war sein Zeichen dafür, dass das Essen beendet war und er sich wieder an die Arbeit machen würde.

«Brauchst du mein Auto noch?»

«Nein.»

«Also dann. Wir sehen uns so um sieben.»

Sie beobachtete ihn, als er zur Hintertür ging und seine Stiefel anzog. Durchs Küchenfenster sah sie ihn in seinem schmutzigen blauen Overall mit langen Schritten zu seinem Auto gehen. Während des Essens hatte sie ihn immer wieder angesehen und sich gefragt: Wenn dieser Mann nicht krank war, was zum Teufel tat er dann jeden Tag am Krankenhaus? Sie schleuderte das feuchte Geschirrtuch in die Spüle und schnappte sich ihren Mantel von dem Haken an der Tür. Sie würde ihm nachfahren.

Brid war noch nie jemandem gefolgt, aber sie hatte genügend Filme gesehen, um die Grundregeln zu kennen. Nicht zu nah aufschließen. Sie sah, dass er am Gatter links in die Straße eingebogen war, also tat sie das Gleiche. Unten am Hügel bekam sie gerade noch mit, wie er erneut links abbog. Sie war beinahe erleichtert. Es war also kein Hirngespinst von ihr. Was immer er auch tat, Oberflächendüngerausbringen war es nicht. Irgendetwas lief da.

Den Abstand haltend, folgte sie ihm nach Ballytorne. Er umrundete den Marktplatz und bog dann bei einem Hotel rechts ab. Als Brid an die Ecke kam, war sein Wagen nicht mehr zu sehen. Sie fuhr langsamer und entdeckte das Auto wieder – er hatte es auf dem Parkplatz seitlich des Hotels abgestellt und stieg aus. Hinter ihr war niemand, also blieb sie einen Moment stehen und beobachtete, wie er eine Tasche aus dem Kofferraum seines Wagens nahm und sich zu dem Hotel umwandte. Er betrat es nicht durch den Haupteingang, sondern nahm eine Metalltreppe an der Seite.

Brid fuhr die Straße weiter hinauf und fand einen Parkplatz. Dann ging sie zurück zu dem Hotel und zu der Metalltreppe. Auf einem kleinen Schild mit einem nach oben zeigenden Pfeil stand *Health Centre*. Brid war ratlos. Da oben war ein Fitnessstudio. Was zum Teufel ging hier vor? Sie hatte garantiert nicht festgestellt, dass er fitter geworden wäre. Sein kleiner, gepflegter Bauchansatz hatte sich seit Jahren nicht verändert.

Sie fühlte sich wie ein Spion, schlug den Mantelkragen hoch und bezog auf der anderen Seite des Parkplatzes Stellung, von wo aus sie alles im Blick hatte. Auf ihrer Straßenseite gab es einen Buchladen, und jedes Mal, wenn ein Auto vorbeikam, bemühte sie sich, wie eine Frau auszusehen, die sich brennend für Lokalgeschichte oder Neven Maguires neueste Rezepte für die gesunde Küche interessierte. Ihr Herz schlug schnell, und sie musste sich eingestehen, dass sie die Situation genoss. Es war aufregend und anders.

Sie hatte kaum zwanzig Minuten gewartet, als sie laute Schritte von der Metalltreppe herüberhallen hörte. Sie warf einen verstohlenen Blick über die Schulter. Es dauerte eine Sekunde, bevor ihr klarwurde, dass es Anthony war. Er hatte sich verwandelt. Statt seines alten Overalls trug er seine guten marineblauen Hosen und das schöne blau-weiß gestreifte Hemd, das sie ihm zu Weihnachten geschenkt hatte. Anscheinend hatte er geduscht, und sein restliches Haar war feucht nach hinten gekämmt. Sie musste zugeben, dass er ziemlich gut aussah. Sie hastete zurück zu ihrem Auto, stieg ein und beobachtete durch den Rückspiegel, wie sein Wagen langsam von dem Parkplatz herunterfuhr und nach links abbog. Sie rutschte tief in ihren Sitz, als er vorbeifuhr, dann legte sie eilig den Gang ein, um die Verfolgung fortzusetzen.

Innerhalb von Minuten war klar, dass er Richtung Krankenhaus fuhr. Brid begann sich unbehaglich zu fühlen. Was, wenn sie sich irrte und er tatsächlich wegen irgendetwas in Behandlung war? Dann war er nicht nur überaus liebenswert, weil er versuchte, seine Familie zu schützen, sondern sie war auch ein grässlicher Mensch, weil sie ihm misstraute. Sie beobachtete, wie er bis ans Ende des Parkplatzes und dicht an das Krankenhaus heranfuhr, während sie vorn am Straßenrand parkte. Er kaufte seinen Parkschein und legte ihn ins Auto, bevor er um das Gebäude ging und hinter dem Krankenhaus verschwand.

Sie sprang aus dem Wagen und lief halb schliddernd an der Mauer entlang. Als sie um die Ecke des Gebäudes kam, blieb sie stehen und zuckte zurück. Anthony lehnte allein an dem Geländer der Rollstuhlrampe. Sie riskierte einen weiteren Blick. Er war immer noch da, kratzte sich ein bisschen Schmutz unter den Fingernägeln heraus. Offenkundig hatte er sie nicht entdeckt. Brid ging auf, wie lächerlich sie aussehen musste, an die Mauer geduckt wie ein zu groß geratenes Schulmädchen beim Versteckspiel, also richtete sie sich auf und gab sich den Anschein, als würde sie auf eine Bekannte warten oder auf jemanden, der sie abholte. Dann hörte sie Stimmen und schob den Kopf behutsam noch einmal weiter vor.

Dieses Mal war Anthony nicht allein. Eine junge Krankenschwester mit dunklem Haar stand oben an der Rollstuhlrampe. Brid registrierte, dass ihr Schwesternkittel ein bisschen zu eng war, unter ihren Armen einschnitt und ihre Brüste zusammendrückte. Die Krankenschwester kam die Rampe herunter und warf sich Anthony an den Hals, der seine Arme um sie schlang und begann, sie auf eine Art zu küssen, auf die er Brid in all ihren gemeinsamen Jahren noch nicht geküsst hatte. Ganz gleich, welcher Therapie sich Anthony hier unterzog, ärztlich verordnet war sie ganz bestimmt nicht.

Wollte Florence sie absichtlich ärgern? Ganz gleich, was Evelyn sagte, ihre Schwester musste ihren Senf dazugeben oder irgendetwas korrigieren. Der Herbst kam nicht früh dieses Jahr. In der Stadt war nicht mehr los als normalerweise. Diese Oberlehrerin. Evelyn umfasste die Griffe der kleinen Reisetasche auf ihrem Schoß fester und starrte aus dem Autofenster auf die vorbeirauschenden Hecken.

Abigail war in wesentlich besserer Verfassung und schien sich beinahe auf die Operation zu freuen. Sie schwatzte vergnügt mit Florence, während Evelyn stumm danebensaß. Alles, woran sie denken konnte, war das Seidenhalstuch und das letzte Mal, dass sie es gesehen hatte; säuberlich zusammengefaltet auf dem Tisch im Bauernhof an dem Tag, ab dem Tommy verschwunden war. Sie wollte Abigail unbedingt fragen, wie sie an das Halstuch gekommen war; es musste immerhin einen sehr guten Grund geben, aus dem sie es all die Jahre vor ihr versteckt hatte. Evelyn glaubte irgendwie, das respektieren zu müssen und das Thema besser nicht vor Florence anzusprechen. Schweigend wünschte sie ihre Schwester aus dem Krankenzimmer hinaus. Schließlich hielt sie es nicht mehr aus.

«Florence, willst du uns nicht allen einen Tee besorgen, während ich Abigails Sachen auspacke?»

Zu Evelyns Erleichterung stand Florence auf, doch dann sagte Abigail: «Ich darf vor der Operation nichts trinken.»

Florence zögerte. «Willst *du* denn etwas?», fragte sie Evelyn.

«Ja, bitte. Eine Tasse Tee hätte ich jetzt wirklich sehr gern, danke.»

«Ist gut, zwei Tee, kommt sofort. Ich bin gleich wieder da.»

Evelyn lächelte und hob die Hand zu einem kleinen Winken. In demselben Moment, in dem ihre Schwester aus der Tür gegangen war, rückte sie mit ihrem Stuhl dicht ans Bett und packte Abigails Arm.

«Was ist denn los, Dummchen?»

Evelyn begann hastig zu flüstern. «Abigail. Ich habe nicht herumgeschnüffelt. Ich habe nur die Sachen gepackt, die du brauchst, und dabei fand ich ... ich habe die alten Fotoalben gefunden.»

«Fotoalben?»

«Bilder von Mam und Dad.»

Die Verwirrung verschwand aus Abigails Miene, als ihr klarwurde, wovon ihre Schwester sprach. «Oh, die alten Alben in der untersten Schublade. Ich habe sie seit Jahren nicht mehr angesehen. Ich habe sie vor Florence dort versteckt. Nach Daddys Tod hat sie eine richtige Obsession für die Bilder entwickelt. Das war nicht mehr normal. Aber wir sollten sie wieder rausholen. Wir könnten ein paar von den Fotos einrahmen lassen.»

Evelyn sagte nichts, umfasste nur Abigails Arm ein bisschen fester.

«Was hast du denn?», fragte Abigail unruhig.

Evelyn schluckte mühsam. «Unten in der Schublade habe ich ... habe ich ein Stück von Tommys Halstuch gefunden. Von dem Halstuch, das er mir geschenkt hat.»

Abigails Miene gefror. Sie drehte den Kopf weg und starrte ein paar Sekunden lang an die Wand. Dann wandte sie sich wieder Evelyn zu.

«Oh Gott.»

Evelyn wartete darauf, dass sie mehr sagte, aber sie blieb stumm.

«Wie? Wie bist du an das Tuch gekommen?»

«Evelyn, ich wollte dich nicht aufregen. Ich habe Tommy Burke in den Bus nach Cork steigen sehen. Es war Tommy. Er hat mir das Halstuch gegeben.»

Evelyn versuchte zu verarbeiten, was sie da hörte. Ihre

Schwester, die Frau, mit der sie die letzten fünfundzwanzig Jahre jeden einzelnen Tag zusammen gewesen war, hatte Tommy gesehen. Sie hatte mit ihm gesprochen und ihr keinen Ton davon gesagt.

«Was hat er gesagt?», fragte sie nach. Für sie waren das keine alten Erinnerungen. All das war von so drängender Bedeutung, als wäre es erst vor wenigen Tagen geschehen.

«Er ... er wollte, dass du das Halstuch bekommst. Er sagte, er hätte es dir geschenkt und dass du es haben solltest.»

«Mehr hat er nicht gesagt?»

«Nein. Außerdem war er an diesem Tag nicht gerade mein Favorit, wie du weißt. Ich hatte wohl kaum Lust, ihn in ein Gespräch zu verwickeln.»

«Aber warum ... warum hast du es mir nicht gegeben?»

«Ich dachte, es wäre besser so. Ich wollte, dass du über ihn hinwegkommst.» Abigail streckte die Hand aus und strich Evelyn über die Wange. «Ich wollte nicht, dass du zu Hause Trübsal bläst und dieses Halstuch zu so etwas wie einer heiligen Reliquie wird.»

«Was ist damit passiert? Warum ist es so ...»

«Zwei Tee! Das Beste, was das Krankenhaus von Ballytorne zu bieten hat.»

Die drei Ross-Schwestern waren wiedervereint.

Brid hatte das Gefühl zu ertrinken. Sie stand hinter ihrem Auto und rang um Luft. Mit einer Hand stützte sie sich am Wagendach ab, den Kopf hielt sie gesenkt. Jede Kleinigkeit auf dem Asphalt zeichnete sich unnatürlich deutlich ab. Das Grün einer Unkrautpflanze. Das Gelb eines weggeworfenen Kaugummipapiers. Die schwarzen Schattierungen des Asphalts selbst. Die konkrete Welt zeigte sich umso klarer, je tiefer ihre Gefühle in einem wilden Chaos untergingen. Panik ergriff von ihr Besitz, und sie hatte keine Ahnung, was sie als Nächstes tun sollte. Ein Teil von ihr wollte zu Anthony und seiner Krankenschwester stürmen wie ein wahnsinnig gewordener Krieger, kreischen und die beiden mit ihren Fäusten bearbeiten, bis sie als blutiger Knochenhaufen auf dem Boden lagen. Aber noch mehr als das wollte sie zu ihren Kindern.

Sie trat vom Auto zurück, rang noch immer um genügend Luft zum Atmen. So konnte sie sich nicht hinters Steuer setzen. Sie würde einen Unfall bauen. Ein metallisches Klingen brachte sie dazu, den Blick zu heben. Es war die Schnur, die gegen den Flaggenmast beim Eingang des Parkplatzes schlug. Eine blau-weiße Flagge verkündete, dass dies hier das Ballytorne Hospital war. Der Stoff flatterte fröhlich im Wind. Verflixte Flagge. Worüber freute sie sich so? Brid schob die Hände in ihre Haare und zog ganz fest. Sie musste etwas spüren, irgendetwas, das sie verstehen konnte. Dieser Dreckskerl. Dieses scheinheilige Arschloch. Urteilte über sie. Sah sie an wie ein Stück Scheiße, das an seinem Schuh klebte, und die ganze Zeit ... die ganze Zeit vögelte er eine Schlampe in Krankenschwesterntracht. Eine Krankenschwester! Konnte man noch geschmackloser und erbärmlicher sein?

Sie ging wieder zurück Richtung Krankenhaus. Sie konnte immer noch nicht klar denken, aber es tat gut zu laufen. Ihre Atmung normalisierte sich. Ungefähr fünfzehn Meter vor der Ecke blieb sie stehen. Waren sie immer noch dort? Ließ er immer noch seine Hände über ihren Körper gleiten? Küsste er sie immer noch so leiden-

265

schaftlich? Brid beschloss, dass sie es nicht wissen wollte, und drehte sich gerade zu ihrem Auto um, als eine Gestalt um die Ecke bog.

Nein. Nicht sie. Jeder, nur nicht Evelyn Ross. Brid dachte daran, wie sie aussehen musste mit ihrem zerrauften Haar und der herausgerutschten Bluse.

In demselben Moment, in dem Evelyn sie sah, blieb sie stehen. Ihre Wangen waren tränenfeucht, und in ihrer Hand flatterte ein schmutziger Lumpen im Wind.

Die beiden Frauen sahen sich starr an, keine wusste, was sie tun sollte, beide fragten sich, wie sie sich so plötzlich gegenüberstehen konnten wie zwei unfreiwillige Zeitreisende.

Mit einem Mal war Brid müde. Unendlich müde. Sie wollte einfach zusammensinken und einschlafen. Diese Jahre. All diese Jahre. All die Zeit, die vergangen war, und wofür? Nur damit sie wieder mitten auf der Straße mit Evelyn Ross konfrontiert war und sich zum zweiten Mal in ihrem Leben herausstellte, dass sie einen Ehemann verloren hatte.

10

Es war seltsam, dass Mrs. Meany am Küchentisch saß und PJ einen Becher Tee vor sie stellte. Es war ihm peinlich, dass er nicht wusste, ob sie ihn mit Milch oder Zucker trank, also nickte er nur in Richtung des Milchkännchens und der Zuckerdose. Er warf einen Blick auf die Uhr. Bald würde er da sein.

Nachdem Mrs. Meany am Abend zuvor mit ihrer Geschichte zu Ende gekommen war, hatte ihr PJ versprochen, ihr Geheimnis so lange wie möglich zu wahren. Trotzdem warnte er sie vor, denn wenn es je zu einem Gerichtsverfahren käme, könnte es bekannt werden. Mrs. Meany hatte den Kopf geschüttelt. Es kam nicht mehr darauf an. Und das war die Wahrheit. Fünfzig Jahre der Angst waren innerhalb einer Stunde in einer halbdunklen Küche zu Ende gegangen. Mrs. Meany fühlte sich wie ausgehöhlt und so leicht, als könnte sie gleich wegfliegen. Nachdem PJ sie zu ihrem Cottage gefahren hatte, war sie zwischen die kühlen Laken ihres Betts geschlüpft und war in einen tiefen, traumlosen Schlaf gefallen.

Am nächsten Morgen war sie aus dem Haus gegangen, um wie jeden Tag zur Polizeiwache zu laufen. Sie sah nach rechts und links, als erwartete sie, dass sich die Welt verändert hätte, aber da war nichts anders. Sie fragte sich, ob die Leute, die im Auto vorbeifuhren oder ihre Hunde ausführten, ihr ansehen konnten, dass sie vollkommen verändert war. Sie fühlte sich beinahe durchsichtig, seit die dunkle Wolke der Vergangenheit nicht mehr in ihr eingeschlossen war. Sie bereitete wie üblich das Frühstück vor. Die linke Seite der Pfanne wurde heißer als die rechte. Sie musste die Taste am Toaster zwei Mal drücken. Es kam ihr so vor, als habe ihr emotionales Erdbeben nicht ein einziges Kräuseln der Wellen verursacht. Die Welt war dieselbe geblieben.

PJ erklärte, dass er Detective Superintendent Dunne berichten musste, was sie ihm eröffnet hatte, und dass dieser ihr vermutlich ein paar Fragen stellen würde. Sie wollten auch eine DNA-Probe von ihr, damit sie feststellen konnten, ob die Überreste des jungen Mannes die von Tommy Burke waren. Sie nickte. Was auch immer in den nächsten Tagen geschehen würde, sie hatte es aus der Hand gegeben. Alles würde sich offenbaren; sie war vollkommen gelassen.

Dennoch erschien ihr, als sie nun vor ihrem Tee saß, alles unvertraut. Dies war ihre Arbeitsstelle, aber jetzt war sie als eine andere hier. Als eine Frau, die den Polizisten bei ihren Ermittlungen half.

Auch PJ sah sie anders. Am Abend zuvor hatte er ihre schmale Gestalt aus seinem Auto steigen und den Gartenpfad neben ihrem Cottage entlanggehen sehen, und er hatte sich geschämt. Ihm war klargeworden, dass er bis zu diesem Abend praktisch nichts über Mrs. Meany gewusst hatte. Nachdem er nun wusste, was sie durchgemacht hatte, bewunderte er sie dafür, wie sie all diese Jahre mit ihrem Leben zurechtgekommen war, aber zugleich machte es ihn traurig.

Als Linus ankam, beeindruckte es PJ, wie er mit Mrs. Meany umging. Er konnte bei Befragungen reichlich schroff und geschäftsmäßig auftreten, aber dieses Mal senkte er die Stimme und machte sich nur gelegentlich eine Notiz. Mrs. Meany hatte ihrer Erzählung vom Vorabend nicht viel hinzuzufügen. Sie erklärte, dass sie als Pfarrhaushälterin zu Father Mulcahy gegangen war, weil es zu schmerzlich für sie wurde, in der Nähe des Babys zu sein. Mrs. Burke dabei zu sehen, wie sie ihren Jungen hochnahm, wenn er weinte, oder ihr das Fläschchen zu reichen, während sie sich selbst danach sehnte, ihn in die Arme zu nehmen, war zu viel für sie. Sie verließ den Bauernhof, und ohne es bewusst zu entscheiden, zog sie sich auch vom Leben zurück. Sie hatte es versucht, aber es war ihr nicht bekommen. Die folgenden Jahre verbrachte sie in einer Art Buße für ihren einen großen Fehler.

Während er ihr zuhörte, begann PJ zu begreifen, welche Qual ihr Dasein gewesen sein musste. Tommy zu sehen, wie er an Mrs. Burkes Hand ging, mitzuerleben, wie er zum Mann wurde, zu versuchen, ihn beim Gottesdienst nicht anzustarren. All diese Jahre, in denen es ihr nicht erlaubt war, das Einzige zu sein, was sie tatsächlich war: eine Mutter. Er hatte den Drang, sie zu umarmen, aber das tat er natürlich nicht. Er saß einfach mit ihnen im Raum und sah, wie sich dieser vertraute Mensch in jemanden verwandelte, den er überhaupt nicht kannte.

Als Linus die Befragung beendet hatte, zog er einen kleinen Plastikbeutel aus seiner Brieftasche und erklärte, dass er eine DNA-Probe brauchte. Er zog dünne Latexhandschuhe an und nahm eine Speichelprobe von Mrs. Meany. Ergeben saß sie mit offenem Mund da. Die Szene erinnerte PJ an die Kommunion während der Messe.

PJ begleitete Linus anschließend zur Tür.

«Warum, glauben Sie, erzählt sie uns das jetzt alles?», fragte der Superintendent.

«Ich weiß es auch nicht. Es könnte an dem Baby liegen. Sie kann nicht wissen, wer der andere Tote ist, aber sie wusste genau, welches Kind es war, also fühlte sie sich wohl verpflichtet, uns zu helfen.»

«Ich sage nicht, dass ich es nicht tue, aber meinen Sie, dass wir ihr glauben können?»

Diese Frage verblüffte PJ. Es war ihm nie in den Sinn gekommen, dass Mrs. Meany nicht die Wahrheit sagen könnte.

«Garantiert. Sie hat keinen Grund zu lügen. Nicht bei dieser Sache.»

«Na dann.» Linus hielt den Beutel mit der Speichelprobe hoch. «Wir geben das zur Untersuchung und warten ab, was dabei herauskommt.»

Brids und Evelyns qualvolles Gegenüber hatte geendet, als Florence aufgetaucht war.

«Mrs. Riordan!», hatte sie fröhlich gegrüßt, und Evelyn war einfach mit ihr weggegangen. Brid beschloss, weiter stehen zu bleiben. Wenn sie sich umdrehte, um zu ihrem Auto zu gehen, hätte es ausgesehen, als ob sie den Ross-Schwestern folgte, und wenn sie in die andere Richtung ging, hätte sie womöglich wieder die Szene mit der Krankenschwester vor sich gehabt. Sie wartete, bis sie hörte, dass ein Motor angelassen wurde, und dann drehte sie sich um und sah, wie das Auto der Schwestern vom Parkplatz auf die Straße einbog.

Als sie wieder in ihrem eigenen Auto saß, überdachte sie ihre Alternativen. Sollte sie ihn verlassen? Ihn rauswerfen? Ihm verzeihen? Die ganze Sache ignorieren? Sie hatte so lange von einer Veränderung geträumt, aber nicht auf diese Art. Sie warf einen Blick auf die Uhr. Die Kinder. Es war Zeit, sie abzuholen. Sie sah in den Rückspiegel, strich ihre Haare glatt, legte ein ruhiges Lächeln auf und drehte den Schlüssel im Zündschloss.

Evelyn saß in ihrem Zimmer. Der ölgetränkte Stoff lang über dem Fußende ihres Bettes. Zuvor hatte sie ihre Wange hineingeschmiegt, aber dann hatte sie sich in der Spiegeltür ihres Kleiderschranks gesehen, und ihr war bewusst geworden, was für einen albernen Anblick sie bot. Sie streckte die Hand aus und fuhr mit dem Zeigefinger an dem Umriss einer Rose entlang.

Eine Botschaft. Sie hatte eine Botschaft von Tommy bekommen. Er empfand etwas für sie. Evelyn fragte sich, wo er in diesem Moment war. Saß er auf einem Bett und dachte an sie? Die Entdeckung der Leiche hatte ihre sinnlosen Gedankenspiele beendet, aber jetzt stellte sie fest, dass sie neue Phantasien entwickelte. Er war Taxifahrer in New York. Er arbeitete auf einer Ölplattform in der Nordsee. Er ritt über eine Schafsranch in Australien. Manchmal, wenn sie sehr niedergeschlagen war, bevölkerte sie sein Leben mit einer Frau und Kindern. Die Ehen waren nie glücklich, aber er war ein wundervoller

Vater. Eine ihrer bevorzugten Vorstellungen war, wie er als Witwer allein drei kleine Kinder aufzog.

Diese Phantasien hatten etwa ein Jahr nach seinem Verschwinden eingesetzt. Als ihre Hoffnung auf seine Rückkehr verblasste, hatte sie sich Orte vorgestellt, an denen sie ihn finden könnte, aber irgendwie war es ihr nie gelungen, ihn dort wirklich zu suchen. Es hatte Zeiten gegeben, zu denen sie ernsthaft darüber nachdachte, aber im Grunde hatte sie gewusst, dass es zwecklos war. Wie jemand, der sich im Wald verirrt hat, beschloss sie, zu bleiben, wo sie war, damit er sie finden konnte, wenn er zurückkam, um sie zu suchen. Falls es ihm möglich war, würde er das tun, da war Evelyn sicher.

Und jetzt lag sein Liebesbeweis vor ihr auf dem Bett. Er hatte ihn ihr geschickt, und nach all der Zeit hatte sie ihn bekommen. Ihr war bewusst, dass sie sich lächerlich machte. Sie fühlte sich wie die Prinzessin in den Märchen, die ihre Mutter ihr als kleinem Mädchen vorgelesen hatte. Der Prinz kämpfte sich durch Sümpfe und gewaltige Dornenhecken, um sie zu finden. Wieder berührte sie den seidigen Stoff und fragte sich, ob dies vielleicht, nur vielleicht, der Anfang ihres Happy Ends war.

Nun, wo sie allein war, die Kinder oben ihre Hausaufgaben machten, bewegte sich Brid eilig durch die Küche. Sie nahm eine Coladose aus dem Kühlschrank, öffnete sie und goss den Inhalt in den Ausguss. Dann holte sie eine Flasche Weißwein aus dem Kühlschrank, drehte den Schraubverschluss mit einem befriedigenden Knirschen auf und goss die gelbliche Flüssigkeit in die Dose. Ihre Hand zitterte etwas, und Wein lief über die Arbeitsfläche. Als die Dose voll war, stellte sie die Flasche ab. Sie starrte auf die nasse Dose und stellte sie erst nach einem Zögern neben die Weinflasche. Mit ein paar Blättern von der Küchenrolle wischte sie den Wein auf, den sie verschüttet hatte. Nachdem sie die feuchten Zellstofftücher im Abfalleimer versenkt hatte, kehrte sie zur Arbeitsfläche zurück und schloss die Finger um die kalte Dose. Sie hob sie an ihre Nase und atmete das süße Aroma tief ein. Was spielte es schon für eine Rolle? Kein Mensch konnte bestreiten, dass sie jetzt etwas zu trinken brauchte. Das bedeutete schließlich nicht, dass sie rückfällig wurde. Es war eine besondere ... keine besondere *Gelegenheit* ... aber besondere Umstände waren es zweifellos.

Sie hielt die Öffnung der Dose an ihre Lippen. Da war dieser kurze Moment zwischen dem Davor und dem Danach, und dann schloss sie die Augen und trank. Es war kalt, und es schmeckte so vertraut. Es war, als würde sie ihre Lieblingsbluse anziehen. Sie trank noch einen großen Schluck. Sie wischte sich mit dem Handrücken über den Mund. Das war genau richtig. Sie würde das alles bewältigen. Sie würde es durchstehen.

Wieder am Kühlschrank, stellte sie die Weinflasche zurück und nahm einen eingeschweißten Schinken heraus. Das Einfachste war, das Abendessen vorzubereiten. Das hätte sie im Schlaf gekonnt. Einen Topf mit Wasser aufsetzen. Schon hatte sie den Schinken hineingelegt. So weit, so gut, dachte sie und ließ sich schwer auf einem Küchenstuhl nieder. Sie drückte die Coladose an ihren Mund. Es war sechs Uhr. Noch eine Stunde. In sechzig Minuten würde er durch diese Tür kommen.

Sie nahm jedes Detail der Küche in sich auf. Das waren

die letzten Momente ihres alten Lebens. Sie hatte keine Vorstellung davon, was als Nächstes kommen würde, aber Anthony hatte ihr ein Geschenk gemacht. Er hatte ihr den Schlüssel zu einem Leben ohne ihn in die Hand gelegt. Sie nippte an der Dose. Kartoffeln. Sie stand auf, ging zum Gemüsekorb, füllte ein Sieb mit ein paar Handvoll Kartoffeln und genoss die leichte Benebelung durch den Wein, nachdem sie so lange nicht getrunken hatte. Geschält und in Viertel geschnitten, gab sie die Kartoffeln in einen Topf mit kochendem Wasser. Noch zwei Schlückchen Wein. Gott, wie hatte ihr das gefehlt.

Wie ein Haushaltsroboter schälte und schnitt sie Karotten und machte sich anschließend an eine sämige, helle Petersiliensoße. Die Kartoffeln waren gar, also bereitete sie das Püree vor. Der Wasserdampf stieg ihr ins Gesicht. Das war ihr Lieblingsessen. Sie lächelte. Das letzte Abendmahl.

Der Tisch war gedeckt, und die Teller wurden vorgewärmt, als die Scheinwerfer von Anthonys Wagen die beschlagenen Küchenfenster hell aufleuchten ließen. Sie trank einen etwas größeren Schluck Wein.

Die Hintertür wurde geöffnet, und Anthony kam in seinem schmutzigen Overall herein; sie vermutete, dass die andere Kleidung nun säuberlich gefaltet im Kofferraum seines Wagens lag. Sein zurückgehendes Haar war nicht mehr glatt nach hinten gekämmt, sondern wirkte absichtlich in Unordnung gebracht.

«Das riecht toll.»

«Ich koche einen Schinken.»

«Großartig. Ich gehe mich nur kurz waschen.»

Sie betrachtete ihn, wie er auf Socken die Küche

durchquerte und in den Flur ging. Sie hörte ihn das Licht in der Toilette im Erdgeschoss anschalten. Das Geräusch von fließendem Wasser. Was wusch er ab? Was genau hatte er gemacht? Bilder von rosiger Haut, die aus dem engen weißen Schwesternkittel quoll, blitzten durch ihren Kopf. Sie eilte zum Kühlschrank und füllte die Coladose auf.

Das Abendessen verlief wie jedes andere. Carmel und Cathal erzählten ihren Eltern von ihrem Schultag, von den wahnsinnig komischen Sachen, die ihre Freunde gesagt hatten, von der anstehenden Klassenfahrt, der kaputten Fensterscheibe, für die niemand verantwortlich sein wollte. Anthony redete von den Dingen, die für den nächsten Tag anstanden. Anscheinend war er mit der Oberflächendüngung nicht fertig geworden. Es dauerte länger, als er gedacht hatte. Brid lächelte und nickte. Sie schnitt den Schinken in Scheiben und reichte Petersiliensoße herum. Sie räumte die Teller vom Tisch in die Spülmaschine. Carmel und Cathal bekamen noch ein Eis als Nachtisch. Sobald sie damit fertig waren, schoben sie ihre Stühle zurück und verschwanden nach oben in ihre Zimmer. Sie schlugen die Küchentür hinter sich zu, und Stille senkte sich über Brid und Anthony.

Ihre Hand lag auf der Coladose, und sie betrachtete Anthony, der wieder einmal auf dem Display seines iPads herumscrollte. Nach ein paar Minuten hob er den Kopf und fing ihren Blick auf. «Was ist?»

Brid blinzelte langsam, dann sagte sie: «Alles in Ordnung mit dir?»

«Mit mir? Mir geht's gut. Warum?»

«Na ja, wo du doch beim Krankenhaus warst. Da habe ich mich einfach gefragt, ob es dir gut geht.»

Anthony legte den iPad auf den Tisch.

«Krankenhaus?»

«Ja. Wo du heute warst.»

«Wer hat mich beim Krankenhaus gesehen?»

«Ich glaube, es spielt keine Rolle, wer dich dort gesehen hat, oder? Dich und diese kleine Krankenschwester, komplett abgehoben auf eurer rosa Wolke.»

«Wovon redest du, Brid?»

«Ist das dein Ernst? Versuchst du tatsächlich, es abzustreiten? Vergeude nicht noch mehr von meiner Zeit, Anthony. Du hast eine Affäre mit irgendeiner kleinen Krankenschwester.»

Anthony starrte sie an.

«Und? Es stimmt, oder? Oder etwa nicht?»

«Sie ist ... eine Freundin. Das ist alles.»

«Meine Güte. Solche Freunde hätte ich auch gern. Geradezu eine leidenschaftliche Freundin ist sie, oder?», fauchte Brid.

«Hör mal, ich weiß nicht, was dir irgendwer erzählt hat...»

«Niemand hat mir was erzählt, verdammt», sagte sie und stand auf. «Ich habe dich selbst gesehen. Ich habe dich mit dieser Schlampe von Krankenschwester gesehen. Und versuch bloß nicht, mir zu erzählen, die kleine Nutte wäre bloß eine Freundin.»

Anthony stand ebenfalls auf und hob die Hand in Richtung seiner Frau. «Schsch, sei doch leise. Die Kinder können dich hören.» Heiser flüsternd, fuhr er fort: «Sieh mal. Es ist nichts passiert. Es tut mir leid. Es war dumm. Ich beende es.»

Brids Stimme war ein leises Grollen. «Oh, es war

dumm, ich verstehe. Aber nicht so dumm wie ich. Ich war so ein verdammter Dummkopf. Hab versucht, dir zu gefallen. Hab versucht, die Frau zu sein, die du wolltest. Aber du wolltest mich nie. Du hast mich nie geliebt.»

«Brid, das stimmt nicht.» Er hatte den rechten Arm ausgestreckt, seine Hand tätschelte die Luft, als versuche er, die Wogen zwischen ihnen zu glätten. «Ich habe dich wirklich sehr gern.»

«Gern? Gern? Du Dreckskerl. Das Einzige, was du hier je geliebt hast, war mein Bauernhof. Tja, und es ist *mein* Bauernhof. Meiner! Und du kannst dich verpissen.»

«Brid. Du überreagierst. Wir finden eine Lösung.»

«Oh, ich habe schon eine Lösung gefunden. Du verschwindest von hier. Und danke. Danke, dass du mir die Augen dafür geöffnet hast, was ich für eine Idiotin gewesen bin. Ich hatte Schuldgefühle, weil ich dir keine bessere Frau war, während du die ganze Zeit eine andere gevögelt hast. Scher dich einfach raus!»

Sie deutete zur Tür und stieß dabei die Coladose um. Eine kleine Lache hellgelber Flüssigkeit breitete sich auf dem Tisch aus. Beide sahen sie an. Anthony tippte mit dem Zeigefinger in die Flüssigkeit und probierte sie.

«Das war klar. Du säufst! Du bist wirklich armselig.»

«Nein. Nein, nein, nein. Du hast kein Recht, mich zu verurteilen. Du hast deine moralische Überlegenheit aufgegeben, als du deinen Schwanz in diese Krankenschwester gesteckt hast. Ja, ich trinke. Und zwar trinke ich deinetwegen, und du wirst mir deshalb keine Schuldgefühle einreden. Und jetzt raus hier!»

«Nein, Brid. Ich werde dich in dieser Verfassung nicht mit den Kindern allein lassen.»

«Dann gehe ich.» Sie griff nach ihrem Mantel, der neben der Tür hing. «Ich gehe, aber wenn ich zurückkomme, will ich, dass du hier verschwunden bist. Das ist das Haus meiner Familie. Mein Bauernhof. Du willst mich nicht, also bekommst du auch nicht dieses Land. Dieses Land. Dieses verfluchte Land!» Sie begrub ihr Gesicht in den anderen Mänteln und begann zu weinen. «Warum kann mich niemand lieben? Mich? Einfach nur mich?» Sie sah zu Anthony hinüber. «Bin ich wirklich so schrecklich?»

«Du bist betrunken, Brid, und alles an dir widert mich an.»

Brid fühlte sich, als hätte er sie geschlagen. Sie öffnete den Mund, aber es kamen keine Worte heraus. Ihre Hand schlug auf die Türklinke, und dann war sie draußen und rannte zu ihrem Auto.

Die Scheinwerfer strahlten die Rückseite des Hauses an, und sie sah Anthony als dunklen Umriss am Küchenfenster stehen. Bald wäre er weg. Sie würde diesen schwarzen Fleck aus dem Haus scheuern, und es wäre wieder ihres. Mit einem Vibrieren setzte sich der Wagen in Bewegung, und dann raste sie den Hügel hinunter.

Duneen war verödet. Bei O'Driscoll's brannte kein Licht mehr, und vor den beiden Pubs parkten nur wenige Autos. Sie fuhr zur Brücke hinunter und stellte das Auto ab. An den rauen Stein der Mauer gelehnt, hörte sie das Wasser in der Dunkelheit unter sich vorbeirauschen. Sie starrte in die Finsternis und atmete bebend ein. Der säuerliche, erdige Geruch von Bärenklau erinnerte sie an ihre Kindheit. Sie hatte die breiten weißen Doldenblumen gepflückt und zu einem behelfsmäßigen Strauß zusammengenommen. Manchmal hatte sie sich die graue

Strickjacke von ihrer Schuluniform über den Hinterkopf gehängt und so getan, als ginge sie durch den Mittelgang der Kirche auf den Altar zu. Ein Auto fuhr vorbei. Der Wein hatte sie unruhig gemacht. Sie wollte nicht länger dort stehen.

Wieder im Auto, wusste sie nicht, wohin sie fahren sollte. Lächerliche Einfälle kamen ihr in den Sinn. Ard Carraig. Der Bauernhof der Burkes. Die Klippen hinter Ballytorne. Nein. Sie hatte genügend Drama für einen Abend gehabt. Ohne bewusst über das Ziel ihrer Fahrt entschieden zu haben, fand sie sich vor der Polizeiwache wieder und hielt an. Licht schimmerte durch das Strukturglas in den Scheiben der Eingangstür. Mit dem langsamen, gleichmäßigen Schritt eines Schlafwandlers näherte sie sich dem Vordach. Noch bevor sie es erreicht hatte, war PJ an der offenen Tür. Brid blieb vor ihm stehen. Keiner von ihnen fand es notwendig, etwas zu sagen. Er trat zurück, und sie schob sich an ihm vorbei in den Flur.

11

Ein verpasster Anruf auf der Mailbox. PJ stöhnte. Von Linus. Er nahm das Handy und hörte die Nachricht ab.

«Dunne hier. Ich wollte Sie nur wissenlassen, dass wir ein Opfer haben. Wir hatten einen Treffer bei der DNA. Unser Mann ist Tommy Burke. Ich bin vor der Mittagszeit bei Ihnen unten. Ich möchte die anderen Ross-Schwestern befragen und jeden, bei dem es sich Ihrer Meinung nach lohnen könnte, mal auf den Busch zu klopfen.»

PJ rollte sich auf den Rücken und starrte an die Decke. Einen Moment lang schien es ihm, als wäre der Fall gelöst, dann ging ihm auf, dass dies erst der Anfang war. Der Schlag auf den Schädel. Irgendjemand hatte Tommy Burke umgebracht.

Er drehte den Kopf nach rechts und sah Tommys ruhig schlafende frühere Verlobte an. Ihre Lippen waren leicht geöffnet, und er betrachtete ihr Gesicht im Halbdunkel des Schlafzimmers. Ihre zarten Wimpern, die geplatzten Äderchen, das einzelne Haar an ihrem Kinn. Er beugte sich hinüber und küsste sie sacht. Brid schlug die Augen auf und zeigte ihm ein kleines Lächeln.

Sie hatten am Abend zuvor nicht miteinander geschlafen. Als sie ins Haus gekommen war, hatten sie einen Whiskey getrunken, während Brid von Anthony und dem erzählte, was auf dem Bauernhof vorgefallen war. PJ überlegte, ob er ihr sagen sollte, dass er von der Krankenschwester wusste, doch dann ließ er es sein. Es brachte nichts, sie noch mehr aufzuregen. Er hatte sie in den Armen gehalten, als sie sich auf dem Sofa ausstreckte und ihren Kopf auf seinen Bauch legte. Er streichelte ihr übers Haar, und Brid überlegte laut, wie es nun für sie weitergehen sollte. Er versicherte ihr, dass alles gut werden würde, aber er machte sich Sorgen um sie. Eine Scheidung und ein Sorgerechtskrieg konnten sie ruinieren.

Er hatte sie in sein Schlafzimmer geführt und ausgezogen, ohne Erotik aufkommen zu lassen. Als sie sich auf die Bettkante setzte, hatte die Situation eher etwas davon, als würde er sich um ein krankes Kind kümmern. Er schlug die Bettdecke zurück, und sie legte sich hin. Nachdem er sich bis auf das T-Shirt und die Unterhose entkleidet hatte, schlüpfte er neben sie und ließ sie in seinen Armen einschlafen. Tief atmete er den Geruch und die Wärme eines anderen menschlichen Wesens in seinem Bett ein.

Brid fragte ihn, wie spät es war. Beinahe Viertel vor acht.

«Ich muss los. Ich will sicher sein, dass die Kinder in die Schule gehen.»

PJ beneidete sie nicht darum, nach Hause zurückgehen zu müssen. Wer konnte schon wissen, was Anthony den Kindern erzählt hatte?

«Versprich mir, dass du zum Anwalt gehst.»

«Mach ich.» Sie streckte die Hand aus und zwickte ihn ins Ohrläppchen.

«Du musst realistisch sein. Du hast viel zu verlieren.»

Brid war aufgestanden und zog sich an. «Ich weiß.» Sie lächelte.

«Es hat sich herausgestellt, dass es Tommy Burkes Leiche war da oben.»

«Was?» Brids Kopf fuhr herum, sie hatte die Augen weit aufgerissen.

PJ verwünschte sich im Stillen. Warum hatte er ihr das gesagt? Es war klar, dass diese Neuigkeit sie aufregen musste, und davon abgesehen, sollte er ganz bestimmt keine neuen Erkenntnisse an eine Frau weitergeben, die noch auf der Liste der Verdächtigen stand. Er beschloss, sich zurückzuhalten, was die Einzelheiten betraf.

«Wir haben weiter nach der Identität der Leiche geforscht, und wie sich schließlich herausgestellt hat, handelt es sich um Tommy Burke.»

«Aber wie kann das sein? Ich dachte ...»

«Das ist eine lange Geschichte. Hör mal, der Arsch aus Cork kommt hier runter, und ... also, es könnte sein, dass er zu dir nach Hause kommt, um noch ein paar Fragen zu stellen.»

«Verstehe.» Sie klang verhalten. Sie schien zu ahnen, dass ihr nicht gefallen würde, was ihr der Arsch aus Cork zu erzählen hatte.

PJ schob sich auf die Ellbogen hoch. «Weißt du, ich glaube nicht, dass wir ... verstehst du?»

Brid lächelte. «Keine Sorge. Das ist unser Geheimnis.»

Geräusche drangen aus dem Flur herein, dann wurde eine Tür geschlossen. «Guten Morgen, Sergeant!» Die Stimme von Mrs. Meany.

Brid kicherte, und PJ stieß einen langen, leisen Seufzer aus. Das war alles zu viel so früh am Morgen. Er stieg aus dem Bett.

«Guten Morgen, Mrs. Meany!», rief er durch die geschlossene Tür. Gott, dachte er, gleich würde er ihr eröffnen müssen, dass ihr Sohn tot war. Er hob den Zeigefinger vor die Lippen und zischte ein leises «Schsch» in Brids Richtung. Er hörte Mrs. Meany in die Küche gehen.

«Wem gehört das Auto vor dem Haus?»

Das Auto! Genauso gut hätten sie einen Wegweiser an die Straße stellen können.

Hastig fuhr er in seine Hose und ging zur Tür. Er öffnete sie einen Spaltbreit und spähte hinaus, um zu überprüfen, ob Mrs. Meany immer noch in der Küche war. Dann zog er die Tür ganz auf und winkte Brid zum Flur. Dort angekommen, sagte er laut und deutlich:

«Also dann, vielen Dank, Mrs. Riordan. Das war sehr hilfreich. Vielen Dank, dass Sie vorbeigekommen sind.» Brids Schultern zuckten vor unterdrücktem Lachen.

«Gern geschehen, Sergeant. Dann auf Wiedersehen.»

Sie ging aus dem Haus, und PJ machte die Tür hinter ihr zu. Auf dem Weg zurück ins Schlafzimmer rief er durch den Flur: «Früher Besuch war das. Mrs. Riordan waren noch ein paar Details eingefallen.»

«Oh, ich verstehe.» Mrs. Meany tauchte an der Küchentür auf, die beiden benutzten Whiskeygläser in der Hand. PJ starrte sie an und überlegte, wie er reagieren sollte, doch dann löste ein Klingeln an der Haustür die Spannung. Das konnte noch nicht Dunne sein. PJ hatte sich nicht einmal die Zähne geputzt!

Er sah durch das Strukturglas zwei Gestalten und konnte kaum seinen Missmut verbergen, als er die Tür öffnete und Susan Hickey zusammen mit ihrer Schwester vor sich hatte. Wie hieß sie noch? Gott, sein Gedächtnis.

«Sie erinnern sich an meine Schwester Vera?»

«Natürlich, natürlich. Genießen Sie Ihren Aufenthalt?» Bevor Vera etwas sagen konnte, schaltete sich ihre Schwester ein. «Sie fährt heute wieder. Ich bringe sie gerade nach Cork zum Flughafen, aber wir haben uns gestern Abend unterhalten, und sie hat mir etwas erzählt, das Sie wissen sollten.»

«Oh, tja dann. Möchten Sie hereinkommen?»

Vera sah Susan an, um ihr die Entscheidung zu überlassen.

«Nein, wir sollten schon unterwegs sein, aber mir ist eingefallen, dass Sie im Dorf danach gefragt haben, wer Tommy Burke gesehen hat. Nun, Vera hat Ihnen etwas zu sagen.»

PJs Gedanken begannen zu rasen. Wenn diese Frau Burke in London gesehen hatte, musste er weggefahren und wieder zurückgekommen sein.

«Wann war das?», fragte er Vera.

«Wann war *was*?»

«Vor wie vielen Jahren haben Sie Tommy Burke in London gesehen?»

«Oh nein!», rief Susan schrill. «Sie hat ihn nicht in London gesehen. Erzähl dem Sergeant, was du mir gesagt hast.»

Vera sah ihre Schwester an, um festzustellen, ob sie jetzt etwas sagen durfte.

«Susan hat erwähnt, dass Sie sich danach erkundigt haben, wer ihn hat wegfahren sehen, und mir ist wieder eingefallen, wer mir gesagt hat, dass er ihn in den Bus hat steigen sehen.»

«Es war Abigail Ross!» Susan konnte sich nicht beherrschen.

«Abigail Ross? Sind Sie sicher? Das ist ja alles schon sehr lange her.»

«Es war eindeutig sie», sagte Vera. «Ich erinnere mich daran, weil es so merkwürdig war, dass sie mich angesprochen hat. Sie ist älter als ich, und wir waren nie befreundet, aber sie ist extra über die Straße gekommen, um mit mir zu reden.»

«Ich kann immer noch nicht fassen, dass du mir das nicht erzählt hast!» Offensichtlich war Susan pikiert.

«Es klang, als wäre es vertraulich, also habe ich mit niemandem darüber gesprochen.» Vera versuchte sich zu rechtfertigen; nicht zum ersten Mal, vermutete PJ.

«Nun, vielen Dank», sagte er. «Ich weiß es zu schätzen, dass Sie gekommen sind, um mir das mitzuteilen.»

«Keine Ursache. Ich habe sofort begriffen, wie wichtig es für Sie wäre, das von ihr zu hören.» Susan legte den Arm um ihre Schwester, und die beiden Frauen drehten sich um und gingen zu ihrem Auto.

PJ schloss die Tür und rieb sich die Augen. Wenn Abigail gesehen hatte, wie Tommy in den Bus stieg, warum sollte sie es dann jetzt leugnen? Wenn man der Wirtin des Pubs und der Schwester der größten Tratschtante von Duneen etwas erzählte, wollte man schließlich, dass es alle erfuhren. Und wenn Tommy weggefahren war, weshalb hatte ihn dann niemand zurückkommen sehen? Irgendetwas passte hier nicht zusammen.

«Frühstück steht auf dem Tisch!»

An manchen Tagen aß PJ Mrs. Meanys Frühstück vollkommen gedankenlos, doch an diesem Morgen genoss er jeden Bissen. Die Dinge kamen in Bewegung. Es war, als würde man einen gordischen Knoten auflösen und die winzigste Bewegung ganz bewusst wahrnehmen. Bald würden sie dieses Durcheinander entwirren.

Nach dem Frühstück duschte er und setzte sich anschließend an den Schreibtisch, um E-Mails zu löschen. Er fragte sich, wie Brid zurechtkam und warum sie am Abend zuvor zu ihm gekommen war. Er mochte sie und hatte sich gefreut, als sie vor der Tür stand, aber das genügte nicht. Er konnte nicht mit jemandem zusammen sein, bloß weil die Person bereit war, mit ihm zusammen zu sein. Davon abgesehen, war ihr Leben ein Chaos, und wie es aussah, würde es noch schlimmer werden. Wollte er sich so etwas wirklich antun? Er dachte an Linus und dessen Eheprobleme. Es gab im Leben kein Happy End, fand er, warum also sollte er nach einem suchen?

Er warf einen Blick auf die Uhr. Halb elf. Sollte er auf Dunne warten oder allein nach Ard Carraig fahren? Er konnte seine Ungeduld kaum bezähmen; er wollte die Sache mit Abigail Ross klären. Wie sie ihn behandelt hatte, als er das letzte Mal oben bei ihnen gewesen war! Tja, Vera Hickey jedenfalls litt bestimmt nicht an Demenz. Diese Aussage zu entkräften, wäre schon schwieriger. Er hatte das Gefühl, es würde dieses Mal darauf ankommen, dass er mit Abigail allein sprach, nicht wenn Evelyn dabei war; er konnte es nicht genau benennen, aber die Ross-Schwestern verhielten sich merkwürdig, wenn sie zusammen waren. Das war auch kürzlich im Krankenhaus so gewesen. Sie waren sich nah, aber zugleich herrschte auch ein Unbehagen, eine Art Missstimmung zwischen ihnen.

Er griff sich seine Jacke von der Stuhllehne. Im Flur rief er Mrs. Meany zu: «Ich fahre weg. Wenn der Detective Superintendent aus Cork auftaucht, sagen Sie ihm, dass ich in Ard Carraig bin.»

«Oh, Sergeant Collins!»

PJ drehte sich um und sah, dass die alte Frau ihren grauhaarigen Kopf aus der Küchentür gesteckt hatte.

«Ja?» Er hoffte, dass er nicht so ungeduldig klang, wie er war.

«Ich habe mich nur gefragt, ob Sie etwas über die NDA gehört haben.»

«Die ... Oh, Mrs. Meany.» Seine Arme sanken herab, und er richtete den Blick auf das kleine Gesicht an dem Türrahmen. Er schämte sich. Diese arme Frau wartete darauf, etwas über das Schicksal ihres einzigen Kindes zu erfahren, und alles, an das er denken konnte, war, durch die Gegend zu jagen, um der sagenhafte Polizist zu sein, der dieses Verbrechen aufklärte.

Langsam ging er durch den Flur zurück und führte Mrs. Meany wieder in die Küche.

«Wir haben etwas Neues erfahren, aber ich wusste nicht, ob Sie das lieber von Detective Dunne hören möchten.»

Sie sah zu PJ empor, und Furcht blitzte in ihrer Miene auf.

«Oh, nein, Sergeant. Ich möchte, dass Sie es mir sagen.»

«Na gut.» Er zog einen Stuhl für die alte Dame zurecht. «Die Laboruntersuchungen haben ergeben, dass die sterblichen Überreste, die auf dem alten Bauernhof gefunden wurden ...», das hörte sich furchtbar an. Gab es keine besseren Worte, schonendere, um dieser Frau das Schicksal ihres Kindes beizubringen? Er mühte sich weiter, «... die Ihres Sohnes sind.»

Mrs. Meany hob langsam die rechte Hand zum Mund und klopfte sich mit den Fingerspitzen auf die Oberlippe.

«Der arme Tommy.»

«Es tut mir sehr leid, aber ich glaube, es ist besser, Bescheid zu wissen.»

Ihre verblassten blauen Augen füllten sich mit Tränen.

«Ja. Ja. Natürlich.» Ihre Wangen waren feucht. Sie hatte sich die Tränen mit dem Handrücken weggewischt. PJ reichte ihr die Küchenrolle, und sie riss ein paar Blatt ab, um sich die Augen abzutupfen.

Sie seufzte. «Es war ein schlimmer Handel. Ich hätte mich nie darauf einlassen sollen.»

«Sie haben getan, was Sie für das Beste gehalten haben.»

«Ich wusste, dass es falsch war. Wir alle wussten es. Wenn es richtig war, warum haben dann diese beiden Kinder in namenlosen Gräbern auf dieser Farm geendet, ohne Gebet, ohne Blumen?»

PJ wusste nicht, was er sagen sollte. Wie konnte irgendjemand erklären, warum Schlimmes geschah? Über den Tisch hinweg sah er die alte Dame an, die sich die Augen wischte, und dachte an Lizzie Meany vor all den Jahren. Warum hatte das Böse dieses zarte, schutzlose Mädchen heimgesucht? Warum hatte sich Mrs. Meany ihr ganzes Leben lang für eine Sünde bestraft, die sie nicht einmal begangen hatte? Er fühlte sich vollkommen untauglich für diese Situation und empfand zugleich eine eigentümliche Verbundenheit mit Mrs. Meany. Irgendwie hatte sich das Leben gegen sie beide verschworen. Wenn, wie es PJ erschien, die Welt in Gewinner und Verlierer aufgeteilt war, dann wusste er, zu welcher Gruppe die beiden Menschen gehörten, die sich an diesem Küchentisch gegenübersaßen. Leise sagte er: «Es ist nicht gerecht. Das ist es. Ungerecht. Aber damals haben andere Zeiten geherrscht, und wenigstens haben Sie ihn aufwachsen sehen. Das konnten viele junge Mädchen in derselben Situation nicht.»

Mrs. Meany schob sich das Haar aus dem Gesicht. «Sie sind ein guter Mensch, Sergeant, aber wenn Sie nichts dagegen haben, gehe ich jetzt nach Hause.»

«Natürlich. Kann ich Sie im Auto mitnehmen?»

«Nein. Nein, der Fußmarsch wird mir guttun.»

12

Brid war nicht überrascht. Die verlassen daliegende graue Fläche des Hofs war genau, was sie erwartet hatte. Im Haus lag keine Nachricht, nur drei gespülte Müslischalen lehnten im Abtropfgestell. Sie waren noch feucht. Brid zog die Tür des Geschirrspülers auf. Das Geschirr vom Abend zuvor, noch schmutzig. Sie nahm einen Spülmittel-Tab, setzte ihn in das Fach ein und schlug die Maschine zu. Das vertraute Rauschen und Surren, das sie beinahe täglich hörte, setzte ein. Sie war sehr gelassen.

Oben legte sie einen Koffer auf das Bett und begann, ein paar Kleidungsstücke einzupacken. Wohin sollte sie jetzt gehen? Für wie lange? Sie wusste es nicht. Dann erstarrte sie in ihrer Bewegung. Nein. Das sollte sie nicht tun. In irgendeinem Winkel ihres Gehirns murmelte eine Stimme, dass sie das Haus der Familie nicht aufgeben sollte. Warum? Darauf kam sie nicht mehr, aber sie war ziemlich sicher, dass sie bleiben sollte. Sie dachte an PJ. Er hatte recht. Sie sollte wirklich zum Anwalt gehen.

Die Sonne stand hoch am Himmel, als Brid Richtung Ballytorne fuhr. Es tat gut, die wolkenlose blaue Weite über sich zu haben und die Wärme des Lichts zu spüren, die durch die Windschutzscheibe auf ihr Gesicht fiel. Alles schien möglich. Nachdem sie überprüft hatte, ob Carmel und Cathal in der Schule waren – das waren sie; Anthony hatte nichts Unüberlegtes getan –, fuhr sie durch die Stadt und den langen, sanften Hügel hinauf, der zur Küstenstraße führte. Bungalows und Einfamilienhäuser standen in ihren gepflegten Gärten. Jedes hatte etwas, das es für die Menschen, die darin wohnten, zu etwas ganz Besonderem machte. Das Mansardenfenster, die Natursteinfassade, der Hacienda-Bogen, der das Haus mit der Garage verband. Sie dachte an Anthony und an ihre Familienfahrten über Land. Bei jedem neuen Haus, das sich als rechtwinkliger Kasten inmitten eines kahlen Grundstücks erhob, musste er sagen: «Jemandes ganzer Stolz.» Die Worte waren bedeutungslos, eine Marotte, nun aber fragte sich Brid, ob sie die Wahrheit trafen. Konnten auf einem Grundstück aufgeschichtete Steine und Mörtel jemandes ganzer Stolz sein? Sie vermutete, dass es für Anthony tatsächlich so wäre. Brid überlegte, ob sie jemals im Leben dieses Gefühl gehabt hatte. Natürlich. Carmel und Cathal. Als sie ihre kleinen, zappelnden Körper in den Armen gehalten hatte, war das ihr ganzer Stolz gewesen. Eindeutig.

Sie fuhr langsamer und warf einen Blick in die Einfahrt auf der rechten Seite. Beinahe enttäuschte es sie, dass es so einfach war. Dort, vor der Scheibe Bungalow-Glückseligkeit, die ihre Schwiegermutter abbekommen hatte, stand Anthonys Wagen. Sie parkte an der Straße und ging die kurze Einfahrt hinauf. Ein kleiner Kirschbaum stand mitten auf dem schmalen Handtuch von einem Rasen und reckte seine rosa Blüten dem Himmelsblau entgegen. Zuversicht wogte in Brid auf. Sie hatte einen Plan.

Ihre Schwiegermutter öffnete die Haustür und starrte sie an. Auf ihrer Miene lag der Ausdruck, den sie für Straßenmusikanten und die Schulmädchencliquen reserviert hatte, die jeden Nachmittag um vier an der Bushaltestelle durcheinanderkreischten. Sie hob eine Augenbraue. Brid schluckte. In diese Falle würde sie nicht gehen.

«Nein», sagte sie nachdrücklich.

«Nein? Was meinst du damit?»

«Ich sage zu deinem Verhalten heute nein. Ich möchte mit deinem Sohn sprechen.»

Schweigen. Brid fragte sich, ob sie ihr die Tür vor der Nase zuschlagen würde, dann rief sie jedoch: «Anthony, deine Frau steht vor der Tür.» Damit drehte sich ihre Schwiegermutter um, ging zurück ins Haus und ließ Brid auf dem Gartenweg stehen. Hoch über ihr hatte ein Flugzeug auf dem Weg Richtung Atlantik einen langen weißen Bogen über den Himmel gezogen. Sie hörte, wie eine Tür geöffnet wurde, gefolgt von einem Flüstern, und dann kam Anthony an die Tür.

«Also lebst du noch.»

«Ja.»

«Wir haben uns alle sehr große Sorgen um dich gemacht.»

«Tja, tut mir leid, aber ehrlich gesagt, bist du nicht die geschädigte Partei hier. Ich bin nur gegangen, weil du dich geweigert hast.»

Anthony senkte die Stimme. «Ich konnte dich in diesem Zustand nicht allein lassen, nicht mit den Kindern im Haus.»

Brid spürte Gereiztheit in sich aufkommen. Sie wollte sich nicht wieder von ihm herunterziehen lassen. Das war die Vergangenheit. Sie wollte keine Zeit mehr mit denselben alten Streitereien verschwenden. Sie hatte einen Plan. An den musste sie sich halten. Sie hob beide Hände, um ihn zum Aufhören zu bringen, und beschloss, noch einmal von vorn anzufangen.

«Hör zu, Anthony. Kann ich reinkommen? Ich will mit dir sprechen. Ich habe einen Vorschlag.»

Anthony trat wortlos zurück, um sie ins Haus zu lassen. Brid ging durch den kurzen Flur und dann nach rechts ins Wohnzimmer. Sie wusste, dass es leer sein würde. Anthony folgte ihr. Er machte die Tür hinter sich zu. Sie standen da und sahen sich an, dachten beide an das letzte Mal, als sie in diesem Raum gewesen waren. Die Tränen. Das Betteln. Ein Stich des Bedauerns durchfuhr Brid, weil sie dieses Gespräch in dem gleichen Zimmer führen würden.

«Sollen wir uns setzen?», fragte sie.

Er nickte, und sie setzten sich an die Enden des hart-gepolsterten Sofas. Brid strich ihren Rock glatt, dann sah sie Anthony direkt an.

«Es ist vorbei.»

«Brid, ich ...»

«Anthony, bitte. Ich will nicht streiten. Wir müssen uns nicht mehr bekriegen. Ich sage dir, was ich will. Lass mich ausreden, dann kannst du mir sagen, was du davon hältst. Einverstanden?»

Er nickte knapp.

«Also. Ich glaube, unsere Ehe ist am Ende. Wir beide wissen das. Und dabei kann etwas Gutes herauskommen. Ich schlage vor, dass wir uns nicht scheiden lassen – noch nicht jedenfalls. Wenn wir einen Scheidungsprozess führen, geht es nur noch um Anwälte, Richter, das Geld und das Sorgerecht. Also. Was ist uns wirklich wichtig? Du willst den Bauernhof, und es würde dir gefallen, wenn ihn Cathal nach dir bewirtschaften könnte, falls er das möchte. Ich will das Haus und die Kinder zusammenhalten. Also ist mein Plan, dass wir ein paar Bauplätze verkaufen – vielleicht die vordere Hälfte der unteren Koppel –, um an Geld zu kommen. Damit bauen wir dir irgendwo auf dem Gelände ein Haus. Wir können zu viert festlegen, wann die Kinder bei dir sind und wann bei mir, und ich beziehe einen Anteil dessen, was der Bauernhof erwirtschaftet. Wir bekommen beide, was wir wollen, und wenn die Kinder den Hof nicht übernehmen möchten, können wir noch einmal neu überlegen, wenn du in den Ruhestand gehst.» Sie faltete die Hände auf dem Schoß. «Was hältst du davon?»

Anthony rieb sich über den Nacken und kniff die Augen zu. Dann stieß er einen langen Seufzer aus und sah sie an. «Ich weiß nicht, was ich davon halten soll. Es wirkt alles so endgültig. Sollten wir nicht darüber reden, wie wir unsere Ehe erhalten können? Ich weiß nicht, Brid. Das wird unheimlich schwer für die Kinder.»

«Es wird für uns alle schwer, aber nicht so schlimm wie eine Scheidung. Wenn du einen Prozess gegen mich führen willst, dann prozessieren wir, und das wird garantiert noch schlimmer. Bei meinem Vorschlag schlafen sie in ihren eigenen Betten, und sie haben immer noch eine Mammy und einen Daddy, die zumindest so tun, als würden sie sich mögen.»

«Und was ist mit deiner Trinkerei?»

«Was soll damit sein? Genau das ist es nämlich – *meine*

Trinkerei. Ich habe dir gezeigt, dass ich es kontrollieren kann. Ich will dir hier nicht mit der Mitleidstour kommen oder dich beschuldigen, aber wenn ich trinke, dann weil ich unglücklich bin. Ich bin nicht glücklich. Du bist nicht glücklich. Und deshalb muss sich etwas ändern.»

Anthony begrub das Gesicht in den Händen. «Und was sollen wir den Leuten sagen?»

«Den Leuten?»

«Du weißt, was ich meine. Die Leute werden Fragen stellen. Was sollen wir dann sagen?»

Vieles von dem Plan stand Brid klar vor Augen, aber daran hatte sie nicht gedacht. Es überraschte sie, dass ausgerechnet dies Anthonys erste Sorge war.

«Na ja, wir sagen, dass wir getrennt sind, weil das die Wahrheit ist. Eine einvernehmliche Trennung.» Es gefiel ihr, wie sich das anhörte.

«Es kommt mir einfach so seltsam vor.»

«Es gehen andauernd Beziehungen auseinander, Anthony. Ich will keine Schlammschlacht anfangen, wirklich nicht, aber wenn du in dieser Ehe glücklich gewesen wärst, würdest du nicht irgendeine Krankenschwester vögeln.»

«Oh Brid. Ich habe nie ... Es war ein Fehler. Ich habe mich geschmeichelt gefühlt, und eins hat zum anderen geführt.»

«Das interessiert mich nicht, Anthony, nicht im Geringsten, aber wenn du dich weigerst, meinem Vorschlag zuzustimmen, werde ich die Scheidung einreichen.»

Er sah sie mit ausdrucksloser Miene an.

«Und wenn wir uns scheiden lassen, wird das Land, das Haus, alles wird verkauft werden müssen.»

«Nicht unbedingt. Ich könnte möglicherweise das Geld aufbringen.»

«Und dann? Schickst du mich mit einem Koffer voll Geld in die Wüste? Es ist das Haus meiner Familie, in dem ich unsere Kinder aufziehe. Wenn irgendwer in die Wüste geschickt wird, dann du. All die Arbeit für nichts und wieder nichts. Kein Erbe für die Kinder. Mein Plan ist gut. Es ist das beste Angebot, das du bekommen wirst, Anthony Riordan.»

Brid war zufrieden. Sie war nicht emotional geworden, und wenn sie Anthony so ansah, war klar, dass er Angst bekommen hatte. Er wusste, dass sie keine leeren Drohungen ausgesprochen hatte. Es überraschte Brid, wie losgelöst sie sich fühlte; vor ihr saß einfach ein Mann, mit dem sie etwas aushandelte. Sie konnte sich nicht vorstellen, dass er sie jemals berührt oder ihren Hals geleckt oder ihre Brüste gestreichelt hatte, und doch wusste sie, dass es so gewesen war. Dieser Mann war der Vater ihrer Kinder.

«Ich lasse dir etwas Zeit, um über alles nachzudenken. Ich hole die Kinder ab, und ich halte es für das Beste, wenn du die nächsten paar Tage hier übernachtest.» Sie stand auf.

So weit hatte Anthony offenkundig noch nicht gedacht.

«Aber ich könnte doch im Haus schlafen, wenn ich einfach im...»

Brid war schon an der Tür. «Bleib hier, Anthony.» Sie ging in den Flur und drehte sich noch einmal um. «Was hast du übrigens den Kindern erzählt?»

«Ich habe gesagt, dir wäre schlecht geworden. Dass du bei einer Freundin übernachtest.»

«Aha.»

Er stand auf und rief ihr eilig nach. «Und wo warst du tatsächlich heute Nacht, Brid?»

«Auf Wiedersehen, Anthony.»

Das Geräusch der zufallenden Haustür, dann Stille.

13

Das Haus wirkte anders an diesem Tag. PJ sah es zum ersten Mal bei Sonnenschein, und auf irgendeine Art zeigte sich die eintönige graue Fassade dieser Gelegenheit gewachsen. Die Fensterscheiben blitzten, die Tür wirkte breit und opulent, und das dunkle Schieferdach schimmerte, wie er es noch nie erlebt hatte.

Er hörte die Klingel in den Tiefen des Hauses, doch niemand kam an die Tür. Er versuchte es erneut. Nichts, nur das träge Krächzen einiger Krähen auf den Bäumen der Zufahrtsallee. Es stand kein Auto vor dem Haus, doch wie PJ wusste, bedeutete das nicht, dass niemand da war. Seine Schritte knirschten auf dem Kies, als er nach links zu der Tür in der niedrigen Mauer ging. Er betrat den Hof und wurde von Bobby begrüßt. PJ wehrte ihn mit einiger Mühe ab, um nach Möglichkeit schlammige Pfotenspuren auf seiner Uniform zu vermeiden. «Guter Hund. Sitz, mein Junge. Sitz.»

Er ging langsam weiter um das Haus herum und warf einen Blick durchs Küchenfenster. Dort war niemand, also beschloss er, hinter den Nebengebäuden nachzusehen, wo er vor all den Monaten Evelyn entdeckt hatte. Auf der gegenüberliegenden Seite des Hofes stand eine

Schuppentür einen Spaltbreit offen. Aus irgendeinem Grund erweckte das PJs Wachsamkeit. Er ging über die Pflastersteine und schob die Tür leicht an. «Hallo?» Die Tür schwang ganz auf, und der strahlende Morgensonnenschein flutete über eine Gestalt, die auf einem Stapel Holzpaletten in der Ecke saß.

«Evelyn?» PJ hatte das Gefühl, flüstern zu müssen.

Sie sah auf und lächelte ihn schwach an. «PJ. Hallo.»

«Alles in Ordnung? Was tun Sie hier?»

Sie fuhr sich mit der Hand durchs Haar und schüttelte den Kopf. «Das weiß ich eigentlich selbst nicht. Eine sentimentale Gans sein, schätze ich.»

«Aha.» Unbehaglich stand PJ da und wusste nicht, wie er darauf reagieren sollte. Bobby schnupperte an seinen Füßen herum.

«Hier habe ich Daddy gefunden, wissen Sie?»

«Oh.» PJ kannte die Geschichte. Gab es irgendetwas Passendes, das man zu einer Frau sagen konnte, die in dem Raum saß, in dem sich ihr Vater erhängt hatte? «Das muss eine sehr schwere Zeit für Sie alle gewesen sein», war das Beste, das ihm einfiel.

«Ja. Ja, das war es.» Sie klang abgelenkt, als würde sie an etwas anderes denken. «Warum bin ich so, PJ? Glauben Sie, ich bin nicht ganz normal?»

Wenn sie sich freiwillig in diesen düsteren Schuppen setzte, stimmte das womöglich, dachte PJ, aber er sagte beruhigend: «Nein. So etwas muss Sie doch durcheinanderbringen.»

«Jedem passiert mal etwas, oder? Jedem! Schlimme, schreckliche Dinge, aber die Leute kommen darüber hinweg. Sie schaffen es, ihr Leben weiterzuleben.» Evelyn sprach langsam, betonte jedes Wort wie eine Lehrerin, die erklärte, was die Kernpunkte ihrer Lektion waren. «Warum kann ich das nicht? Warum sitze ich immer noch hier?»

PJ hütete sich, den Versuch einer Beantwortung dieser Fragen zu machen, sondern blieb einfach wortlos stehen und sah sich in dem alten Lagerschuppen um. Die von Spinnenweben überzogenen Mauern, die dicken Deckenbalken mit alten Haken und Riemenscheiben, deren Zweck längst vergessen war.

«Daddy ist gegangen. Tommy ist gegangen. Ich glaube einfach nicht, dass ich ... Wissen Sie, heute Morgen habe ich den armen Hund geschlagen.»

«Bobby?»

«Er ist ausgerissen. Ich weiß nicht, er hat einen Hasen oder einen Fuchs gejagt, aber er wollte einfach nicht hören, als ich ihn gerufen habe. Es war, als hätte er vergessen, dass es mich gibt. Alles andere auf der Welt war ihm wichtiger als ich. Als ich ihn endlich eingefangen hatte, war ich so wütend und aufgelöst, dass ich vor mir selbst erschrocken bin. Ich habe ihn mit den Fäusten geschlagen. Danach habe ich mich schrecklich gefühlt. Er ist einfach ein Hund, der sich wie ein Hund verhält.»

PJ fühlte sich unwohl. Er wusste wirklich nicht, wie er auf irgendetwas von alldem reagieren sollte. Er bewegte sich langsam zurück auf den sonnenhellen Hof zu. «Ist Abigail hier?»

«Nein. Sie haben sie für eine weitere Nacht im Krankenhaus behalten. Heute Nachmittag sollte sie wieder zurück sein.»

«Gut. Danke.»

«Sie hat Tommy gesehen, wissen Sie?»

PJ erstarrte.

«Wie bitte? Hat sie Ihnen das gesagt?»

«Das musste sie. Ich habe das hier gefunden.» Evelyn hielt die Hand mit einem zerknüllten Stück Stoff darin hoch. «Es ist ein Halstuch. Tommy hat es mir geschenkt.»

«Entschuldigen Sie. Ich verstehe nicht ganz. Wo haben Sie es gefunden?»

«Abigail hatte es. Ich hatte es im Haus der Burkes gelassen, aber Tommy wollte, dass ich es habe, also hat er es ihr gegeben, als sie ihn in Ballytorne gesehen hat.»

PJ zögerte einen Moment, bevor er sprach.

«Warum hat sie nie gesagt, dass sie ihn an diesem Tag gesehen hat?»

«Sie wollte mich nicht aufregen. Sie hat einfach versucht, mich zu beschützen, das ist alles. Ich bin sicher, dass sie Ihnen alles erzählt, wenn Sie danach fragen.» Evelyn sah zu ihm auf und ballte die Faust um das Stoffstück.

PJ betrachtete sie. Auch er wollte sie nicht aufregen. Er wollte sie beschützen, aber er wusste, dass er das nicht konnte.

«Evelyn, da ist etwas, das Sie wissen sollten.»

«Ja?» Wie sie sich auf dem Palettenstapel vorbeugte, hatte sie etwas an sich, das sie viel jünger erscheinen ließ. Sie sah aus wie eine Jugendliche.

«Die Leiche. Die erste Leiche, die gefunden wurde, ist jetzt als die von Tommy Burke identifiziert worden.»

Ihre Miene wurde vollkommen leer, dann zog ein Ausdruck des Entsetzens darüber hinweg.

«Wie kann das sein? Sie haben uns gesagt, er wäre es nicht.»

PJ überlegte, wie er es ihr am besten erklärte. «Es wurden weitere Untersuchungen durchgeführt und ... es ist definitiv Tommy.»

Evelyn sprang auf die Füße. «Aber wenn er zurückgekommen ist, dann wäre er doch bestimmt ... Warum hat er sich nicht...»

Sie sank auf die Paletten zurück und presste die Überreste des Halstuchs an ihren Mund, um ihr Schluchzen zu dämpfen. PJ fragte sich, ob er sie umarmen oder ihr die Hand auf die Schulter legen sollte, doch die zusammengesunkene Gestalt in der Ecke schien jenseits aller Empfänglichkeit für einen Trost. Er öffnete den Mund, um etwas zu sagen, doch dann überlegte er es sich anders. Stattdessen zog er sich leise zurück, und obwohl er wusste, dass es das Richtige war, fühlte er sich wie ein Feigling. Als er halb über den Hof war, bemerkte er, dass ihm Bobby nachlief. PJ warf einen Blick zurück auf die Schuppentür. Evelyn war vollkommen allein.

Wieder im Auto, sah er auf die Uhr. Es war kurz vor zwölf. Er wusste, dass er besser auf Linus warten würde, aber er wollte unbedingt mit Abigail sprechen, bevor sie entlassen wurde. Die Vorstellung, dass sie ans Bett gefesselt war, gefiel ihm. Es ließ sie schwach und verletzlich erscheinen. Er hatte das Gefühl, sie würde ihre Stärke zurückgewinnen, wenn er wartete, bis sie wieder auf Ard Carraig war, und wäre dann imstande, seine Fragen mit ihrer gewohnten Überheblichkeit abzuwehren. Er mochte diese Frau wirklich überhaupt nicht.

PJ ging gerade die Treppen zum Haupteingang des Krankenhauses von Ballytorne hinauf, als Abigail selbst mit

einer kleinen Reisetasche in der Hand an der Tür auftauchte.

«Genau die Frau, die ich sprechen will!», rief er. Abigail sah ihn verwirrt an, beinahe als würde sie ihn nicht
erkennen oder, wenn doch, als könnte sie sich nicht erklären, weshalb er sie ansprach. PJ ging die letzten Stufen
hinauf, um mit ihr auf einer Höhe zu stehen.

«Ich müsste Ihnen noch ein paar weitere Fragen über
Tommy Burke stellen, nachdem wir nun wissen, dass er
auf dem Gelände begraben wurde.»

Abigails Augenbrauen hoben sich, sie sah ihn groß
an und warf ihm buchstäblich einen schrägen Blick zu.
«Tatsächlich? Sind Sie dieses Mal wirklich ganz sicher?»

«Ja, Miss Ross, wir sind sicher.»

«Tja, ein Jammer, dass Sie das nicht schon vor Monaten herausfinden konnten. Damit hätten Sie vermutlich
eine Menge Aufregung vermeiden können. Man fragt
sich, wer das wohl verpfuscht hat.» Abigail ließ es so
klingen, als wüsste sie genau, wessen Inkompetenz dafür
verantwortlich war.

PJ atmete tief ein. «Sind Sie auf dem Weg zurück nach
Ard Carraig? Ich kann Sie im Einsatzwagen hinbringen.»

«Danke, aber ich habe mein eigenes Auto. Einer
von den Jungs der Lyons hat es mir gestern Abend her-
gebracht.» Sie ging eine Stufe hinunter, als wäre das Thema damit beendet. PJ legte ihr die Hand auf den Arm, und
sie fuhr herum. «Sergeant?» Sie funkelte ihn an.

«Ich glaube, es ist besser, wenn Sie mit mir kommen.
Ein Polizist von der Wache in Ballytorne kann Ihnen den
Wagen später nach Hause fahren.»

Sie starrten einander an, und PJ fragte sich, was er tun

sollte, wenn sie ablehnte, doch dann wandte Abigail den Blick ab und sagte mit übertriebener Lässigkeit: «Also gut, wenn Sie darauf bestehen.» Sie ging weiter die Treppe hinunter, und PJ folgte ihr.

Sobald sie in seinem Auto saßen, begann sie mit wachsender Unruhe in ihrer Tasche herumzuwühlen.

«Stimmt irgendwas nicht?», erkundigte sich PJ.

«Sie müssen hier irgendwo sein. Meine Schlüssel.»

PJ sah sie den Inhalt der kleinen Reisetasche durchwühlen.

«Ist das nicht ärgerlich? Ich glaube, ich habe sie nicht. Sergeant, könnten Sie kurz zum Empfang gehen und darum bitten, dass jemand in der Nachttischschublade nachsieht?» Sie sah ihn mit einem herzlichen Lächeln an. PJ fiel auf, dass er sie tatsächlich noch nie hatte lächeln sehen. Es stand ihr nicht.

«Ich bin gleich wieder da», sagte er.

Die Krankenschwester hinter dem Empfangstresen kam ihm bekannt vor. War sie diejenige, die er mit Anthony Riordan gesehen hatte? Er war nicht sicher; im Grunde sahen sie für ihn alle gleich aus. Sie rief auf der Station an und sagte, wo gesucht werden sollte. PJ wartete an den Tresen gelehnt und betrachtete beiläufig die Stapel mit Flyern. Selbsthilfegruppe für Krebspatienten. Montessori-Schule. Sponsorenlauf für das Krankenhaus. So viele Menschen versuchten, etwas für eine bessere Welt zu tun; es war beinahe ermüdend. Die Krankenschwester sagte etwas zu ihm. Keine Spur von den Schlüsseln.

«Tja, danke trotzdem fürs Suchen.»

Er ging zurück zum Auto und fragte sich, wie Abigail diese Nachricht aufnehmen würde. Er würde sie in nächster Zeit wohl kaum noch einmal lächeln sehen, doch als er zur Wagentür kam, tat sie genau das. Er setzte sich ans Steuer, und sie hielt einen kleinen Schlüsselring hoch und klapperte damit vor seinem Gesicht herum. «Ich bin zu dumm. Sie waren die ganze Zeit hier. Ich hatte vergessen, dass ich sie in die kleine Reißverschlusstasche gesteckt habe.»

«Großartig.» PJ steckte seinen eigenen Schlüssel ins Zündschloss, um den Motor anzulassen, doch er sprang nicht an. Er drehte den Schlüssel zurück und trat die Kupplung, aber noch immer tat sich nichts.

«Seltsam.»

«Was?»

«Das Auto springt nicht an.» Er rüttelte an dem Schlüssel und überprüfte, dass das Lenkradschloss nicht eingerastet war. Nichts. Er spürte Abigails Blick auf sich. Das musste natürlich passieren, wenn sie bei ihm im Auto saß. Er überlegte, ob er aussteigen und sich den Motor ansehen sollte, aber was sollte das bringen? Er hätte keine Ahnung, wonach er suchen sollte, und würde seinem Fahrgast nur noch einen Grund mehr liefern, ihn geringzuschätzen.

«Tut mir leid. Ich rufe bei der Polizeiwache hier im Ort an und stelle fest, ob sie mir einen Wagen leihen können. Es wird bestimmt nicht lange dauern.»

«In Ordnung. Allerdings hätte ich eine andere Lösung anzubieten.» Abigail hielt ihren Schlüsselring hoch. «Wir könnten mein Auto nehmen.»

PJ zögerte. Das würde am schnellsten gehen. Er hatte Visionen von einem sehr ungeduldigen Linus, der in Ard Carraig auf ihn wartete.

«Was ist? Haben Sie Angst, bei mir mitzufahren?» Abigail lächelte wieder. Gott, das war beunruhigend.

«Gut. Wir nehmen Ihres.»

PJ hätte es nie vor ihr zugegeben, aber Abigails Fahrstil beeindruckte ihn. Sie saß selbstsicher am Steuer und reagierte gut auf den vollen Straßen, als sie sich im lebhaften Mittagsverkehr durch Ballytorne bewegten.

Er hatte das Gefühl, seine Befragung einleiten zu sollen, also begann er damit, sich nach ihrer Gesundheit zu erkundigen.

«Ich fühle mich schon viel besser. Es war eine sehr einfache Operation. Sie wird mit einer Art Teleskop durchgeführt. Danach war mir zuerst ein bisschen übel, aber wirklich, es geht mir ausgezeichnet.»

«Gut. Sehr gut.»

Sie fuhren etwa eine Meile schweigend weiter, dann sagte Abigail: «Also haben Sie mit Evelyn gesprochen.»

«Ja, das habe ich.» PJ fragte sich, in welche Richtung dieses Gespräch gehen würde.

«Haben Sie ihr von der neuen Theorie erzählt, dass es schließlich doch Tommy war, der dort gefunden wurde?»

«Habe ich.»

«Es hat sie aufgeregt, nehme ich an.»

«Ein bisschen, ja. Sie hat mir erzählt, dass Sie ihn gesehen haben, als er den Bus genommen hat.»

«Ja. Tut mir leid, Sergeant. Ich dachte einfach nicht, dass es so wichtig ist, und sie hat ja sicher auch erklärt, warum ich es ihr damals nicht gesagt habe.»

«Ja. Ja, das hat sie.»

Erneutes Schweigen. Sie fuhren inzwischen den Hügel nach Duneen hinunter.

«Es ist seltsam, dass wir niemand anderen finden können, der ihn an dem Tag hat wegfahren sehen», sagte PJ.

«Wirklich? Das ist doch alles schon ewig her. Warum sollte sich irgendjemand daran erinnern?»

«Und noch merkwürdiger ist, dass niemand davon gesprochen hat, dass er zurückgekommen ist.»

«Zurückgekommen? Was meinen Sie damit?»

«Sie haben ihn wegfahren sehen, aber seine Leiche wurde hier in Duneen gefunden, also muss er irgendwann wiedergekommen sein.»

«Oh. Ich verstehe. Ja, so muss es gewesen sein.»

«Und niemand hat etwas davon mitbekommen. Obwohl bestimmt das ganze Dorf darüber geredet hat, dass er abgehauen ist.»

Links kam die Einfahrt nach Ard Carraig in Sicht. PJ wartete darauf, dass Abigail langsamer fuhr, doch stattdessen trat sie aufs Gaspedal und fuhr an dem Tor und der Zufahrtsallee zum Haus vorbei.

«Was?» PJ sah hilflos aus dem Fenster. «Wohin fahren Sie?»

«Entschuldigen Sie, Sergeant. Aber wenn wir über dieses Thema reden, ist es mir im Auto lieber. Ich will nicht, dass Evelyn das alles noch einmal hören muss.»

Diese Wende der Ereignisse gefiel PJ nicht, aber er wusste auch nicht, was er dagegen tun sollte. Darauf zu bestehen, dass sie wendete oder anhielt, schien ein bisschen übertrieben, und wenn sie ablehnte, wäre er in einer noch schlechteren Position als ohnehin schon.

«Was hatten Sie noch mal gesagt, Sergeant?»

«Ich habe mich gefragt, warum niemand Burkes große Heimkehr mitbekommen hat.»

«Das weiß ich, Sergeant, aber was wollen Sie in Wahrheit damit sagen?» Die Atmosphäre im Auto hatte sich verändert. Abigails Stimme klang eisig. PJ sah sie an. Ein kleiner Muskel zuckte in ihrem Kiefer, und sie starrte unentwegt geradeaus.

«Ich sage, dass Tommy Burke vielleicht niemals irgendwohin gefahren ist. Sie müssen zugeben, dass alles mehr Sinn ergibt, wenn er nie in diesen Bus gestiegen ist.»

Abigail reagierte nicht. Die Straße wurde steiler, als sie zur Landspitze hin anstieg.

PJ hatte das Gefühl, endlich die Oberhand gewonnen zu haben. «Es würde mir vollkommen einleuchten, wenn Sie seine Abreise erfunden hätten, um Ihre Schwester zu beschützen. Das hätte so mancher andere auch getan.»

«Evelyn?» Sie warf ihm einen Blick zu. «Sie glauben, Evelyn wäre imstande gewesen, Tommy Burke umzubringen?»

«Zuerst nicht, aber sie ist sehr ...», er musste seine Worte sorgfältig wählen, «emotional. Es ist nicht schwer, sich vorzustellen, dass sie auf etwas oder jemanden extrem reagiert.»

«Oh, um Himmels willen. Evelyn hat Tommy Burke nicht getötet.»

«Sie klingen sehr sicher.»

«Ich bin auch sehr sicher, Sergeant. Ich weiß ganz genau, dass meine Schwester dieses arrogante Jüngelchen nicht getötet hat.»

PJs Herzschlag hatte sich beschleunigt, und sein Mund war wie ausgetrocknet.

«Und wen decken Sie dann? Wenn Sie wissen, wer den Mord begangen hat, dann ... Nun, dann müssen Sie uns das sagen.» Er hasste es, wie schwach und unwirksam seine Stimme klang.

«Sie sind wirklich nicht besonders schlau, oder? Watscheln durchs Dorf und mischen sich in Dinge ein, an die man nicht rühren sollte. Für all das gab es keinen Grund. Überhaupt keinen.» Sie unterstrich ihren Ärger, indem sie mit der rechten Hand aufs Steuer hieb. «Sie dummer, fetter, schwitzender Idiot. Keinen Grund. Es gab absolut keinen Grund.»

PJ klammerte sich seitlich an seinen Sitz, um sich daran zu hindern, sie zu ohrfeigen. Seit Jahren hatte sich niemand erlaubt, so mit ihm zu reden, und selbst damals waren es nur Betrunkene gewesen, die er samstags in die Wache verfrachtet hatte, damit sie ihren Rausch ausschliefen. Er atmete tief ein. «Sie können mich beleidigen, so viel Sie wollen, Miss Ross, aber wenn Sie wissen, was Tommy Burke zugestoßen ist, müssen Sie es uns sagen.»

Abigail warf den Kopf in den Nacken und stieß ein bellendes Lachen aus.

«Sie wollen wissen, was passiert ist? Also gut, ich erzähle Ihnen, was passiert ist. An dem Tag stand die Verlobungsanzeige in der Zeitung ... Nun, mir war nicht klar gewesen, wie stark Evelyns Gefühle für diesen Jungen waren. Ich hatte einfach angenommen, es wäre eine Mädchenschwärmerei. Aber als sie dann vom Hof der Burkes zurückkam, war sie dermaßen verzweifelt. Es war schrecklich. Und es war schrecklich, sie weinen zu sehen. Nach dem Tod unserer Eltern musste ich die Verantwortung übernehmen, und als ich sie so vor mir hatte, dachte ich, das Ganze wäre meine Schuld, mein Versagen. Ich war stinksauer auf dieses Bürschchen von Burke. Wir hatten ihm Land verpachtet, und es war meine Idee gewesen, dass Evelyn bei ihm im Haus helfen sollte, und das war nun sein Dank für das alles!

Ich bin auf seinen Bauernhof gefahren, um ihn zur Rede zu stellen. Es kam nicht in Frage, dass wir ihm weiter Land verpachten würden, und das wollte ich ihm persönlich sagen. Als ich zum Haus kam, stand die Tür offen. Ich habe ein paar Mal gerufen, aber schließlich bin ich einfach hineingegangen. Auf dem Küchentisch lag das Halstuch, das Evelyn so glücklich gemacht hatte. Ich musste an das Häufchen Unglück auf Ard Carraig denken und habe gekocht vor Wut. Ich habe mir das Halstuch gegriffen und bin hinten ums Haus, um festzustellen, ob er im Hof ist. War er nicht, aber ich hörte einen Traktor auf dem Hügel, also beschloss ich, nachzusehen. Er war es. In aller Unschuld saß er auf dem Traktorsitz und zog eine Egge über ein gepflügtes Feld. Für ihn war es ein Tag wie jeder andere. Ich weiß noch, dass ich seinen Hinterkopf sah, weil er von mir weg das Feld hinunterfuhr, und wie unbekümmert er wirkte. Er hatte einem Mädchen das Herz gebrochen und machte einfach mit der Alltagsarbeit weiter. Ich bebte vor Zorn.

Er war halb das Feld wieder herauf, als er mich sah. Er winkte, aber ich blieb am Gatter stehen, bis er zu mir gefahren kam. Er versuchte, vom Traktorsitz aus mit mir zu reden, aber davon wollte ich nichts wissen. Ich rief ihn herunter. Ich weiß nicht mehr genau, was ich gesagt habe. Ich habe ihn angebrüllt. Ich habe ihm das mit der Pacht gesagt und ihm Evelyns Halstuch in die Hand gedrückt. Er hat es angesehen, als würde er es nicht einmal wiedererkennen. Dann hat er angefangen sich aufzuplustern und erklärt, Evelyn wäre einfach ein junges Mädchen, und er hätte nichts getan, um sie zu ermutigen, und dann...»

PJ regte sich keinen Millimeter. Es schien ihm, als hätte Abigail beinahe vergessen, dass er mit ihr im Auto saß. Sie erzählte sich diese Geschichte selbst.

«Und dann hat der Wind das Ende des Halstuchs hochgeweht. Dabei war es nicht einmal ein windiger Tag. Eine Brise, mehr nicht. Das Halstuch hat sich hinter ihm ausgerollt wie eine lange, züngelnde Flamme. Es ging alles so schnell. Die Zapfwelle hinten am Traktor drehte sich noch, und innerhalb von Sekunden hatte sie das Halstuch erfasst. Tommy wurde zurückgerissen und schlug beim Fallen mit dem Kopf seitlich auf die Egge. Dieses Geräusch werde ich nie vergessen; ein lautes, feuchtes Knacken. Er rührte sich nicht mehr, und das Halstuch, das ihm aus den Händen geglitten war, schlug einfach nur harmlos um die Zapfwelle. Es hat nur Sekunden gedauert. Ich war so wütend, und dann hatte ich auf einmal diese grauenvolle Szene vor mir. Es war, als hätte ich es provoziert, aber ich wusste, dass das nicht stimmte. Ich habe nachgesehen, doch er war tot. Es ist seltsam, daran zurückzudenken und mich zu erinnern, wie ruhig ich war. Ich bin auf den Traktor gestiegen und habe den Motor abgestellt, und dann habe ich Tommy von der Egge weggeschleppt.»

Abigail hörte auf zu sprechen. Um ihre Lippen spielte ein Grinsen. PJ fragte sich, ob sie gleich anfangen würde zu lachen.

«Ich weiß, was Sie denken, Sergeant.»

PJ fühlte sich merkwürdig beklommen, nachdem sie

wieder zu erkennen gegeben hatte, dass ihr seine Anwesenheit bewusst war.

«Und was denke ich?», fragte er leise. Er war nicht sicher, wie er mit dieser Frau umgehen sollte. Die Stimmung in dem Auto schwankte gefährlich. Sie fuhren mittlerweile ziemlich schnell den Hügel hinunter, und während der Wagen um die engen Kurven raste, erhaschte PJ Blicke auf Aikeen Bay, die in lauter Blautönen unter der Sonne schimmerte.

«Sie fragen sich, warum ich nicht einfach ins Dorf gegangen bin und jemandem erzählt habe, was passiert war. Das habe ich mir natürlich überlegt, aber dann habe ich an Evelyn gedacht. Wissen Sie, dass sie es war, die den Leichnam unseres Vaters gefunden hat? Ich hatte das Gefühl, dass die Nachricht von Tommys Tod sie umbringen könnte. Jeder würde über sie reden. Sie war so schon eine von den tragischen Ross-Schwestern; ich konnte ihr diesen Kummer nicht auch noch aufladen. Damals erschien mir alles ganz klar und einfach. Ich ging zum Hof hinunter und suchte eine Schaufel. Das Feld war gepflügt, also war Graben nicht besonders schwierig. Ich rollte ihn in die Grube, und ich weiß noch, dass er aufs Gesicht fiel, und das hat mich irgendwie gestört, also habe ich ihn auf den Rücken gedreht. Nachdem er begraben war, fuhr ich den Traktor in die Scheune und wischte das Blut an der Egge mit ein bisschen Stroh ab. Dann habe ich das, was von dem Halstuch noch übrig war, aus der Zapfwelle gezogen, und das war's. Ich habe den Schlüsselbund von dem Traktor benutzt, um das Haus abzuschließen, und bin nach Hause. Tommy war abgehauen.

An diesem Abend bin ich ins Dorf und habe ein paar

Leuten von dem Bus erzählt. So einfach war das, Sergeant. Und fünfundzwanzig Jahre lang war alles gut. Niemand hat sich darum gekümmert, und Evelyn hat ihr Leben zurückbekommen.»

PJ starrte sie an. Meinte sie das ernst? Glaubte sie wirklich, ihre Schwester wäre mit ihrem Leben weitergekommen? War ihr nicht klar, dass sie Evelyn ebenso gut gleich zusammen mit Tommy hätte beerdigen können? Diese Frau schluchzte vermutlich immer noch auf Ard Carraig in dieses verfluchte Halstuch.

«Ich wünschte ... oh Gott, und wie sehr ... der Baggerfahrer hätte seine Schaufel einfach ein bisschen mehr nach links oder rechts ausgerichtet, dann hätte nichts von alldem passieren müssen.»

PJ gefiel ihr Ton nicht. Irgendetwas stimmte nicht. War noch mehr an ihrer Geschichte dran? Er öffnete den Mund und stellte fest, dass er ihr einfach die Wahrheit sagte.

«Ich weiß nicht, was ich sagen soll. Ich bin fassungslos.»

«Warum? Weil ich eine Frau bin?»

«Nein. Überhaupt nicht. Ich habe mit einem Verbrechen aus Leidenschaft gerechnet, nicht mit einem simplen Unfall, den Sie aus irgendeinem Grund wie einen Mord haben aussehen lassen. Haben Sie nach ein oder zwei Tagen nicht darüber nachgedacht, zur Polizei zu gehen?»

«Es war ein guter Plan. Ein zuverlässiger Plan. Er hat fünfundzwanzig Jahre lang funktioniert. Alles fein.»

PJ dachte daran, wie Mrs. Meany mit gebeugtem Kopf an seinem Küchentisch gesessen hatte.

«Warum erzählen Sie mir dann jetzt davon? Warum das Ganze nicht einfach leugnen? Sie müssen wissen, dass wir bei dieser Beweislage niemals zu irgendeinem Schuldspruch kommen.»

«Warum jetzt? Weil es, Sergeant, keine Rolle spielt.»

«Es spielt keine Rolle?»

«Nichts spielt mehr eine Rolle.»

Sie lenkte das Auto scharf nach rechts auf eine schmale Straße, die von dichten Hecken gesäumt war und in deren Mitte Gras durch den Asphalt wuchs.

«Das verstehe ich nicht.»

«Ich bin eine tote Frau, Sergeant. Tumore. Das haben sie bei der Operation entdeckt. Stadium vier. Wie es eine Krankenschwester ausgedrückt hat, der man nicht gerade den besten Umgang mit Patienten bescheinigen kann, bin ich davon gespickt. Ich habe noch Wochen, höchstens einen Monat. Wie die Mutter, so die Tochter. Ich bin die Auserwählte.»

Die Hecken rasten nun als verschwommenes grünes Band vorbei, und PJ wurde klar, dass sie zum Dunmore Pier hinunterfuhren. Der Wagen war viel zu schnell, und in PJ stieg furchtbare Angst auf.

«Ich bin sicher, dass man noch irgendetwas tun kann.»

Schweigen. Er sah zu ihr hinüber. Sie starrte geradeaus, die Hände fest an das Steuer geklammert, den Körper in den Sitz zurückgepresst.

«Miss Ross. Wohin fahren wir?»

Sie antwortete nicht.

«Begehen Sie keine Dummheit, Miss Ross.»

Abigail streckte die Hand aus und schaltete das Radio an. Lyric FM ließ eine schwungvolle Operettenmelodie durch das Auto schallen. War das von Gilbert und Sullivan? PJ öffnete seinen Sicherheitsgurt. Das Auto hatte die Hecken hinter sich gelassen und jagte auf den Pier zu.

«Um Himmels willen!», rief PJ über die Musik hinweg und versuchte, das Steuer zu packen. Abigail wehrte ihn ab, kraftvoller, als er es erwartet hatte. Die niedrige Mauer des Piers war nur noch Meter entfernt. Er zerrte das Steuer, so fest er konnte, nach rechts, und das Auto schleuderte von dem Pier weg, holperte über ein Stück Wiese. Verzweifelt riss er die Handbremse hoch. Das Auto drehte sich ein Mal, zwei Mal, und bei der dritten Drehung wurde es gespenstisch still, während sie vom Rand der Klippe in die Luft über der schäumenden See geschleudert wurden.

Während PJ am Türgriff zerrte, schien die Zeit stehenzubleiben. Momentaufnahmen aus seinem Leben blitzten durch seinen Kopf. Emma Fitzmaurices Lachen in der Dunkelheit des Kinos. Seine Mutter, die vor Stolz weinte, als er das erste Mal seine Uniform anzog. Der Schweißtropfen, der von seiner Stirn auf Brids blasse Haut gefallen war. Dann verschlang ihn ein ohrenbetäubendes Dröhnen, als der Wagen auf dem Wasser aufschlug.

Die Klippe war menschenleer. Niemand sah das Auto, das vom Ozean verschluckt wurde. Niemand hörte die Klänge der «Königin der Nacht» unter den Wellen heraufdringen, die an die kalten Felsen am Fuße des Kliffs rollten.

14

Zwei Beerdigungen in einer Woche. Das Wetter hatte umgeschlagen, und Düsternis hing über Duneen. Petra warf einen Blick zu der Digitaluhr auf der Ladentheke. Jetzt mussten sie alle dort oben sein, dachte sie. Es war zu seltsam, dass die ganze Dorfbevölkerung dieser Frau die letzte Ehre erweisen wollte. Sie war eine Mörderin. Vielleicht hatte Mrs. O'Driscoll deshalb entschieden, den Laden nicht zu schließen. Petra kaute an einer ihrer langen, blondierten Haarsträhnen. Irland war ein sehr rätselhaftes Land.

Oben auf dem Friedhof stützte sich Evelyn auf Florence, während der Pfarrer seine Gebete beendete. Beide Frauen erinnerten sich, wie sie das letzte Mal zu einer Beerdigung an diesem Grab gestanden hatten. Damals war es um ihren Vater gegangen. Abigail hatte zwischen ihnen gestanden, ihre Arme wie Engelsflügel um sie gelegt, um sie vor der großen Trauergemeinde zu behüten, die sich am Grab versammelt hatte. Nun war es Abigail, die vor ihnen lag. Florence hatte sich gefragt, ob die Leute aus dem Dorf angesichts der Umstände kommen würden, doch ihre Zweifel waren unbegründet. Eine Beerdigung war immer wichtiger als der Mensch, der bestattet wurde.

Mrs. O'Driscoll hatte sich in die lange Schlange der Trauergäste eingereiht. Als sie das Grab erreichte, gab sie den Schwestern die Hand. «Mein Beileid.» Florence lächelte sie vage an und murmelte ein «Danke», Evelyn jedoch hob nicht einmal den Kopf. Als sich Mrs. O'Driscoll von ihnen abgewandt hatte und die Treppe hinunterging, fragte sie sich, was die beiden nun tun würden. Verkaufen? Das hätte sie selbst jedenfalls getan. Ard Carraig war verflucht. Sie würden dort nicht glücklich werden.

Auf Ard Carraig waren das Ticken der Uhr und das Surren, mit dem sich unvermittelt der Kühlschrank einschaltete, die einzigen Geräusche. Florence umsorgte Evelyn, kochte ihr Tee, der ungetrunken stehen blieb, und Mahlzeiten, die sie nicht aß. Sie las oder korrigierte Hefte und warf dabei immer wieder einen Blick auf ihre Schwester. Evelyn saß einfach nur mit den Händen im Schoß da, starrte mal auf den Boden, mal in eine unbestimmte Ferne. Bobby hatte schnell begriffen, dass Winseln oder seine Pfote auf ihrem Bein keinen Leckerbissen oder gar ein Streicheln mehr einbrachte. Er übertrug seine Zuneigung auf Florence, rollte sich neben ihr zusammen und legte ihr das Kinn auf den Fuß.

Evelyn fühlte sich geschlagen und wie betäubt. Was hatte es für einen Sinn, sich um andere zu sorgen oder sich anzustrengen oder zu glauben oder zu lieben, wenn sich so eindeutig alles gegen sie verschworen hatte? All das konnte ihr nicht nur zufällig passiert sein; irgendwie, dachte sie, musste es ihre Schuld sein. Sein Glück zu versuchen bedeutete zu scheitern. Jemanden zu mögen bedeutete, verletzt zu werden.

Die Dämmerung des frühen Abends hatte sich über sie ausgebreitet, und Florence legte ihr Buch weg und ging durch den Raum, um das Licht anzuschalten. Evelyn rührte sich nicht. Es war, als hätte sie es nicht mitbekommen.

Linus wusste nicht genau, warum er gekommen war. Er hatte Berge von Akten auf dem Schreibtisch, und er hatte gehofft, Ballytorne nie wiedersehen zu müssen, und was tat er gerade? Er bog auf den Parkplatz des Krankenhauses ein.

Mit einer kleinen Tüte grüner Trauben, die er in dem SuperValu am Marktplatz gekauft hatte, ging er die Treppen zum Eingang hinauf. Warum brachte man Kranken eigentlich immer Trauben mit? Er kam sich vor wie ein Trottel. Wenigstens war er nicht so weit gegangen, auch noch einen Energydrink zu kaufen. Er ging auf die Krankenschwester am Empfang zu.

«Ich möchte zu Sergeant PJ Collins.»

Irgendwie ließ das Krankenhausbett mit den Seitenschienen und dem Kopfkissenberg PJ noch voluminöser aussehen als sonst schon. Linus musste an die Dokumentarfilme denken, in denen riesige Großsäugetiere unter Betäubung zurück in ihren natürlichen Lebensraum verfrachtet wurden.

PJ hatte den Kopf zurückgelegt und die Augen geschlossen. Linus zögerte, wusste nicht recht, was er tun sollte. Ihn wecken? Er beschloss, sich auf den Stuhl zu setzen, der am Bett stand, und zu warten. Abwesend naschte er von den Trauben.

Nach etwa zehn Minuten hob PJ den Kopf und wirkte kein bisschen überrascht darüber, dass der Detective Superintendent an seinem Bett saß.

«Hallo.»

«Hallo, Sergeant. Wie geht es Ihnen?»

«Es geht schon. Ich soll bald hier rauskommen. Nett, dass Sie extra gekommen sind.»

«Reden Sie keinen Unsinn. Wir sind froh, dass Sie noch leben. Ich habe Ihnen ein paar Trauben mitgebracht.» Er hielt ihm die Tüte hin.

PJ musterte die Mischung aus Trauben und kahlen Stängeln.

«Sorry. Ich habe ein paar gegessen, während ich gewartet habe, dass Sie aufwachen.»

Sie lachten. Zwischen ihnen war eine Leichtigkeit entstanden, die es zuvor nicht gegeben hatte.

Linus hatte sich aufrichtig gefreut, als er erfuhr, dass PJ den Unfall überlebt hatte. Der Alarm war von einem Fangschiff ausgelöst worden, auf dem man beobachtet hatte, wie das Auto von der Klippe stürzte, doch bis die Küstenwache eintraf, saß PJ schon zitternd zusammengekauert auf einem Felsen. Im letzten Augenblick vor dem Aufprall war es ihm gelungen, die Tür aufzudrücken, und er war halb aus dem Auto gewesen, während es auf den Grund der Meeresbucht sank. Er hatte sich am Fahrgestell das Schlüsselbein gebrochen und drei Rippen angeknackst. Jetzt hielt eine Verplattung mit Schrauben seine Klavikula zusammen.

Während der Tage im Krankenhaus hatte er durch die Schmerzmittel und die Nachwirkungen der Vollnarkose viel geschlafen, aber er hatte auch viel über den Unfall nachgedacht. Er fragte sich, ob er mehr hätte tun müssen, um Abigail aus dem Wagen zu retten. Genau genommen hatte er überhaupt keinen Versuch unternommen, zu dem Auto zurückzugelangen. Er hatte auf dem Felsen gekauert, überall im Körper ein Stechen nach dem eiskalten Salzwasser, froh, dass er noch lebte, und auf die Frau fluchend, die gerade alles versucht hatte, um ihn umzubringen. In diesem Moment war es ihm nicht in den Sinn gekommen, sein Leben zu riskieren, um ihres zu retten.

Er fragte sich aber auch, was er falsch gemacht hatte. Ob er als Polizist ein Warnzeichen hätte erkennen können. Hätte es für ihn eine Möglichkeit gegeben, die Situation zu verhindern? Als sein Auto von dem Krankenhausparkplatz in Ballytorne abgeholt wurde, hatte sich herausgestellt, dass sämtliche Kabel unterhalb und um das Steuer fein säuberlich durchtrennt worden waren. Seine Kollegen vermuteten, dass jemand ein kleines Werkzeug wie eine Nagelschere dazu benutzt hatte. Es erschütterte PJ, wie lange er gebraucht hatte, bis ihm klarwurde, dass er sich in ernsthafter Gefahr befand. Sie hatte seine Beseitigung eindeutig schon von dem Augenblick an geplant, in dem sie von dem Parkplatz wegfuhren.

«Was meinen Sie, wann Sie wieder zu arbeiten anfangen?»

«Ich weiß es nicht.» Das war auch etwas, über das PJ lange nachgedacht hatte. «Ehrlich gesagt, weiß ich nicht, ob ich den Dienst überhaupt wieder antrete.»

Linus fuhr verblüfft auf. «Wirklich? Warum? Ich dachte, Sie mögen den Job.»

«Stimmt auch. Oder hat gestimmt. Das Ganze ist mir ziemlich an die Nieren gegangen, ehrlich gesagt.»

«Der Unfall?»

«Nein. Nein, eigentlich die gesamte Ermittlung. Ich hatte hier viel Zeit zum Nachdenken, und ich habe mich daran erinnert, warum ich zur Polizei wollte. Ich dachte, ich könnte etwas Gutes bewirken. Von Nutzen sein, wissen Sie. Mir hat die Vorstellung gefallen, zur Dorfgemeinschaft zu gehören. Zu helfen. Wie gesagt, von Nutzen zu sein. Aber dann habe ich einfach nur meinen Job gemacht und über die ganzen Jahre irgendwie nicht mitbekommen, dass meine alltägliche Arbeit überhaupt nichts mit meinen Vorstellungen zu tun hatte. Ich stelle Genehmigungen aus und überprüfe Zulassungsplaketten. Das könnte sogar ein dressierter Affe. Als Sie da waren ... die Leute von der Spurensicherung, wurde mir wieder klar, was dieser Beruf bedeuten kann. Ich glaube wirklich nicht, dass ich zurückgehen und wieder Radarfallen aufstellen oder Leute aus dem Pub holen kann. Verstehen Sie das?»

«Natürlich. Ich fand das auch alles unerträglich in meiner ersten Zeit bei der Polizei. Trotzdem, denken Sie noch mal drüber nach. Würde uns leidtun, Sie zu verlieren.»

«Mach ich», sagte PJ, obwohl er seine Entscheidung in Wahrheit schon getroffen hatte.

Linus stand auf. «Tja, ich muss wieder zurück. Hat mich gefreut, Sie hier in einem Stück anzutreffen.»

«Danke für den Besuch. Das weiß ich zu schätzen.»

«Also dann.»

Linus hatte schon die Hand an der Türklinke, als er sich noch einmal umdrehte.

«Und was wäre mit Cork?»

«Wie bitte?»

«Wenn ich ein Wort für Sie einlege, könnten Sie sich dann vorstellen, nach Cork raufzukommen?»

PJ wusste nicht, was er sagen sollte, doch Linus erwärmte sich für seinen Plan.

«Sie haben die Voraussetzungen. Ich würde sagen, Sie könnten ohne große Probleme Detective werden.»

PJ überkam die Vorstellung, er würde durch das Buch seines Lebens blättern, die unbeschriebenen Seiten der Zukunft. Detective. Diese Kapitelüberschrift könnte ihm gefallen.

«Wirklich? Das könnten Sie machen?»

«Ich verspreche gar nichts, das ist klar, aber ich könnte mal einen Versuch starten. Soll ich?»

«Ja. Ja bitte.» PJ strahlte.

Zu der zweiten Beerdigung kamen drei Trauergäste. Drei Frauen. Jede hielt ein wenig Abstand von den anderen. Vorn am Grab war Mrs. Meany. Sie hatte sich von einer Nachbarin einen schwarzen Mantel geliehen. Er war ihr ein bisschen zu groß, und nur ihre Fingerspitzen ragten aus den Ärmeln, als sie mit gesenktem Kopf dastand. Die kleine Lizzie Meany legte schließlich und endlich ihr Baby schlafen.

Nach den Gebeten trat sie an die Grube und warf drei Handvoll dunkelroter Erde auf den Sargdeckel. Vor ihrem inneren Auge sah sie Mrs. Burke mit einem glucksenden Bündel auf dem Arm. Dieser Sarg wirkte sehr groß und kalt.

Etwa drei Meter hinter ihr standen Evelyn und Brid. Während die alte Dame in das Grab blickte, ging Brid zu

Evelyn und umarmte sie. In ihrem Leben war auch so schon genügend los, ohne dass sie sich an ihre pubertäre Wut auf Evelyn Ross klammerte. Sie bereute es sofort. Evelyns Arme hingen weiter schlaff an ihren Seiten herab, und Brid musste sich zwingen, die Umarmung eine Sekunde oder zwei durchzuhalten, bevor sie wieder zurücktrat. Evelyn sah grauenvoll aus. Dunkle Schatten lagen unter ihren Augen, und sie starrte Brid ohne jedes Zeichen des Wiedererkennens an.

«Alles in Ordnung mit dir?»

«Ja.» Ihre Stimme war nicht mehr als ein Flüstern.

«Soll ich dich zu Hause absetzen oder irgendwas?»

Bevor Evelyn antworten konnte, kam Florence zu ihnen.

«Hallo, Mrs. Riordan. Ich nehme sie mit. Keine Sorge.» Sie legte ihren Arm um Evelyns Schultern und begann sie wegzuführen. «So ein trauriger Tag.»

Inzwischen war Mrs. Meany zu Brid getreten. «Die Ross-Mädchen gehen schon?»

«Ja. Ich glaube, Evelyn fühlt sich nicht besonders wohl.»

«Oh. Ich verstehe.»

Die beiden Frauen standen schweigend beieinander, keine wusste, was sie als Nächstes sagen sollte. Die Mutter, die er nie gekannt hatte. Die Braut, die er nie geheiratet hatte.

«Ich weiß nicht, ob es passend ist, aber wenn Sie mit zu mir kommen möchten, ich habe ein paar Sandwiches gemacht.»

«Vielen Dank, aber ich muss jetzt die Kinder abholen.»

«Natürlich. Natürlich.»

Brid entschied sich dagegen, es noch einmal mit einer Umarmung zu versuchen, und gab der alten Dame einfach nur die Hand.

Wieder in ihrem Cottage, zog Mrs. Meany den geliehenen Mantel aus und hängte ihn sorgfältig über den Holzkleiderbügel, der am Haken hinter der Küchentür wartete. Dann sah sie zum Tisch hinüber. Er war mit ihrem besten Chinaporzellan gedeckt. Sechs Tassen mit Untertassen, ein kleiner Stapel Teller. Daneben lag ein feuchtes Geschirrtuch über zwei Platten mit Sandwiches, und auf dem Küchentresen stand neben der Brotdose eine Backform mit einem frisch glasierten Karottenkuchen.

Sie setzte sich schwer auf einen Stuhl am Tisch und hob eine Ecke des Geschirrtuchs an. Sie nahm ein kleines, dreieckiges Sandwich. Von dem Brot hatte sie zuvor die Rinde abgeschnitten. Es war Schinken. Sie biss eine Ecke ab, dann legte sie es weg. Mit einem tiefen Seufzen stand sie auf und trug die Platten zum Mülleiner. Was für eine Verschwendung, dachte sie.

Ein großer grüner Koffer und zwei kleinere Segeltuchtaschen waren alles, was er mitnahm. Er betrachtete sie, nachdem er sie in den Kofferraum gequetscht hatte. Es war dasselbe Gepäck, mit dem er vor all den Jahren zu der Ausbildung in Templemore gefahren war. Das war eine Ewigkeit her. Hatte er in den Jahren seitdem überhaupt ein Leben geführt? Vermutlich nicht, dachte er, aber das spielte keine Rolle, weil er jetzt eines anfing. Er schlug den Kofferraumdeckel zu. Es war ein gutes Gefühl, nach monatelangem Warten endlich wegzufahren.

Die erste Verzögerung hatte sich ergeben, weil sie

nach einem Ersatz für ihn suchten, doch am Ende wurde entschieden, dass die Polizeiwache in Duneen geschlossen und das Dorf mit seiner Umgebung der Zuständigkeit der Beamten in Ballytorne unterstellt würde. PJ hatte die Augenbrauen gehoben, als er das hörte. Das konnte ja nur bedeuten, dass er unersetzlich war, oder ... Er versuchte jede Bitterkeit und jedes Bedauern zu unterdrücken, dass die Arbeit, die er die letzten fünfzehn Jahre gemacht hatte, vollkommen überflüssig war. Dann fand er, dass er zu hart über sich urteilte. Die Art, auf die ihn die Leute angesprochen hatten, als sich die Neuigkeit von seiner Versetzung herumsprach, überzeugte ihn davon, dass seine Arbeit etwas wert gewesen war. Er hatte das Gefühl, sie würden ihn vermissen. Und würden sie ihm auch fehlen? Das war gut möglich.

Er schloss die Eingangstür der Polizeiwache ab und stieg ins Auto. Jede unbedeutende Kleinigkeit hatte einen gewichtigen historischen Gehalt angenommen; ganz gleich, was er an diesem Tag machte – Zähneputzen, Teewasser aufstellen, Schuhe zubinden –, alles löste in ihm den Gedanken aus: «Das ist das letzte Mal, dass ich...»

Das Laub färbte sich schon langsam bunt, aber die Sonne hatte immer noch Kraft, sodass Duneen bei seiner Abreise den schönstmöglichen Anblick bot. Langsam fuhr er durch die Main Street, nahm alle Eindrücke in sich auf.

Ob ich je noch einmal hierher zurückkomme?, ging es ihm durch den Kopf.

Mrs. O'Driscoll stand vor ihrem Laden. Er winkte ihr zu. Sie wirkte ein bisschen erstaunt und hob ebenfalls die Hand. PJ lächelte vor sich hin. Offenkundig hatte sie vergessen, dass es heute so weit war. Links kam der

Hügel, über den man den alten Bauernhof der Burkes erreichte. Die Neubausiedlung war inzwischen fertig, und in einer Entscheidung, die für viele überraschend kam, hatten Florence und Evelyn Ard Carraig verkauft und eines der neuen Häuser erstanden. Es lag natürlich überaus praktisch, wenn man an Florences Schulunterricht dachte, aber die Leute fragten sich trotzdem, ob Duneen der geeignete Ort für die beiden war. PJ hatte eine Woche zuvor bei ihnen vorbeigeschaut, um zu sagen, dass er wegzog, doch Florence meinte, Evelyn ginge es nicht gut, also hatte er sich nicht von ihr verabschieden können. Tatsächlich bekamen nur noch sehr wenige Leute Evelyn zu sehen.

Florence hatte beinahe die Rolle einer Pflegerin übernommen. Jeden Abend besorgte sie ein paar Kleinigkeiten im O'Driscoll's und fuhr dann zurück zu dem neuen Haus. Es gefiel ihr, wie sauber alles war. Die Küche, das Bad, die Fenster; nichts war von einer dicken Schicht Erinnerungen überlagert. Sie wusste nicht genau, was sie von der Situation mit Evelyn halten sollte. Offenkundig brauchte sie Hilfe, weigerte sich aber, zu einem Spezialisten zu gehen. Der Dorfarzt war ein paar Mal vorbeigekommen und hatte ihr etwas gegen Angststörungen verschrieben, aber die Medikamente schienen keine besondere Wirkung zu entfalten. Gelegentlich wurde erzählt, dass Evelyn sehr früh am Morgen oder nach Einbruch der Dunkelheit beim Spaziergang mit dem Hund gesehen worden war, doch davon abgesehen, war sie aus dem Dorfleben verschwunden. Ihre Schwester hieß nun nicht mehr Florence. Sie hieß, und so sollte es bleiben, «die arme Florence».

Als er das Dorf hinter sich hatte, beschleunigte PJ und dachte an sein neues Leben in Cork. Er hatte eine kleine Zweizimmerwohnung in einem Neubaugebiet am Stadtrand gemietet. Er freute sich darauf, ein Zuhause zu haben, das von seinem Arbeitsplatz getrennt war. Er überlegte, ob er ein bisschen abnehmen würde, wenn ihm Mrs. Meany nicht mehr alle Mahlzeiten kochte. Er hoffte es.

Er kam an der Abzweigung vorbei, die zu Brid Riordans Bauernhof führte. Er hatte hinfahren und sich von ihr verabschieden wollen, aber er wusste, dass sie es nicht einfach hatte. Bei seinem Glück wäre er vermutlich gleichzeitig mit Anthony dort angekommen.

Anthony hatte eine Zeitlang bei seiner Mutter gewohnt, doch sobald der Bau des kleinen Hauses für ihn begonnen hatte, lenkte Brid ein und ließ ihn zurück ins Bauernhaus ziehen. Die Kinder wirkten glücklicher, seit wieder alle unter einem Dach wohnten, auch wenn sie wussten, dass ihr Vater im Gästezimmer schlief.

Die Reaktion der Kinder hatte Brid zuerst überrascht. Sie hatte geglaubt, Cathal würde mehr durcheinanderkommen, aber tatsächlich war es Carmel, die es am schwersten genommen hatte. Brid und Anthony hatten es ihnen gemeinsam gesagt. Cathal hatte nur genickt. Brid sah ihm an, dass er alles versuchte, um nicht zu weinen. Sie hasste sich dafür, etwas zu tun, was ihm wehtat. Carmel dagegen hatte beschlossen, dass ihr Vater ging, weil ihre Mutter so schrecklich war. Sie hatte Brid angebrüllt, sie eine gemeine Kuh und eine Alkoholikerin genannt. Anthony hatte versucht, sie zurechtzuweisen und ihr zu sagen, dass Mammy und Daddy diesen Entschluss gemeinsam gefasst hatten, aber davon wollte sie nichts hören. Mammy hatte ihren Daddy vertrieben.

Mit der Zeit hatte sich alles beruhigt, und inzwischen war sie zumindest höflich zu Brid. Gelegentlich war Brid versucht, ihr von Daddy und der Krankenschwester zu erzählen, aber sie wusste, dass Carmel ihr wahrscheinlich auch dafür die Schuld geben würde.

Eine andere große Veränderung war, dass Brid Geld verdiente. Offenbar hatte sie das Talent ihrer Mutter zum Backen geerbt, und nachdem ein paar andere Mütter in der Schule nach ihren Rezepten gefragt hatten, bot ihr eine davon an, sie für einen Geburtstagskuchen zu bezahlen. Weitere Anfragen folgten, und mit gestärktem Selbstbewusstsein war Brid in Ballytorne in den kleinen Deli namens Coffee Nook gegangen und hatte den Betreibern eine Auswahl Muffins und Kuchen gezeigt. Inzwischen erhielt sie regelmäßige Bestellungen. Das Geld reichte nicht zum Leben, aber sie merkte Anthony an, dass er beeindruckt war, und es gefiel ihr, etwas zu tun zu haben.

Einmal, ziemlich bald nachdem er wieder eingezogen war, hatte Anthony versucht, sie zu küssen. Brid war fertig fürs Bett aus dem Bad gekommen, und da hatte er auf dem Treppenabsatz gestanden. Sie wusste nicht, ob er es so geplant hatte oder einfach nur darauf wartete, bis er sich die Zähne putzen konnte, und ihn dann die körperliche Nähe dazu gebracht hatte, sich vorzubeugen und seine Lippen auf ihre zu drücken. Brid hatte ihn nicht weggeschoben, aber irgendwie hatten sie beide gespürt, dass sie es besser nicht tun sollten. Er hatte sich von ihr zurückgezogen, die Badezimmertür zugemacht und es nicht noch einmal versucht.

Die Straße folgte der Windung des Tals und ließ Duneen hinter sich. Langsam sank die Sonne, und lange Schatten legten sich über die Felder. PJ war sich seiner selbst merkwürdig bewusst. Es war, als würde er dabei beobachtet, wie er das Auto um die Kurven lenkte. Er lehnte sich zurück und legte die Hände entspannt ums Steuer. Er fühlte sich wie in einem Film, aber er wusste nicht genau, ob dies der Anfang oder das Ende war.

EPILOG

Das hatte PJ schon immer gehasst. Allein in einem Restaurant zu sitzen, war etwas, das er nach Möglichkeit vermied. Schon die Art, auf die ihn andere Gäste ansahen, wenn er hereinkam. Sie machten nicht einmal den Versuch, ihre Belustigung und ihre Abscheu zu verbergen.

Und dann musste er sich ja auch noch zu seinem Stuhl manövrieren. Es war nie genügend Platz, und irgendjemand musste immer mit dem Stuhl vorrücken. «Gern geschehen», versicherten ihm die Leute, aber er wusste, dass sie sich darüber ärgerten, wie viel Platz er einnahm.

Der Kellner kam und fragte, ob er Brot und Butter wollte. Hatte sich PJ gerade eingebildet, dass der junge Mann höhnisch grinste?

«Ja, bitte.» Es lief sogar noch schlimmer, als er erwartet hatte. Der dicke Teppich und die gestärkten Tischtücher verliehen dem Raum eine gedämpfte Atmosphäre. Unterhielt sich überhaupt jemand? Alles, was er hören konnte, war das Klappern von Besteck auf Tellern und seine eigene Atmung, die irgendwie lauter zu sein schien als gewöhnlich. Er spürte, dass sich auf seiner Stirn ein Schweißfilm bildete. Konnte er die Serviette benutzen, um ihn abzuwischen?

Der Brotkorb und ein kleines Förmchen mit Butter wurden gebracht. Der Kellner machte sich garantiert über ihn lustig. PJ wartete, bis er gegangen war, dann nahm er ein Stück Brot und strich Butter darauf. Gott, war das gut. Er gestattete sich ein zweites Stück. Dann noch eins. Schließlich war nur noch eine Scheibe übrig. Die würde er nicht essen. Er würde diesem Klugscheißer-Kellner nicht die Genugtuung bieten, einen leeren Brotkorb vorzufinden, wenn er wieder an den Tisch kam. Er sah geradeaus auf eine Reihe abstrakter Gemälde. Wie lange war er schon hier? Er sah auf die Uhr. Fünf Minuten. Das war gar nichts.

Jedes Mal, wenn die Tür aufging, musste er sich recken, um zu sehen, wer es war; sein Tisch stand in einer Nische, sodass er nur den Bereich um den Tresen im Blick hatte. Ein älteres Paar, das offenbar etwas zu feiern hatte, eine Gruppe von drei Geschäftsmännern, ein unsicheres junges Pärchen. PJ beobachtete, wie sie der jungen Frau am Tresen ihre Garderobe gaben und dem Kellner anschließend an ihre Tische folgten. In dem Lokal war kaum noch ein Platz frei.

Wieder hörte er, dass die Tür geöffnet wurde, und sah eine Frau von hinten, die einen sandbraunen Mantel trug, den PJ nicht kannte. Sie zog ihn aus, sodass eine marineblaue Bluse mit einem weißen Kragen sichtbar wurde. Die Frau fuhr sich übers Haar, während sie mit dem Oberkellner sprach. Als sie sich umdrehte, um ihm weiter ins Restaurant zu folgen, fiel ihr Blick auf PJ. Brid Riordan winkte ihm dezent zu und lächelte.

Das letzte Stück Brot war vergessen.

DANK

Es war schon lange mein Traum, einen Roman zu schreiben, aber die Tatsache, dass Sie dieses fertige Buch in den Händen halten, ist der Ermutigung, Zähigkeit, Unterstützung und der ständigen Aufmunterung durch sehr viele Menschen zu danken.

Ich hätte mir keinen besseren Verlag wünschen können. Carolyn Mays gab mir das Gefühl, ein vollwertiges Mitglied der Hodder-Familie zu sein, und meine Lektorin Hannah Black hat unermüdlich gearbeitet, um dieses Buch Wirklichkeit werden zu lassen. Ihre klugen Anmerkungen und Hinweise waren mir immer willkommen, aber vielleicht war es noch wichtiger, dass sie mir das Gefühl gegeben hat, ein Schriftsteller zu sein. Andere Mitglieder der Hodder-Familie, denen ich danken muss, sind Lucy Hale, Alice Morley und Louise Swannell dafür, dass sie die Welt darauf aufmerksam gemacht haben, dass ich einen Roman geschrieben hatte. Alasdair Oliver und Kate Brunt dafür, dass er so schön aussieht. Claudette Morris, Liz Caraffi und Emma Herdman für all euren Sachverstand, eure Hilfe und Geduld! Melanie Rockcliffe und Dylan Hearne und allen bei Troika Talent danke ich dafür, mich bis zur Ziellinie angefeuert zu haben.

Meinen ersten Lesern für ihren Enthusiasmus und ihre scharfsichtigen Anmerkungen: Gill Sheppard, Niall Macmonagle, Rhoda Walker, Paula Walker, Becky Nicholass und Maria McErlane.

Meinen Freunden und Nachbarn in Bantry und auf der Halbinsel Sheep's Head in West Cork dafür, dass sie mich bei sich aufgenommen und mich mit Inspirationen für einige der Schauplätze (aber keinen der Charaktere) des Romans versorgt haben.

All meinen Freunden bin ich zu Dank verpflichtet, weil sie über ein Jahr lang Interesse für dieses Buch geheuchelt haben, und natürlich bin ich Ihnen, die Sie jetzt diese Zeilen vor Augen haben, überaus dankbar für Ihre Entscheidung, mein Buch zu lesen. Ich hoffe, es hat Ihnen gefallen.